민중의 집

술과 이웃, 토론과 배움이 있는, 세상에서 가장 큰 집

민중의 집

술과 이웃, 토론과 배움이 있는, 세상에서 가장 큰 집

정경섭 지음

저자의 말

2010년 8월 10일, 인천공항. 활주로와 계류장의 비행기들은 폭염에 지쳐 있다. 하지만 내 마음은 5월의 신록처럼 상쾌하다. 난 이제 유럽으로 떠난다. 이탈리아, 스페인, 스웨덴 3개국에 45일 동안 머물 것이다. 드디어 그것을 보러 간다. 로마 원형경기장, 알함브라 궁전, 바이킹 유적 같은 세계적 관광 명소보다 몇 백 배 더 보고 싶었던 곳. 2008년, 내가 대한민국에서 처음으로 문을 연 집, 내가 세상에서 가장 크고, 아름다운 공간으로 만들고 싶었던 집, 이탈리아에만 2천 개가 넘는다는 집, 보고 싶고 또 보고 싶었던 바로 그 '민중의 집'을 보러 간다. 내 옆에는 통역을 맡아줄 듬직한 여인도 있다. 나의 아내, 나의 동지다. 10년을 기다린 여행이었다.

2001년 초, 나는 주간 신문 기자였다. 나는 일본에서 발행된 책의 일부를 번역해서 A4 용지로 10여 장 정도 되는 자료를 읽고 있었다. 내 눈이 어느 한 구절을 훑어가는 순간 갑자기 머릿속에 한 줄기 섬광이 번쩍 스쳤다. 그리고 이후 다른 것들은 눈에도, 머리에도 들어오지 않았다.

"이탈리아에 있는 민중의 집, 1층은 선술집이고 2층은 강의실이며, 3층은 지역 주민 단체들과 노동조합 그리고 진보정당 사무실이 함께 있는 집."

그런 집이 이탈리아에는 2천 개도 넘는다는 것이다. 마치 내가 미처 몰랐으나, 오래 전부터 마음속에 이미 그리고 있던 그런 공간을 발견한 것 같았다. 하루의 일을 끝내고 집으로 돌아온 사람들이 선술집에 앉아서 집안 얘기부터 정치 얘기까지 하는 공간, 요리와 뜨개질부터 자본주의 경제학까지 가르치고, 배우는 공간, 지역에서 활동하는 사람들이 한곳에 모여 북적대는 활기찬 공간, 이것들이 함께 어우러지는 곳. 하지만 당시 그것은 말 그대로 섬광이었다. 강렬했지만, 짧은. 난 다시 일상으로 돌아갔다.

롤랑바르트는 《사랑의 단상》이란 책에서 "유일한 섬광은 모든 산술적인 것을 파기하는 그런 전대미문의 일을 수행한다"고 했다. 짧은 문건에서 본 이탈리아 민중의 집이란 섬광은 결국 10년의 시간을 거친 뒤, 나를 그곳으로 인도했고 결국 인생에서 첫 번째 책을 집필하게 되는 전대미문의 일을 수행하게 만들었다.

2002년, 나는 2년 넘게 해오던 주간지 기자 생활을 그만뒀다. 그리고 원외 진보정당이던 민주노동당 마포을지구당 사무국장을 맡았다. 주위의 반대가 많았다. 하지만 오래 전부터 생각해왔던 일이었다. 여의도와 국회의원이 중심이 아니라, 지역과 주민이 주인이 되는 새로운 생활 정치와 지역 정치 그리고 그것을 기초로 한 진보 정치. 내가 걷고 싶었던 길이었다. 일단 전국 100여 개 지구당 중에 최고의 지역구를 만드는 게 나의 1차 목표였다. 그러기 위해서는 당원 모임은 물론, 주민들과 함께하는 일상적인 지역 활동을 잘해야 했다. 당원들 대부분이 직장인이라서 모임은 주로 저녁에 있었다. 낮 시간에는 파업을 하는 노조가 있으면 '나 홀로' 방문하고, 집회에 참석하기도 했으며, 시간이 날 때마다 지역의 시민 단체들도 찾아다녔다. 지역 단체들과 함께하는 사업도 많았다. 성미산 지키기 운동도 함께했고, 상암동에 들어서려는 박

정희 기념관 건립을 막고 대신 어린이 도서관을 만들자는 운동도 했다. 학교 급식 조례를 만들기 위해 연대 기구를 만들고 몇 달간 서명을 받으러 다니기도 했다.

그때그때 다양한 이슈에 대해 다양한 단체들과 대책 기구 같은 것들을 만들어 함께 대응했지만 내 속에는 늘 '이건 아닌데' 하는 생각이 떠나지 않았다. 언필칭 현장의 '진보 정치인'으로서 나는 최대한 많은 지역 단체와 가깝게 지내려고 노력했지만, 내가 만나는 단체끼리 항상 서로 가까운 사이도 아니었다. 지역에서 10년 이상 오래 활동했던 단체들 간에도 특별한 일이 아니면 만나거나, 소통할 기회가 적었다. 이를테면 노동조합과 생활협동조합(생협)의 거리는 참으로 멀었다. 하지만 그보다 더 답답했던 것이 있었다. 정당이라고 하면 진보든, 보수든 어떤 단체에도 환영받지 못했다. 이슈가 무엇인지와 상관없이. 정당과 같이하면 지역운동에 특정한 정치색이 덧씌워지는 것 같다며 이를 꺼려하는 단체도 있었다. 선거 때 지지와 후원을 호소하러 방문하는 것 말고 딱히 노조와 함께할 수 있는 사업이 없을 땐 멋쩍고 민망했던 적도 많았다.

그러던 중 2006년 '문화 권리와 문화 민주주의 그리고 불온한 상상력과 진보적 감수성'을 지향하는 문화 단체로, 마포 지역에 사무실을 둔 '문화연대'에서 새로운 지역 공동체 운동을 연구해 보자는 제안을 했다. 나는 즉각 이에 응했고, 우리는 외국의 지역운동 사례를 검토했다. 프랑스의 아트센터, 독일의 사회문화센터, 일본의 공민관 등 여러 사례를 살펴보던 중 이탈리아와 스웨덴 민중의 집을 다시 만났다. '섬광의 기억' 이 떠올랐다. 다른 나라와 달리 두 나라의 지역공동체 운동에는 노동조합이 끈끈하게 결합하고 있었고, 지역 진보정당도 조직적으로 함께하고 있었다. 머릿속에 쌓여 있던 이탈리아 민중의 집에 대한 기억이 불쑥불쑥 솟구쳤다. 당시 사무국장을 거쳐 민주노동당 마포지구당 위원장으로 활동하던 나에게 노조와 정당, 다양한 지역 시민사회단체들이 꾸려가는 일상적인 지역운동의 공간, '민중의 집' 은 갈증을 풀어주는 샘물이고 오아시스였다. 그래서 우리는 이탈리아와 스웨덴의 민중의 집을 참고해서 한국의 민중의 집을 만들어보기로 했다.

2008년 11월 1일, 2년 동안의 준비기간을 거쳐 드디어 서울 마포구 망원동에서 국내 최초로 민중의 집을 열었다. 지역 주민운동과 노동운동 그리고 진보정당 운동이 서로 만나는 곳, 여성운동, 생태운동, 장애인운동, 성소수자 운동 등 다양한 사회운동이 함께 어우러지고, 버무려지는 공간이다. 많은 사람이 '민중의 집' 을 생소해했지만, 적지 않은 사람이 이 '집 만들기' 운동에 깊은 관심을 보이고 참여도 했다. 초기에 어려움은 예상된 것이었지만, 참여자들의 열정이 이보다 훨씬 컸다. 호텔 노조 조합원들은 동네 아줌마들에게 요리 강의를 했으며, 지역의 병원과 한의원 등이 민중의 집과 네트워크 관계를 형성하면서 회원들에게 '소소한 일상의 이로움' 을 줬다. 500일 넘게 파업을 했던 홈플러스 테스코 노동조합 여성 비정규직 조합원들의 모임이 민중의 집에서 이뤄졌고, 일본에서 온 평화 활동가 40여 명은 민중의 집에서 숙박을 하며 도보행진을 했다.

2010년, 민중의 집을 열고 2년이 흘렀다. 거창했던 애초의 목표가 제대로 실현되고 있는지 의문이 들었다. 물론 마포에 있는 여러 단체와 노조, 지역 주민들의 다정한 만남은 여전히 민중의 집을 통해 이루어지고 있다. 재정적으로 어려웠던 고비도 몇 번 있었지만 그때마다 민중의 집을 지지하는 고마운 후원자들의 도움도 이어졌다. 다른 지역에서 민중의 집이라는 간판을 내건 운동도 생겨나기 시작했다. 전국에서 마포 민중의 집을 알고 싶어 직접 방문하기도 하고, 강의도 요청했다. 아이쿱 생협, YMCA 지역지부, 노동조합, 시민단체 등 줄잡아 80여 곳을 방문하며 민중의 집을 알렸다. 그러나 지역에서 진보정당과 노동조합, 사회운동 단체들의 튼튼한 연결고리를 만든다는 건 결코 쉬운 목표가 아니었다. 공간을 공유하는 물리적 만남이 아니라 어떻게 좀 더 긴밀한 화학적 결합을 할지, 새로운 돌파구가 필요했다.

민중의 집을 처음 접했을 때부터, 그 후 7년 만인 2008년에 민중의 집을 만든 이후에도 줄곧 내 머릿속에서 떠나지 않았던 기획이 있었다. 몇 개의 짧은 자료를 읽은 것만으로도 나에게 강렬한 빛을 주었고, 열정을 주었으며, 상상하는 것만으로도 아이디어를 샘솟게 해주었던 이탈리아와 스웨덴 민중의 집을 직접 방문하는 것. 시간이나 비용 부담으로 당시 내겐 불가능할 것만 같았던 이 '프로젝트'가 많은 주변 분의 도움으로 드디어 현실화되었다. 이 기획의 필요성에 전폭적인 동의를 보낸 분들이 <레디앙>을 통해 적지 않은 재정적 도움을 줬다. 그리고 진보신당 상상연구소와 지인들이 십시일반 모아준 지원금도 '거사'를 도모할 용기를 주었다. 모자란 부분은 대출로 보충했다. 2010년 8월 10일. 나는 아내와 함께 그렇게 유럽행 비행기에 올랐다.

이 글은 출판사는 물론 주변에서 출간을 기다리는 사람들과 약속 시간을 한참 어긴 것이다. 한국에서 민중의 집을 건설하는 데에 유럽 사례는 '참고서' 일 따름이다. 하지만 좋은 참고서인 것만큼은 분명하다. 일천한 한국 민중의 집 역사가 말해주는 것처럼 아직 한 일보다는 할 일이 훨씬 많다. 이 책이 바로 그 할 일을 제대로 잘하기 위한 참고서가 돼주면 좋겠다.

끝으로 이 책이 나오는 데 없어서는 안 될 사람들의 이름을 여기 적으며 그들에게 감사의 뜻을 전한다. 김석연, 김선희, 김영희, 김인호, 이은숙, 조돈문. 책의 필요성에 동의해 적지 않은 재정적 지원을 마다하지 않은 이분들이 없었으면 나의 유럽행은 생각도 할 수 없었을 것이다.

내가 없는 동안 민중의 집 업무를 도맡아 했고, 책을 쓰는 내내 마포 민중의 집을 더욱 발전시킨 민중의 집 안성민 사무국장, 성미산 농성을 비롯해 당원협의회 업무를 혼자 하며 고생했을 오현주, 유럽 취재 내내 조언을 아끼지 않은 정종권 선배에게도 인사를 전한다.

후미진 주차장에서 차를 세우고 거금이 든 봉투를 주며 예의 인자한 웃음으로 유럽 민중의 집 취재를 성원해준 홍세화 선생님, 상상연구소 장석준, 함께 마포에서 살가운 이웃으로 살고 있으며 책 출판에 물심양면으로 도움을 준 김경숙, 오진아, 옥세진, 신준호, 하명수, 최혜란, 이창주, 임태경, 빈순아, 윤동영, 신석호, 박서희, 조은주, 부지영, 박기효, 최준영, R 치과 홍수연 원장에게도 고마운 마음을 담아 보낸다. 스무 살 초반 야학을 함께한 인연으로 언제나 응원을 보내고 있는 김웅, 김재국, 신국균, 하재연에게도 고마운 마음을 전한다.

언제나 유쾌한 후배 고세진은 유럽 체류 당시 빈궁해진 우리에게 '급전'을 융통해주는 등 든든한 후방의 조력자 역할을 다했다. 그 외에 이민규, 이봉화 그리고 아내의 선배 엄혜진도 우리에게 실탄을 공급해줬다. 이들 때문에 우리는 국제미아가 되지 않았다. 유럽 취재에 도움을 준 장광렬, 정의헌, 최경호 그리고 스웨덴에서 우리에게 숙식을 제공하며 크나큰 도움을 준 이유진에게도 고개 숙여 감사를 드린다.

유럽으로 출발할 당시 단전된 상황에서 철거 농성을 진행한 두리반 유채림, 안종녀 두 분께는 미안한 마음과 감사의 인사를 동시에 드린다.

유럽 출국 전날 밤, 집 앞으로 찾아와 한강변에서 맥주 한 캔을 따며 장도를 축복해주었고, 책을 쓰는 동안에도 많은 용기와 영감을 준 후배 박세원에게도 우정의 인사를 보낸다.

뇌암 투병 중에도 유럽으로 출발하는 나를 격려해주었던 사촌 지훈 형은 이제 다른 세상에 있다. 책을 쓴다는 핑계로 투병하는 형을 자주 찾지 못했던 죄스러움은 영원히 그를 기억하는 것으로 갚을 수밖에 없다.

서른일곱 나이에 남편을 먼저 보내고 삼 남매를 키우신 어머니는 이 책의 출판을 세상 어떤 이보다 기뻐할 게 분명하다. 돌이켜보면 전율이 일어날 정도로 사고뭉치였던 나를 키워주셨고, 지금도 늘 자식 걱정으로 하루하루를 보내고 있는 어머니께 지면을 통해 감사 인사를 드린다.

마지막으로 유럽 민중의 집 탐방은 함께 사는 김원정이 없었다면 꿈도 꿀 수 없었던 프로젝트였다. 책을 쓰는 내내 자료를 번역하고 아이디어를 보태주었던 그는 사실상 이 책의 공동저자다. 논문을 쓰느라 여의치 않은 시간 속에서도 마지막까지 원고를 검토해주었다. 독자들이 만약 이 책에서 통찰력 있는 견해를 발견했다면 그것은 필시 김원정의 손길을 통해 이뤄진 것이다. 앞으로 살아가면서 김원정에게 갚아야 할 빚이 늘었다. 아울러 김원정과 함께 공부를 하고 있는 서울대 여성학협동과정 선후배 · 동료들도 우리의 여행에 과분한 후원을 해주었다.

서른 살이었던 내게 혹독했지만 평생의 자산이 될 글쓰기 훈련을 시켜주었고, 종이 몇 장으로 된 보잘것없는 기획안을 들고 갔을 때 흔쾌히 책 출판을 수락해줬던 이광호 선배에게는 수식이 어려울 정도로 고마움을 느낀다. 마지막까지 원고를 꼼꼼하게 살펴준 김숙진 편집자에게도 깊은 감사의 인사를 전한다.

2012년 8월

차례

2장 스웨덴

차 례

프롤로그

복지의 천국으로 알려진 스웨덴에서 발견할 수 있는 것은 정부 차원의 문화센터로서 프랑스 퐁피두센터를 모방한 '문화의 집'이 있으며 이곳은 수도 스톡홀름의 시가지 한복판에서 대형 문화공간의 역할을 하고 있다. 이에 반하여 자발적이고 자치적인 차원에서 '민중의 집'이라는 전국에 수백 개의 거점을 갖고 있는 문화기관이 있다. 이곳은 노동계급의 성장 및 노동운동의 역사와 함께 해왔으며 아직도 이러한 전통 속에 있는 것으로 보인다. 즉, 사회의 진보를 위한 만남의 장소로서의 구실을 톡톡히 하고 있으며 다양하고 실험적인 차원의 문화 활동을 통해 사회의 의사소통 능력을 향상시키고 있다. …스웨덴의 문화 기관 중에서 지역 주민의 문화생활을 향상시키기 위한 역할을 수행하는 것은 스톡홀름의 '문화의 집'이 아니라, 오히려 '민중의 집'임을 알 수 있다. 그리고 이곳에서의 문화활동은 문화 활동 그 자체보다는 인간과 사회에서 각 영역과 구성원 사이에 이해를 돕고 진보를 위한 활동의 차원에서 전개하고 있었다. …스웨덴 민중의 집은 대부분의 스웨덴 사람들 가슴에 살아 있고 남아 있으며 민중의 집이 없이는 살아 있는 마을들도 고립되고 황폐해질 것이다. 한마디로 민중의 집이 없이 스웨덴은 존재할 수 없다.[1]

좋은 유럽의 주춧돌, 민중의 집

유럽 전역에 민중의 집이 존재했다는 것을 알게 된 건 유럽에 다녀온 이후 1년간 여러 가지 자료를 추적한 결과였다. 왜 이런 사실이 아직까지 묻혀 있었는지 의아했다. 국내에 유럽의 진보정당, 노동운동에 대한 수많은 연구 결과가 있는데 반해, 지역 현장에서 진보를 위한 활동이 어떻게 이뤄지고 있었는지에 대한 관심이 없었기 때문은 아닐까. 그리고 그건 어쩌면 한국 사회도 비슷하지 않을까?

유럽 민중의 집에 대한 전반적인 내용을 본문에서 따로 다루지 않았다. 이건 좀 더 넓고 깊이 있는 조사와 연구가 필요하기 때문이다. 대신 이 책에서 접하게 될 이탈리아, 스웨덴, 스페인 민중의 집에 대한 이해를 돕기 위해 간략하게 유럽 민중의 집에 대해 짚고 넘어가려 한다. 다소 딱딱한 내용일 수도 있지만 알려지지 않은 유럽 진보주의자들의 역사를 들여다본다는 느낌으로 살펴보았다.

프랑스 사회주의자 꽁스땅 아돌프 꽁뻬르 모렐Adèodat Constant Adolphe Compère－Morel은 1912년 자신이 쓴 《사회주의 대백과*Encyclopèdie Socialiste*》에서 민중의 집Maison du Peuple을 "사회주의자, 노동조합 활동가, 협동조합 조직에 의해 만들어진 건물로, 회의 장소, 레스토랑, 상점 등 자신들의 회원에 의해 사용되던 건물"이라고 정의했다.

놀랍게도 민중의 집은 19세기 말부터 20세기 초까지 유럽 전역에서 사회주의 운동, 노동자 운동이 결합된 하나의 현상이었다. 이탈리아의 Casa del Popolo, 포르투갈의 Casa do Povo, 독일의 Gewerkschaftshaus, 스위스의 Volkshaus, 스위스와 프랑스의 Maison du Peuple 또는 Bourse du Travail, 영국의 People' s Palace, 오스트리아의 Volksbildungshaus, 네덜란드의 Volksgebouw 등 모두 '민중의 집' 이라고 해석되는 동일한 명칭의 공간들이 나라마다 존재했다.[2]

유럽 각 나라의 말로 쓰인 자료, 한국에서 찾은 민중의 집에 대한 외국 논문[3] 등 겹겹의 자물쇠를 열어 알게 된 유럽 민중의 집의 실체는 내가 상상했던 것보다 훨씬 광범위했다.

서로 다른 사회 · 문화적 조건에 따라 각 나라의 민중의 집은 독특한 특성을 띠며, 지금까지 유지되는 곳도 있고, 사라진 곳도 있다. 그러나 자본주의 시장 원리가 점차 확산되고 국민국가가 자리를 잡아가던 19세기 말에서 20세기 초, 유럽에서 민중의 집은 경제적 · 정치적 지위를 박탈당한 노동자 민중의 생계와 권익을 보호하는 일련의 활동이 집적된 공간이었다. 임금노동자, 소작농, 주변부 노동자, 주부 등 곳곳에 피폐하게 흩어져 있던 '일하는 자' 들이 물질적 · 상징적으로 결집하는 공간이 바로 민중의 집이다.

당시 유럽 민중의 집의 가장 큰 특징은 노동자 민중의 일상생활과 정치 · 경제 · 사회적 활동이 복합적으로 연결되는 장소였다는 점이다. 1차적으로 민중의 집은 노동자들의 일상적인 만남이 이루어지는 곳이자 노동조합, 정당 등 다양한 조직이 공식 · 비공식 회합을 개최하는 장소였다. 노동조합과 사회주의 정당이 막 생겨날 당시, 탄압을 피해 결사를 도모할 수 있는 공간의 필요성은 민중의 집이 만들어지게 된 중요한 배경 중 하나였다. 그러나 민중의 집의 기능은 여기에 국한되지 않았다.

자본주의와는 다른 원리로 가난한 사람들의 먹고사는 문제를 해결하고자 했던 협동조합 운동은 여러 나라에서 민중의 집의 출발점이 되었고, 여기서 판매하는 값싼 빵과 와인은 노동자들의 가장 기초적인 요구를 충족시켰다. 나아가 노동자와 그 가족을 위한 병원과 약국이 만들어지기도 했고, 스포츠 활동, 연극, 음악회, 영화 상영 등 다양한 문화 활동도 이루어졌다. 노동자의 사회참여를 위한 첫 단계인 문맹 퇴치 교육을 시작으로 다양한 정치교육과 직업훈련도 이곳에서 진행되었다. 이처럼 민중의 집은 정치 문제와 먹고사는 문제가 노동자들의 생활 속에서 분리되지 않으며, 그럴 수도 없다는 것을 보여주는 공간이었다.

물론 모든 민중의 집에서 위와 같은 다양한 활동이 한꺼번에 이루어진 것은 아니었지만, 민중의 집이 이런 복합적인 기능을 할 수 있었던 건 지역을 기반으로 활동하는 노동자조직, 정치조직, 협동조합, 문화예술 단체, 교육 단체 등 여러 조직의 네트워크였기 때문이다. 민중의 집은 공간 그 자체이기 이전에 개인과 개인, 개인과 조직, 조직과 조직을 연결하는 메커니즘에 가까웠다.

이곳은 결과적으로 사회주의 운동의 주요한 연결 고리가 되었으나, 사회주의 이념과 지식을 전달하기 위해 위로부터 만들어진 조직은 아니었다. 오히려 민중의 집은 노동자들이 자신들의 필요를 충족시키기 위해 풀뿌리 지역 차원의 지식과 자원을 모아 조금씩 만들어나간 공간에 가깝다.

때문에 민중의 집을 만들고 운영한 사람들의 정치적 이념은 나라와 지역에 따라 다양했지만 그럼에도 사회주의자들의 역할은 결정적이었다. 유럽 사회주의 세력은 당시 민중의 집을 정치운동과 노동운동을 조직해 나가는 대중적 토대로 삼았고, 이를 통해 노동자의 집단적 정체성을 형성하고 사회주의의 이상을 실현하고자 했다. 생산과 소비, 일과 여가, 정치와 문화가 어우러지는, 자본주의 사회의 대안적인 생활양식을 만들어내고자 했던 사람들의 노력이 노동자 민중의 삶의 모든 영역을 포괄하는 민중의 집으로 구현된 것이다.

그렇다면 유럽 전역으로 확산되었던 민중의 집은 언제 어디에서 처음 탄생했을까. 그동안 여러 문헌을 통해 유럽 민중의 집의 기원을 추적해 보았지만 최초의 민중의 집은 안개에 쌓여 있다. 다만 벨기에 민중의 집이 유럽 사회주의 운동을 경유한 민중의 집의 확산에 중요한 영향을 끼쳤다는 건 확실해 보인다. 스페인과 벨기에 민중의 집 역사를 연구한 프랑스 투르에 있는 프랑소와 라블레 대학Univèrsite François – Rabelaiss 후안 – 루이스 갸레냐

Jean-Louis Guerena 교수는 벨기에 민중의 집을 "협동조합 운동과 사회주의 운동의 삼투현상"으로 성장한 민중의 집의 전형이라고 평가했다.[4] 1881년 처음 문을 연 브뤼셀 민중의 집은 제빵 협동조합에서 출발하여 여기서 축적된 수익으로 식당, 도서관, 극장, 학교 등을 갖춘 노동자 교육 · 문화센터로 발전했다. 1890년 17개에 불과했던 벨기에 민중의 집은 1935년까지 270여 개로 늘어나 벨기에 노동당의 성장에 밑거름이 되었는데, 이는 민중의 집이 협동조합을 통해 당장 높은 물가에 시달리는 노동자의 생계 문제를 해결했을 뿐 아니라 미조직 노동자들을 사회주의 운동과 만나게 하는 주요한 경로였기 때문이다.

그중에서도 가장 기념비적인 공간으로 기록되는 민중의 집은 벨기에 아르누보 건축의 대가 빅토르 호르타Victor Horta가 새로 지은 브뤼셀 민중의 집이다. 1899년 4월 2일 당시 언론들은 부활절 민중의 집 준공식이 열린 이날을 "붉은 부활절"이라 명명하며 주요 뉴스로 다룰 만큼 화제가 되었다. 도심 한복판에 사회주의와 노동운동의 힘을 과시하듯 들어선 이 웅장한 건물의 핵심 공간은 바bar, 카페, 식당이 있는 1층 그리고 꼭대기 층에 있는 1천5백 석 규모의 강당이었다.

1층에서는 주로 사람들의 일상적인 만남이 이루어지고 꼭대기에서는 대규모 정당, 노조 행사들이 개최되었지만, 1층에서도 늘 신문이나 책을 읽고 토론하는 정치적 대화가 이어졌고 꼭대기 강당에서는 다채로운 문화 공연

벨기에 브뤼셀 민중의 집

1890년 17개에 불과했던 벨기에 민중의 집은 1935년까지 270여 개로 늘어 벨기에 노동당의 성장에 밑거름이 되었다.

이 펼쳐졌다고 한다. 수많은 사람이 이 넓은 공간을 역동적으로 채우고 있는 장면을 상상해 보면, 누구라도 자기 나라에 민중의 집을 세워보겠다는 생각이 들 것이다.

당시 협동조합 운동과 사회주의 운동을 결합시킨 벨기에 민중의 집은 유럽 사회주의자들에게 많은 영감을 주었다. 특히 1891년 벨기에 노동당 당사이기도 했던 브뤼셀 민중의 집에서 열린 제2 인터내셔널 국제 사회주의 노동자 회의는 이 모델이 다른 나라에 널리 알려지는 계기가 되었다고 한다. 1900년 국제 사회주의 사무국International Socialist Bureau, ISB이 브뤼셀에 설치되고, 벨기에 노동당 지도자 에밀 반데르벨드Émile Vandervelde와 캐밀 휴스만Camille Huysmans이 각각 초대 의장과 서기장을 지내는 등 제2 인터내셔널에서 벨기에 노동당이 주요한 영향력을 행사한 것도 민중의 집 사례가 확산되는데 일조한 것으로 보인다.(5)

그러나 유럽 각국에 존재했던 민중의 집이 모두 벨기에 모델의 직접적인 영향을 받은 것은 아니며, 민중의 집은 각 나라마다 이미 자생적으로 생겨나고 있던 각종 노동자조직, 모임 공간들과 결합하며 저마다 고유한 특색을 지닌 공간들로 발전했다. 이 책에 실린 세 나라 민중의 집 역시 비슷하면서도 다른 특성들을 지니고 있다.

나를 설레게 한 이탈리아 민중의 집

민중의 집이라는 것을 처음 알게 해준 이탈리아를 직접 방문한다는 것은 '설렘' 그 자체였다. 피사와 로마, 피렌체, 볼로냐, 밀라노 등의 도시를 다니며 이탈리아 민중의 집을 취재했다. 정치상황이 한국과 유사하기 때문에 진보정당 중앙당과 지역 조직까지도 방문했다. 욕심에 찬 계획이어서 허탕을 치고 돌아온 적도 있었지만 대부분의 순간이 기억 속에서 지워지지 않을 정도로 인상적이었다.

벨기에에 비해 이탈리아 민중의 집은 다양한 지역사회 노동자조직, 정치조직에 뿌리를 두고 있다. 이탈리아에 처음 민중의 집이라는 이름을 내건 건물이 생긴 때는 1893년이지만, 그 전후로 치르콜로Circolo, 협동조합, 상호부조조합SMS, 노동회의소 등 노동자들의 만남과 협동, 연대가 이루어지는 '저항 공간' 들이 발전되어 왔다. 이러한 전통은 아직까지 남아 있어 유사한 기능을 가진 지역 공동체 공간들은 해당 지역의 역사를 따라 지금도 민중의 집, 치르콜로, SMS 등 각기 다른 명칭을 갖고 있다.

그중에서도 민중의 집은 19세기 말에 생겨난 여러 노동자조직들이 결합되면서 만들어진 복합 공간이며, 정치적으로는 사회주의의 풀뿌리 현장이라 할 수 있다. 지금도 좌파정당 지지도가 높은 피렌체, 볼로냐, 밀라노 등에 민중의 집이 가장 많이 남아 있다. 하지만 초기 민중의 집은 생디칼리스트,

개혁적 가톨릭 세력, 사회주의 세력 내 여러 분파들이 공존하면서 때로는 경쟁하고, 때로는 연대하는 대중정치의 공간이었다. 이건 지금도 마찬가지다. 이탈리아에는 현재 여러 개의 중도 · 좌파정당이 있는데 대부분 민중의 집에 지역 사무실을 두고 함께 지내고 있다.

이렇게 지역 정당 활동가들은 어떤 식으로든 민중의 집과 연계를 하고 있지만 과거에 비하면 그 정도는 상당히 약해진 것 같다. 우리는 좌파정당의 지역 활동, 민중의 집의 관계를 알아보기 위해 재건공산당과 좌파생태자유 두 정당을 방문했다. 찬란했던 이탈리아 공산당의 후예들이지만, 지금은 보수정권의 우세, 중도정당의 우경화, 그리고 거듭된 좌파정당의 분열로 고전을 면치 못하고 있다. 이 과정에서 많은 경우 '민중의 집=좌파의 집' 이라는 등식은 더 이상 성립되지 않게 됐다. 누군가는 정치적 색채가 약해진 민중의 집이 아닌 다른 공간으로 관심을 돌리기도 했고, 누군가는 여전히 자연스럽게 민중의 집을 정치 활동의 기반으로 삼고 있었다.

그러나 오늘날 이탈리아 민중의 집의 정치적 성격을 좌파정당의 참여 수를 기준으로 재단할 수 없다. 우리가 방문한 몇몇 민중의 집은 신자유주의 보수정치의 광풍에 맞서 정치를 복원하고 정치를 새로 정의하려는 시도로 들썩이고 있었다. 성별, 나이, 직업, 피부색이 다른 사람들의 만남, 그것만으로도 이미 개인화, 파편화된 사회를 넘어서는 정치의 새로운 신호탄이다. 흩어진 좌파정당과 지역 주민의 삶 사이를 좁히고, 정치란 결국 우리가 먹고사는 문제에서 시작하는 것이라는 메시지를 담아 민중의 집을 다시 일구고 있는 젊은이들도 있었다.

무엇보다 이탈리아 민중의 집은 흥겨운 공간이다. 어디나 술과 음식, 놀이와 유흥이 빠지지 않는다. 회원들에게 이곳은 놀이터이자, 사회 참여의 공간이다. 우리의 일상 – 일, 놀이, 정치를 하나로 합쳐 민중의 집은 지역 공동체 생활의 모든 것을 담고 있다. 이탈리아에서 민중의 집을 오가며 사는 삶은 정말 역사적으로 이어온 습관이라 할 만하다. 그러니 파시스트가 집권했을 때 민중의 집을 '파시스트의 집' 으로 바꿔 자기 공간으로 만들고 싶어 했다는 것이 이해가 된다. 이 전통을 파시즘의 정치 이념으로 전유하려 했던 것이다. 130년 넘게 이어오는 리프레디 SMS가 파시스트에 맞서 공동체를 지키고자 벌였던 싸움은 참으로 눈물겹지만, 중요한 건 그런 과정을 거친 후에도 이 습관이 지금까지 계속 이어지고 있다는 사실 그 자체다.

2차 대전 후 파시스트가 점령하거나 전쟁으로 파괴된 민중의 집과 저항 공간들을 복원하는 데 중요한 역할을 한 조직 중 하나가 이탈리아 문화·레크리에이션 연합, 아르치ARCI다. 우리나라에서는 슬로푸드 운동으로 알려진 이곳은 각종 문화예술, 스포츠 모임부터 소수자 인권모임까지 5천 개가 넘는 전국의 크고 작은 단체들의 연합체로, 오늘날 민중의 집도 대부분 이곳에 소속되어 있다. 지난 50여 년간 민중의 집 운동의 노선을 둘러싸고 아르치, 좌파정당, 노동조합 간에 여러 차례 논쟁이 있었을 것으로 보인다. 자세한 취재를 못한 게 아쉽지만, 오늘날 민중의 집의 운영 방식을 일정하게 표준화한 아르치의 시스템은 몇 가지 중요한 시사점을 준다.

복지국가의 원동력, 스웨덴 민중의 집

스웨덴 민중의 집의 시작은 여느 나라와 다르지 않다. 1890년대 남부 지방을 시작으로 전국으로 퍼져나간 민중의 집은 우리가 익히 알고 있는 스웨덴 사민당과 노총의 성장 기반이었고, 정당운동과 노동운동의 긴밀한 결합의 상징이었다. 오늘날 민중의 집은 복지국가 스웨덴이 어떻게 지역사회의 민주적 공동체를 기반으로 발전했는지를 보여주는 일련의 궤적과 같다. 노동자와 도시 서민들에게 문화, 유흥, 평생교육 그리고 만남과 연대의 공간인 민중의 집은 100년의 역사를 이어 지금도 건재하다. 산업화 초기 도시로 이주해온 갈 곳 없는 노동자들이 스스로 지역사회의 구성원이자 시민으로 서게 했던 민중의 집은 동일한 방식으로 그 시대의 배제되고 소외된 자들을 품으며 발전해왔다.

민중의 집이 퍼져나간 경로를 거슬러 스톡홀름, 예테보리, 말뫼로 이어진 여정에서 그렇게 소외된 이들의 공간을 마주했다. 이 책이 소개하고 있는 몇몇 도시 외곽의 민중의 집은 대체로 이주민 밀집 지역에 있다. 아프리카로 순간 이동한 게 아닌가 싶을 정도로 이주민이 주민의 절대 다수를 차지하는 작은 동네에서 민중의 집은 자연스럽게 '이주민의 집'으로 기능하고 있었다. 아이들과 청소년 또한 민중의 집의 주인공이다. 가난한 아이들, 이주민의 자녀들이 자존감을 잃지 않고 건강한 시민으로 성장할 수 있게 지원하는 프로그램을 여러 민중의 집이 주요한 과제로 삼고 있었다.

민중의 집 연합회는 이러한 스웨덴 민중의 집의 정신을 이어가는데 중요한 역할을 한다. 이 조직은 전국 533여 개 민중의 집의 상급 단체 같은 곳이다. 탄탄한 조직력과 지역 조직에 기반을 둔 민주적 운영, 그러면서도 문화 콘텐츠 개발, 지역운동가 육성, 효과적인 인프라 제공 등에서 전문성을 갖춘 흥미로운 조직이다. 민중의 집 연합회에서 만난 간부는 스웨덴 민중의 집의 핵심이 사회의 모든 구성원이 차별을 받지 않고 문화를 향유하는 연대의 정신에 있다고 말했다. 지역사회 구성원의 의사소통 능력과 상호 이해를 강화하는데 있어 문화는 가장 강력한 수단이다. 연합회가 진행해온 국제 연대 활동, 남미나 동유럽 분쟁 지역에 민중의 집 설립을 지원하는 사업은 바로 이러한 정신을 다른 사회와 공유하고자 하는 노력이라 할 수 있을 것이다.

지역마다 규모나 생김새는 모두 달랐지만, 이탈리아에 비해 스웨덴 민중의 집은 준공공기관에 가까울 정도로 안정된 곳이 많았다. 기초 자치단체의 지원을 받고 적극적으로 연계하고 있는 곳도 있었다. 그러나 민중의 집의 가장 기초적인 골격은 지역사회단체들의 네트워크이자 허브다. 이 점은 개인 회원 기반이 강한 이탈리아 민중의 집과 차이를 보이는 특징이기도 하다. 아무리 작은 민중의 집이라 해도 최소 20개에서 많게는 60개가 넘는 조직이 회원 조직으로서 민중의 집을 함께 꾸려나가고 있다. 우리로 치면 한 개 동 수준인데도 정말 각양각색의 단체들이 있다. 스포츠, 춤, 노래, 연극, 음악 등 문화예술 모임부터 시민교육 단체, 아동 · 청소년 단체, 각 출신 국가별 이주민 조직까지. 이 많은 단체가 각자의 활동을 민중의 집에서 펼치기 때문에, 민중의 집이 일부러 자체사업을 기획하지 않아도 프로그램은 다양할 수밖에 없다.

각 민중의 집 회원 조직에는 사민당과 노총의 지역 조직이 대부분 포함되어 있다. 그러나 우리가 방문한 민중의 집에서 이들 조직의 활동은 그다지 두드러지지 않았다. 오히려 사민당과 노총은 자신들만의 민중의 집을 운영하고 있었는데, 그것은 지역사회 민중의 집과는 기능이 전혀 다른, 대규모 컨벤션센터였다. 그 엄청난 규모는 오늘날 스웨덴 사회에서 두 조직의 위치를 정확히 보여주는 것일지 모른다. 하필 우리의 방문 일정이 스웨덴 총선 기간과 정확히 겹치는 바람에 사민당과 노총을 방문하겠다는 계획은 실행하지 못했다. 하지만 사민당의 쓰라린 패배를 직접 목도하면서, 이들이 다시 국민들의 지지를 회복하기 위해서는 지역으로 돌아와야 한다는 어느 연륜 있는 민중의 집 활동가와 깊이 교감했는데, 이는 애초 계획대로라면 얻지 못했을 교훈이다.

마지막으로 민중의 집과 함께 스웨덴 풀뿌리 민주주의의 쌍두마차인 시민교육 단체를 소개한다. 사전 정보 없이 스웨덴으로 떠났지만 민중의 집을 다니다 ABF라는 단체가 민중의 집에서 열리는 대부분의 교육프로그램을 운영하는 곳이란 걸 알게 됐다. 급히 알아보고 방문한 ABF는 노동자교육협회로, 전국 – 광역 – 지역 단위로 조직되어 있으면서 회원 조직인 사민당과 노총, 여러 진보적 시민사회단체에 교육프로그램을 제공하는 곳이기도 하다. 민중의 집과 마찬가지로 100년의 역사를 이어온 이 조직은 스터디 서클을 기반으로 누구나 언제든 자신이 배우고 싶은 것을 배울 수 있게 돕는다. 사민당 지도자였던 올로프 팔메가 스웨덴 민주주의를 일컬어 "스터디 서클 민주주의"라 할 만큼 공동체에 기초한 시민교육의 저력은 강력해 보이며, 한국 사회의 시민교육에도 많은 시사점을 준다.

사라져가고 복원되고, 스페인 민중의 집

이 책의 글 싣는 순서와 달리 우리가 제일 먼저 방문한 나라는 스페인이다. 사실 유럽으로 출발하기 한 달 전까지도 스페인에 민중의 집이 있는 줄 몰랐다. 그만큼 사전정보가 거의 없는 상태에서 이루어진 스페인 방문은 그야말로 민중의 집의 실체를 찾아 떠나는 여행이 되었다. 그렇지 않아도 헤매고 다니던 와중이었는데, 도착 4일 만에 가져간 짐의 대부분을 도둑맞아 남은 40일의 일정을 꼬이게 한 곳도 바로 스페인이다. 영원히 애증의 나라로 기억될 아름다운 스페인. 결국 우리는 그렇게 찾아다닌 민중의 집이 과거 역사의 한 페이지로 남았을 뿐이란 걸 알고 실망했지만, 민중의 집의 역사를 기억하고 복원하려는 사람들에게 받은 환대는 잊지 못할 것 같다.

마드리드와 세비야, 그라나다 등 방문한 도시에서 우리는 스페인 사회노동당과 사회주의 계열 노총인 UGT를 주로 공략했다. 이 두 조직이 19세기 말 20세기 초 민중의 집을 확산하는데 주요한 역할을 했다는 건 알고 있었기 때문이다. 각각 1879년과 1888년에 만들어진 사회노동당과 노총이 지역에 노동자 센터와 같은 몇몇 공간을 만들고 있던 중, 벨기에 모델이 소개되면서 민중의 집은 두 조직의 주요 조직화 전략으로 확산되었다. 사회노동당도 참여했던 제2 공화정 시기는 민중의 집이 가장 번창한 때로, 1930년~34년 사이 전국 900여 개 민중의 집 중 35퍼센트가 지어졌다. 가장 대표적인 스페인 민중의 집인 마드리드 민중의 집은 1908년 새로 문을 연 이후 꾸준히 성장하여 이 시기 회원이 무려 10만 명에 달했다.

그렇게 노동자의 생활 조건을 개선하기 위한 다양한 정치 · 경제 · 사회 · 문화 활동들을 포괄하고, 그 자체로 사회주의 세력의 역량을 상징하던 민중의 집은 스페인 내전 후 프랑코 독재정권이 수립되면서 파괴되었다. 당시 사회주의 정당과 노조를 탄압하는 프랑코 정권의 주요 전략은 자산 몰수다. 두 조직의 자원에 기반을 두었던 민중의 집은 이러한 탄압과 함께 사라졌고, 40여 년이 지난 후 정당과 노조의 합법적인 지위는 복원되었지만 민중의 집의 역사적 경험은 상당 부분 소실되고 만 것이다.

그럼에도 스페인에서 '민중의 집' 이라 불리는 몇몇 공간들은 남아 있다. 우리가 직접 가보지는 못했지만 몇몇 지역에서는 아직도 사회노동당 지역 사무실을 민중의 집이라 부른다고 한다. 그러나 민중의 집의 역사를 복원하고 기념하는 작업은 주로 노총의 주도하에 이루어지고 있었고, 지역마다 차이는 있었지만 이들은 노총의 지역 사무실에 민중의 집이라는 간판을 내걸고 있었다. 1953년 끝내 폐쇄되고만 마드리드 민중의 집, 그러나 지금 마드리드에 있는 '민중의 집' 은 스페인 노총의 회관이다. 이 건물의 대부분은 노총 산하 지역 조직, 연맹조직 사무실로 채워졌지만, 1층에는 카페와 법률상담소, 건강상담소, 지하에는 소속 노조들이 이용할 수 있는 크고 작은 회의 공간들이 있어 과거 '노동자의 집' 이었던 민중의 집의 기억을 불러일으킨다. 마드리드 민중의 집, 안달루시아 지방 민중의 집에 대한 사료들을 모아 펴내고 각종 기념사업을 진행하고 있는 곳도 노총이다.

반면 사회노동당에게 민중의 집은 완전히 과거사가 되어 버린 것 같다. 유럽에서 가장 긴 역사를 자랑하며 당원이 40만 명이 넘는다는 사회주의 정당. 그러나 이미 80년대 초반 중도노선으로 우회한 사회노동당은 거듭 신자유주의 정책을 추진함으로써 오랜 파트너였던 노총과 결별했고, 결국 얼마 전 선거에서 보수우익 정당에 패배했다. 우리가 만난 사회노동당 간부는 처음 당이 성장할 때 민중의 집은 주요한 조직화 경로였지만 그런 민중의 집은 "더 이상 존재하지 않는다"고 말했다. 이야기를 나누던 중 스페인의 노동 관련 규제가 너무 강해서 문제라는 얘기도 덧붙였다. 그렇게 멀어진 사회노동당과 노총의 간극은 민중의 집의 현재적 복원에 큰 걸림돌이었던 것 같다.

약간은 기운 빠지는 스페인 방문기의 마무리, 사회주의 마을 마리날레다의 풍경이 그나마 눈길을 끌 것 같다. 스페인 내륙 깊숙이 차를 몰아 찾아간 마리날레다는 급진 사회주의 계열 정당인 마누엘 산체스가 30년째 시장으로 있는 곳, 운 좋게도 텔레비전에서 보았던 시장과 인터뷰도 할 수 있었다. 걸어서 30분이면 다 둘러볼 수 있을 만큼 작은 마을이지만, 마리날레다에는 없는 게 없다. 커다란 체육관과 공원, 수영장, 가보지는 못했지만 마을 경제를 안정적으로 운영하게 하는 협동농장, 한 달에 우리 돈으로 2만 5천 원만 내면 살 수 있는 공영주택까지.

100여 년 전 스페인 사회주의자들이 민중의 집을 일구면서 꿈꿨던 이상적인 사회는 이런 모습이었을까. 무료한 것만 참을 수 있다면 이민이라도 가고픈 이 마을을 당원들과 다시 방문해 보고 싶은 맘 굴뚝같다.

길을 찾고 길을 만들고, 마포 민중의 집

이 책의 마지막에서 나는 다시 나의 출발점으로 돌아온다. 마포 민중의 집에서 도대체 어떤 일이 벌어지고 있는지 궁금해하는 사람들에게 민중의 집을 만들기까지 과정과 문제의식, 만 4년간 해온 사업들, 그러면서 갖게 된 여러 가지 고민거리를 풀어놓았다.

유럽 민중의 집 탐방기에 덧붙여 굳이 마포 민중의 집을 소개하는 건 스스로 지난 여정을 통해 얻은 것, 나름 공부하고 토론하고 글을 써나가며 알게 된 것들을 쉽게 잊어버리지 않겠다는 다짐이기도 하다. 정당운동, 노동운동, 지역운동, 그 수많은 운동의 '해외 사례' 들은 이미 얼마나 차고 넘치는 지경인가. 이 책이 그저 이렇게 되면 너무 좋겠다며 한번 꿈꾸고 마는데 소비되는, 또 하나의 해외 사례가 되지 않길 간절히 바랐다. 그렇게 만들기 위해 어쭙잖지만 내가 얻은 영감이 우리 사회, 진보정당, 민주노조운동, 다양한 사회운동에 어떤 자극이 될 수 있을지, 가능한 내가 발 딛고 선 현실의 언어와 실천으로 정리해 보려고 노력했다.

이론에도 무지하고 다녀온 나라에 대한 이해도 부족한 사람의 눈에 비친 것이니 한계가 많을 것이다. 하지만 지구별에서 비슷한 꿈을 꾸던 사람들의 과거와 현재의 모습을 통해 독자들과 영감을 주고받을 수 있다면, 그거야 말로 이 책이 나올 수 있게 도움을 준 모든 이가 바라는 일일 것이다.

어딘가에선 유럽 민중의 집이 이미 지나간 역사의 한 장면으로 기억될 수 있다. 지금까지 이어져온 민중의 집이라 해도 더 이상 예전처럼 노동자들이 즐겨 찾는 공간이 아니란 얘기. 오히려 좌파정치가 대중과 만날 수 있는 공간은 다른 데 있다는 얘기도 들려온다. 그렇다 해도 민중의 집은 분명 우리나라의 진보정당과 노동조합운동이 시도한 적 없었던 삶과 실천의 방식이다. 이러한 운동이 잠시 길을 잃은 듯 보이는 오늘 한국사회에서 유럽 민중의 집 모델이 하나의 타산지석이 될 수 있으리라 기대해 본다.

1장

이탈리아

이탈리아 일정

8월29일 (일)	• 이탈리아 국경 부근 캠핑장에서 피사로 출발. 피사 인근 캠핑장에서 숙박.
8월30일 (월)	• 피사 민중의 집을 방문했으나 이미 없어졌음. 피사에서 유학을 하고 있는 정의헌 씨 부부 집에서 숙박.
8월31일 (화)	• 피사에서 로마로 출발. 로마 근교 호텔에서 4일간 체류.
9월 1일 (수)	• 이탈리아 좌파정당 '좌파생태자유' 방문. 다음 날 정식 인터뷰 약속 받아냄.
9월 2일 (목)	• 재건공산당 방문 국제담당자와 인터뷰, 좌파생태자유 방문 후 인터뷰, 이탈리아 노총 교원노조 방문 후 인터뷰, 재건공산당 지역 축제 참석.
9월 3일 (금)	• 이탈리아 문화 · 레크리에이션 연합 아르치 방문, 이탈리아 노총(CGIL) 본부방문, 이탈리아 노총 지역축제 참석.
9월 4일 (토)	• 로마 인근 호텔에서 인근 캠핑장으로 숙소 이동.
9월 5일 (일)	• 로마에서 피렌체로 이동. 피렌체 도심 내 호텔 숙박.
9월 6일 (월)	• 피렌체 민중의 집 두 곳 방문. 피렌체 도심 내 호텔 숙박.
9월 7일 (화)	• 피렌체에서 볼로냐로 이동 중 일정이 취소되어 밀라노로 이동. 밀라노 인근 호텔 숙박.
9월 8일 (수)	• 밀라노에서 다시 볼로냐 이동. 재건공산당 볼로냐 지부 방문 후 저녁에 다시 밀라노 민중의 집 방문. 밀라노 인근 호텔에서 숙박.
9월 9일 (목)	• 이탈리아 북쪽 국경 부근 도시 토리노로 이동. 중간에 아스티 민중의 집 방문 후 토리노 외곽 호텔에서 숙박.
9월10일 (금)	• 토리노 우체국에서 텐트, 밥솥, 자료 등을 배편으로 한국으로 발송. 이탈리아 국경을 넘어 스위스로 도착. 숙박비가 비싸 다시 프랑스 국경을 넘어 호텔에서 숙박.
9월11일 (토)	• 스위스 제네바 공항에서 한 달간 리스한 차량 반납 후 다시 프랑스 국경을 넘어 숙박.
9월12일 (일)	• 스위스 제네바 공항에서 스웨덴 스톡홀름으로 출발.

민중의 집과 정당

이탈리아 민중의 집은 내게 각별한 의미를 지닌다.

10년 전 일본책 일부를 번역한 문건에서 이탈리아 민중의 집이란 걸 처음 접하게 됐다. 지역운동의 거점이며 진보정당, 노동조합, 지역 시민사회단체가 함께 사무실과 교육장을 공유하고 1층에는 술집까지 갖춘 이상적인 공간. 지역 노동자들의 교류의 장이며 지역 주민들의 교육문화의 창구.

자료를 통해 이탈리아 민중의 집을 처음 접했던 때의 강렬한 기운이 한국에서 민중의 집을 만드는 직접적인 계기가 되었다. 2008년 시민 단체인 문화연대와 마포 지역 노동조합, 그리고 뜻있는 개인들이 모여서 기적적으로 마포에 민중의 집을 열었을 때, 난 한 번도 가보지 못한 이탈리아 민중의 집의 오랜 역사를 공유하고 있다는 자부심을 가졌다.

8월 28일 유럽에서 첫 행선지였던 스페인을 떠나 서쪽으로 며칠간 이동했다. 바르셀로나를 거쳐 해안을 따라 프랑스 남부에서 하룻밤. 여기서 하루만에 이탈리아 국경 지역의 작은 마을로 옮겨왔다.

우리는 다시 피사를 거쳐 로마로 이동했다. 로마에서 좌파정당인 재건공산당Partito della Rifondazione Comunista, PRC과 좌파생태자유Sinistra Ecologia Libertà, SEL, 이탈리아의 제1노총인 노동총연맹Confederazione Generale Italiana del Lavoro, CGIL (이하 노총)을 방문한 후, 다시 차를 북쪽으로 돌려 피렌체, 볼로냐, 밀라노, 토리노 등에서 민중의 집을 취재하는 것으로 일정을 잡았다.

전적으로 이탈리아 노총의 국제담당인 레오폴도Leopoldo Tartaglia 덕에 이 같은 일정을 잡을 수 있었다. 정작 그는 우리가 이탈리아에 있을 때 중국으로 출장을 가서 만나지도 못했지만, 메일로 우리가 뭘 보고 누굴 만나고 싶은지 모두 알려달라고 하더니 척척 만날 사람들을 연결해주었다. 민중의 집을 보려면 토스카나, 에밀리아로마냐, 롬바르디아 지방을 방문해야 한다고 일러주고 그곳 사람들을 소개해준 것도 레오폴도다. 생면부지인 그에게 너무나 큰 신세를 졌다.

우리가 방문한 이탈리아 민중의 집은 정확히 말하면 민중의 집Casa del Popolo, 상호부조조합Societa di Mutuo Soccorso, SMS, 치르콜로 등 다양한 이름으로 불리지만 비슷한 성격의 공간이다. 이 글에서는 방문한 곳들의 고유 명칭을 소개하면서 이러한 공간들을 통칭하는 말로 민중의 집을 사용하려 한다.

처음에는 민중의 집이라고 데려간 곳에 다른 이름의 간판이 붙어 있어 여기가 민중의 집이 맞느냐고 몇 번 되묻기도 했다. 나중에 한국에 돌아온 후 이러한 공간들이 모두 19세기 말부터 이탈리아에서 노동자 민중의 회합 장소이자 생활의 기반이 되었던 곳임을 알게 됐다. 치르콜로, 상호부조조합, 민중의 집, 협동조합, 노동회의소Camera del Lavoro 등 여러 형태의 '만남의 공간'들이 서로 연결되며 발전했다는 것이 초기 이탈리아 사회주의와 노동운동 역사의 매우 중요한 특징이다.

우리가 방문했던 곳은 현존하는 이탈리아 민중의 집과 유사한 공간들의 일부에 불과하다. 그럼에도 이탈리아 정당운동, 사회운동, 문화운동이 오늘날 지역에서 어떻게 교차하고 있는지, 취재를 통해 그 역동적인 지도를 어느 정도 그려낼 수 있었다. 정말 운이 좋았던 것 같다.

또 귀국한 후 미국 플로리다 대학 정치학과 마가렛 콘Margaret Kohn 교수가 2003년에 펴낸 《급진적 공간 : 민중의 집의 건설*Radical Space: Building the House of the People*》이라는 책을 번역하면서 이탈리아 민중의 집의 역사적 의의를 이해하고 취재기간 동안 풀리지 않았던 몇 가지 의문에 대한 답도 찾을 수 있었다.

대안 사회의 새싹

마가렛 콘은 상호부조조합, 협동조합, 민중의 집, 노동회의소와 같은 공간이 19세기 말부터 2차 세계대전 시기까지 이탈리아 저항운동의 네트워크를 형성했을 뿐 아니라, 아래에서부터 좌파의 문화와 생활양식을 창출하고 전래하는 공간이었다고 분석한다. 특히 민중의 집은 상호부조조합과 협동조합을 비롯한 지역의 여러 노동자 조직이 함께 사용하는 사무 공간이자 각각의 기능이 통합된 복합 공간이며, 민중의 집이란 명칭은 유럽 사회주의 운동이 공유하는 고유한 이름이기도 하다.

이러한 풀뿌리 조직들은 각자의 고유한 기능 이상으로 노동자 민중의 정치 · 경제 · 사회적 요구에 부합하는 활동을 벌이게 되면서 집합적인 공간을 필요로 하게 되었다. 예를 들어 상호부조조합이 회원들 간에 상호부조 기능을 넘어 노동자들의 파업을 지원하고 지역 주민의 이해를 반영하여 지방정부의 정책에 개입한다든가, 협동조합이 생산-소비조합 이상으로 노동자들의 정치 · 사회적 의사소통의 창구로 기능하게 되면서 좀 더 통합적인 활동이 가능한 공간으로서 민중의 집을 세우게 된 것이다. 실제로 많은 민중의 집 건설이 상호부조조합과 협동조합의 재원으로 시작됐다고 한다.

또한 이탈리아 사회주의 세력은 이러한 모든 활동과 민중의 집 건설 과정에 적극적으로 개입했으며, 일부 민중의 집은 사회주의자들이 노동자들을 교육하기 위해 만든 모임 장소에서 유래하기도 했다. 노동자들의 문맹 퇴치

교육을 시작으로 신문 읽기 모임이나 정치 토론을 발전시켰던 사회주의자들은 안정적인 모임 공간을 확보할 수 없었다. 건물주들이 건물 임대를 거부했기 때문에 정부의 감시와 탄압을 피해 모임을 이어갈 장소를 구하기가 쉽지 않았기 때문이다. 이런 제약을 극복하기 위해 만들어진 초기 민중의 집은 자율적인 사회주의자들의 모임 공간이었지만, 생디칼리스트*, 개혁적 가톨릭 세력 등 여러 정치 세력이 공존하는 공간으로 발전했다. 사회주의 내에서도 여러 분파와 정당이 있었던 만큼, 민중의 집은 다양한 정치 세력들이 경쟁하며 연대하는 대중정치 활동의 공간이었던 셈이다.

생디칼리스트
(Syndicalist)
무정부주의를 바탕으로한 노동조합주의자를 뜻하며, 국가를 포함, 자본주의 사회질서를 철폐하고 노동자 조직을 바탕으로 사회질서를 수립하자는 노동계급 직접행동을 주장하는 운동

전쟁 직후인 1946년에 촬영된 것으로 추정되는 에밀리아나(Emiliana) 민중의 집. 모든 반파시스트 정당이 이곳에 위치해 있었다고 한다.

이렇게 만들어진 민중의 집에서 노동자들과 가난한 사람들은 싼값에 술을 마시고 음식을 사먹고 책이나 신문을 읽고 토론하며, 사회주의자들이 주최하는 교육이나 집회에 함께 참석했다. 술과 음식을 판매하여 남은 수익의 일부는 실업자나 투쟁하는 노동자들을 지원하는 기금으로 사용했다. 자금이 많은 곳은 병원이나 교육기관을 짓는데 투자하기도 했다. 또 노동절 행사나 선거 캠페인 같은 대규모 정치 활동은 이념적 기반이 다른 조직들이 협력하여 민중의 집이라는 우산 아래서 함께 치렀다. 이처럼 민중의 집은 다양한 조직과 기능을 한데 묶는 복합적인 구조였고, 회원으로 가입한 단체나 개인들은 스스로 재원을 마련하여 자주적 · 민주적으로 민중의 집을 운영해 나갔다.

1960년 밀라노 인근 콘코르쪼 시의 한 민중의 집에서 대화를 나누고 있는 사람들.

그러나 당시 민중의 집의 역사적 의의는 이러한 기능적 특성에 국한되지 않는다. 이곳은 그야말로 노동자 민중의 '소우주'다. 민중의 집은 소비와 생산, 일상생활과 사회생활, 정치 활동을 효과적이고 평등한 방식으로 결합시킨 공간이었고, 이 모든 것은 바깥 세계와는 다른 원리로 구성되었다. 정부나 부르주아, 교회가 점유한 외부 세계와 다른 대안적인 세계의 밑그림을 제공하는 곳. 마가렛 콘 교수는 당시 민중의 집이 어떤 의미를 지닌 공간이었는지 단적으로 설명해준다.

> 이 시기 노동자들은 오로지 도구적 가치에 의해 생산 과정에 투입된 말 그대로 '객체'였지만, 민중의 집이나 협동조합에서 노동자들은 '주체', 대안적 세계를 함께 만드는 사람이 될 수 있었다.

이상이 19세기 말에서 20세기 초, 민중의 집의 일반적인 특징이지만 이탈리아의 다양한 저항 공간들은 지역마다 서로 다른 방식으로 발전했고, 해당 지역 정치 세력의 분포와 역관계에 따라 이질적인 정치적 색채를 띠기도 했다. 그래서 지역마다 민중의 집과 같은 공간을 부르는 이름도 다양하고 주도하는 단체도 달랐는데, 이러한 특징은 오늘날까지도 이어지고 있다. 민중의 집과 유사한 공간들이 얼마나 있었는지 정확히 알 수 없지만, 1차 세계대전과 2차 세계대전 사이 최소 1천5백 개가 이탈리아 전역에 분포되어 있었던 것으로 추측된다.

그러나 무솔리니 통치하에서 민중의 집은 강력한 탄압을 받았고 '파시스트의 집Casa del Fascio'으로 개명되는 치욕을 겪기도 했다. 그럼에도 민중의 집이 복원되고 지금까지 존재할 수 있었던 건 아마도 오랜 지역 풀뿌리 공동체의 전통에 기원을 두고 있다는 역사적 경험 때문일 것이다. 우리가 갔던 민중의 집 중에서 놀이와 유흥, 음식과 술이 빠진 곳은 없었다. 밀라노에 있는 한 치르콜로의 사례처럼 경제적으로 어려운 시기 가진 것이 많지 않은 사람들이 십시일반 자원을 나누고, 고립된 사람들이 만남의 즐거움을 찾는다는 것은 이들에게 관습처럼 전해 내려오는 삶의 방식인 것 같다.

물론 좌파정당과 민중의 집 역시 뗄 수 없는 관계를 가져왔다. 1892년 창당한 이탈리아 사회당Partito Socialista Italiano, PSI은 물론 1921년 만들어져 화려한 명성을 떨쳤던 이탈리아 공산당Partito Comunista Italiano, PCI은 민중의 집을 사회주의 대중운동의 거점으로 삼고 성장해왔다. 우리가 만난 모든 이탈리아 좌파정당 당원들에게는 어린 시절 친구들과 어울려 공부하고 뛰놀던 '나의 민중의 집'이 있었다. 사회주의자인 부모를 따라간 민중의 집에서 그들은 사회주의자로 성장했고, 자신의 민중의 집을 기반으로 정치 활동을 해왔다. 그러나 90년대 공산당의 노선과 당명 개정, 그로 인한 수없는 갈등과 분리로 오늘날 이탈리아 좌파정당들은 위기를 겪고 있다. 오랜 세월에 걸친 이탈리아 공산당의 와해와 실비오 베를루스코니Silvio Berlusconi로 대표되는 우파정당의 득세는 민중의 집의 쇠퇴에도 영향을 미쳤다. 당장 민중의 집을 유지할 돈이 없어 문을 닫은 곳도 있었고 '좌파의 집'이라는 뚜렷한 정치색을 성별, 나이, 직업, 피부색이 다른 주민들이 만나고 즐기고 생활하는 공간이자 지역사회단체들의 네트워크 구조로서 민중의 집은 분명 우리에겐 찾아볼 수 없는 인상적인 장소였다.

지워버린 민중의 집도 많아졌다고 한다.

누군가는 이대로 이탈리아 민중의 집이 100여 년의 역사를 뒤로 한 채 소멸해 간다고 진단할 수도 있을 것이다. 어느 한 순간이라도 탐방 일정이 어그러졌다면 나 역시 그렇게 결론짓고 돌아왔을 것이다. 그러나 나는 결국 희망의 기운들을 마주했다. 더 이상 좌파의 공간은 아닐지라도 과거 가난한 지역 공동체의 복합 공간이었던 민중의 집은 여전히 건재했다.

성별, 나이, 직업, 피부색이 다른 주민들이 만나고 즐기고 생활하는 공간이자 지역사회단체들의 네트워크 구조로서 민중의 집은 분명 우리에겐 찾아볼 수 없는 인상적인 장소였다. 또한 우리는 지역 주민들의 생활에서 시작하여 새롭게 '정치'를 정의내리기 위해 노력하는 젊은이들도 만났다. 그들은 최근에 민중의 집을 세우고 그곳을 제도 정치와 주민들의 일상 사이에 위치하는 또 다른 정치의 공간으로 만들겠다는 포부를 밝혔다.

이번 장에서는 열흘간의 이탈리아 여정 동안 내가 다녀온 민중의 집과 그곳에서 만난 사람들을 하나하나 소개할 것이다. 그에 앞서 이탈리아 좌파정당을 소개하는 것은, 이들과 민중의 집의 관계를 살펴볼 필요도 있거니와 우리나라의 복잡한 정치 상황을 대입해 볼 수 있을 거라는 기대 때문이다. 이탈리아의 정치 상황은 우리와 상당히 유사한 특성을 지녔다. 여러 개의 좌파정당이 있고 우리의 '반새누리당' 혹은 '반MB'와 같은 전선도 존재한다. 이러한 상황에서 좌파정당이 무엇을 지향하고 어떤 선택을 했는지 살펴보는 건, 나를 포함하여 혼란에 빠진 진보정당의 미래를 고민하는 사람들에게 도움이 되리라 생각된다.

한 가지 아쉬운 건 현재 대다수 민중의 집을 포괄하고 있는 이탈리아 문화 · 레크리에이션 연합 아르치Associazione Ricreativa e Culturale Italiana, ARCI를 충분히 취재하지 못했다는 점이다. 아르치는 슬로푸드 운동을 시작한 단체로 그나마 한국에 조금 알려졌지만, 규모도 상당하고 매우 광범위한 문화 · 인권 · 사회 문제를 다루는 조직이다. 아르치는 1957년 전후 이탈리아에서 상호부조조합, 치르콜로, 민중의 집 등 풀뿌리 조직을 복원하고 이들 간에 연대를 도모하는 과정에서 탄생했으며, 지금은 다양한 문화예술 활동, 동성애자와 이주민 등 소수자들을 위한 활동, 물 사유화와 전쟁에 반대하는 정치 활동까지 포괄하고 있다. 각각의 활동을 펼치는 5천여 개의 클럽(아르치에서는 이를 통칭하여 치르콜로라고 부른다)이 현재 아르치에 가입되어 있고 회원도 100만 명이 넘는다.

민중의 집은 아르치의 다양한 회원 조직의 한 형태고, 우리가 방문한 민중의 집도 대부분 아르치의 체계를 바탕으로 민중의 집 회원을 모집 · 관리하고 있었다. 아르치 중앙조직이 민중의 집에 관한 특별한 사업 방침을 갖고 있는지, 과거 아르치와 민중의 집의 결합은 어떤 방식으로 이루어졌는지, 아르치와 좌파정당, 노동조합의 관계는 어떠했는지 궁금했지만 자세히 취재하지는 못했다. 다만 다양한 영역의 문화 · 예술 · 사회 활동들을 포괄하는 아르치 조직들의 프로그램이 민중의 집이라는 공간과 어우러져 풍부한 지역운동의 콘텐츠를 만들어내고 있는 것은 분명해 보였다.

이탈리아 좌파정당 약사

2차 대전 이후부터 1994년까지 이탈리아에서는 기독교민주당을 대표 주자로 한 보수정당 연합이 장기 집권을 해왔다. 이탈리아 공산당PCI은 한때 당원 수 200만 명을 자랑하는 강력한 좌파정당이며, 30퍼센트가 넘는 국민의 지지를 받았지만 집권의 문턱에서 번번이 좌절했었다.

1989년 베를린 장벽의 붕괴는 유럽의 좌파들에게 청천벽력 같은 사건이었다. 이탈리아 제1야당인 이탈리아 공산당은 1991년 당명을 좌파민주당Partito Democratico della Sinistra으로 바꿨다. 이때 공산당의 당명과 노선 폐기에 반발하여 탈당한 세력이 만든 정당이 재건공산당이다.

한편 좌파민주당은 1996년 총선에서 중도 · 좌파정당들의 선거연합인 올리브 동맹으로 집권에 성공한다. 그러나 1998년 총리였던 중도우파정당 소속 로마노 프로디가 긴축재정을 시도하여 노동운동은 이에 격렬하게 반발했다. 올리브 동맹에 참여하지 않았지만 프로디 내각과 알음알음 공조해왔던 재건공산당은 이 예산안 처리를 둘러싼 입장 차이로 논쟁 끝에 강경 세력과 온건 세력으로 분화되었다.

2001년 이탈리아의 대부호 실비오 베를루스코니가 이끄는 우파연합이 집권한 후 권토중래를 노리던 좌파민주당은 구기독교민주당 계열 정당까지 포괄한 중도 · 좌파연합을 꾸려 2006년 다시 집권에 성공했다. 이번에는 재건공산당도 선거연합에 참여했고 덕분에 하원 41석, 상원 27석을 확보했다.

그러나 중도 · 좌파 연정의 분열은 곧 베를루스코니의 복귀로 이어질 것이라는 압박 때문에 재건공산당은 프로디 총리의 정책을 강력히 제어하지 못했고, 결정적으로 레바논과 아프가니스탄 파병 연장안에 찬성표를 던짐으로써 폭발한 내부 갈등은 2007년 또 한 번의 분열을 초래했다. 그 사이 좌파민주당은 아예 좌파라는 명칭도 떼고 민주당Partito Democratico, PD으로 재탄생했다.

이때부터 좌파정당들은 민주당과 선을 그었고, 2008년 총선에서 독자적인 선거연합을 추진했다. 좌파 – 무지개 연합La Sinistra-L' Arcobaleno, SA에는 재건공산당, 1998년 재건공산당에서 갈라져 나왔던 이탈리아 공산주의자의 당Partito dei Comunisti Italiani, PdCI, 녹색당Federazione dei Verdi, 민주좌파Sinistra Democratica 등이 포함됐다. 당시 총리 후보로 나선 파우스토 베르티노티

Fausto Bertinotti는 1994년부터 재건공산당을 이끌며 좌파정당이 사회운동의 재구성에 복무하고 생태주의, 여성주의 등 새로운 운동의 대변자가 되어야 한다는 입장을 견지해왔고, 그의 지향이 좌파-무지개 연합으로 귀결된 것이었다.

그러나 결과는 참패였다. 좌파-무지개 연합의 지지율이 3.1퍼센트에 그치면서 하원의 15퍼센트를 차지했던 정당은 한순간 원외 정당이 되어 버렸다. 민주당 역시 베를루스코니에게 패배했고, 이탈리아에 다시 우파 정권이 들어서고 말았다.

2008년 좌파연합의 패배로 재건공산당은 또 한 번 내홍을 앓게 된다. 총선 참패로 베르티노티의 노선은 도마 위에 올랐고, 이에 대해 비판적이었던 파울로 페레로Paolo Ferrero가 2008년 7월에 열린 재건공산당 전당대회에서 베르티노티 그룹을 8표차로 누르고 대표로 선출됐다. 당권 장악에 실패한 베르티노티 그룹은 뒤에 다시 소개할 니키 벤돌라Nichi Vendola를 중심으로 재건공산당을 탈당, 좌파-무지개 연합에 참여했던 다른 정당들과 통합하여 2010년 좌파생태자유라는 새 정당을 출범시켰다.

이쯤 되면 재건공산당과 신생 정당인 좌파생태자유가 어떠한 전략으로 2013년에 있을 총선을 준비하고 있는지 궁금하지 않을 수 없다. 여러 개의 좌파정당이 공존할 때 겪게 되는 곤란함을 이들은 어떤 방식으로 극복하고 있을까. 보수정당의 득세와 과거 공산당 주류의 우경화로 잔뜩 위축되었을 당세를 회복하기 위해, 이들은 어떤 전략을 추진하고 있을까. 그러한 실천

전략에서 민중의 집은 어떤 위치를 차지하고 있을까.

이런 질문을 안고, 먼저 재건공산당에 발을 디뎠다.

21세기에 공산당을 재건하려는 정당

로마에 도착한 지 사흘 째 되던 날인 9월 2일 오전 11시, 재건공산당 중앙당 인터뷰 약속이 잡혀 있어 일찍 서둘러야 했다. 아침을 간단하게 해먹고 점심으로 주먹밥을 만든 후 숙소를 나섰다.

11시 정각에 재건공산당 사무실에 도착했다. 사무실은 생각보다 훨씬 넓고 쾌적했다. 현 재건공산당 당사는 1996년부터 사용했다고 하는데 1층에는 기관지 사무실이 있었다.

재건공산당 당사 건물

우리를 맞이해준 국제담당 파비오 아마토Fabio Amato는 전날 술을 많이 마신 모양이다. 눈은 붉게 충혈되었고, 코도 벌겋게 달아올라 있었다. 전날 재건공산당 축제가 있었던 것을 알고 있기에 이해가 됐다. 이런 걸 우리가 이해해주지 않으면 누가 이해하랴.

그는 먼저 재건공산당에 대한 소개부터했다. 파비오는 모든 질문에 대한 아주 간략하고도 명쾌한 답변을 준비하고 있었다.

"재건공산당은 1991년에 만들어졌다. 서구에서 가장 큰 정당이던 이탈리아 공산당이 정당의 이름뿐 아니라 정치적 지향과 이념을 바꾸어 자유주의 정당이 되었다. 그중 소수파가 나와서 만든 새로운 정당이 바로 재건공산당이다. 이름에서 알 수 있듯이 우리 당은 다시 공산주의 정당을 건설하는 것, 이전 공산주의 세력과 이념의 연속성을 이어나가는 것을 목표로 하며, 사회 정의와 평화를 위한 투쟁 정신을 유지하고 있다. 이후 1996년, 1999년 여러 번의 분열로 어려움을 겪었고 다른 공산주의 정당을 만들었다. 마지막으로 2008년 총선 이후 한 번 더 나뉘었다."

2008년 재건공산당과 좌파생태자유의 분리는 어쩌면 이탈리아 판 민주노동당과 진보신당이라고 볼 수도 있다. 이탈리아나 한국이나 2008년은 좌파들에게 가혹한 시기였다.

파비오는 2008년 총선 참패의 원인을 다음과 같이 설명했다.

"그때 총선에서 공산주의자들이 의회에 한 명도 진출하지 못했다. 우리는 그 패인이 이전 중도 · 좌파연합정부에 참여한 것이고, 그 정부가 실패했기 때문이라고 평가한다. 당시 정부는 사회 위기에 대응하는 정책으로 오로지 긴축재정만을 시행했다. 그건 우리에게 투표한 사람들의 기대를 충족시키지 못하는 방침이다. 긴축재정이 아니라 공공지출을 늘려야 했다."

2006년 집권에 성공한 중도 · 좌파 연정 내에서 좌파정당이 신자유주의 정책을 제어하지 못했고, 그로 인해 지지 기반을 잃었다는 것이다.

재건공산당은 2009년 말 현재 당원이 5만 명 정도이고 전국적으로 3천 개 지역 조직이 있다고 했다. 중앙조직에는 200명이 일하고 있다. 1991년 재건공산당을 창당한 후 1996년까지는 당원이 12만 명이었지만, 15년이 지난 지금 당원 수는 반토막이 난 상태다.

현재 재건공산당은 당의 노선으로 '사회적 정당social party'을 표방하고 있다. 무슨 뜻인지 물었다.

"지난 20년간 이탈리아에는 신자유주의 정책으로 인해 정치, 사회적으로 커다란 변화가 있었고 이는 우리 사회의 구조를 근본적으로 바꿔놓았다. 2000년부터 우리는 사회 전반, 사회운동 특히 노동자계급을 대표할 수 있는 우리 정당의 새로운 역량을 확립하기 위해 노력했다. 여기서 우리가 대변하고자 하는 노동자계급은 노동운동의 주요 인물들이 아니라 현장의 노동자, 불안정 노동자, 비임금 노동자, 소규모 자영업자 등을 포괄한다. 우리는 과거 노동운동의 경험, 즉 지역을 기반으로 한 폭넓은 사회적 연대를 조직할 수 있는 역량에서 출발하려고 노력한다. 이것을 우리는 사회적 정당이라고 부른다.

그럼에도 재건공산당은 힘든 시기를 겪고 있다. 국회의원이 없는 것도 문제지만 그로 인해 자신들의 입장을 알리고 정치 현안을 둘러싼 논쟁에 개입할 수 있는 미디어 체계에 접근하기도 어려워졌기 때문이다. 현실에서 이상을 관철시키기에는 당세가 점점 움츠러드는 상황이다. 반베를루스코니 전선의 일부가 되어야 한다는 책임도 여전히 지고 있다. 이런 상황에서 타 정당과의 연합 – 연대는 필연적일 것이다.

우리 식으로 말하면 기반을 잃어가고 있는 진보정당이 자신의 생존 문제와 함께 반새누리당 연대를 위한 야권 연대에도 신경을 쓰지 않을 수 없는 상황인 셈이다.

파비오는 이를 위해 반베를루스코니 전선인 '민주동맹' 을 형성하는 한편, 좌파연합체, '반자본 · 반신자유주의 세력 연합' 을 만드는 두 개의 프로세스를 추진한다고 소개했다.

파비오가 말한 반자본 · 반신자유주의 연합은 좌파연합Federazione della Sinistra, FdS으로, 두 개의 좌파정당, 재건공산당과 이탈리아 공산주의자의 당과 이탈리아 노총의 사회주의 활동가 조직 등이 참여하고 있으며, 2009년부터 사실상 하나의 정당처럼 선거에 대응해왔다. 재건공산당은 이 연합을 강화하면서 반베를루스코니 전선에 합류한다는 이중 전략을 추진하고 있는 것이다. 파비오는 좌파생태자유도 이 연합의 당사자로 생각하고 있지만 구체적인 논의는 함께하지 않았다고 했다. 아마도 아직은 두 정당 사이의 감정의 골이 깊을 것이다.

가장 눈에 띄는 건 민주 세력과 폭넓게 선거연합을 하되 연정에는 참여하지 않는다는 입장이다. 일반적인 민주주의와 정의의 원칙을 제외하면 이 동맹에서 재건공산당이 이끌어내고자 하는 합의의 핵심은 선거법 개정 등 좌파 소수정당의 세력화의 발판을 마련하는 것이다. 이 간명한 전략은 이전과 같은 실패를 반복하지 않기 위한 결단으로 보인다. 소수세력이 연정에서 정치적 지향을 충분히 관철시킬 수 없기에 외부의 비판자로 남으면서, 반우파 연합에 대한 명분과 좌파의 입지 강화라는 실리를 챙긴다는 것이다.

이어서 재건공산당의 지역 활동들은 어떠한지, 특별한 전략이 있는지를 물었다.

재건공산당은 지역 조직들을 치르콜로라고 부른다. 지역 조직들은 자율성을 갖고 자신의 활동을 스스로 결정하며, 총회를 통해 지역의 주요한 정치 사안을 관장한다고 한다. 이런 건 우리와 비슷해 보인다.

"그러나 문제는 경제적인 것이다. 1991년 분당 당시 과거 공산당 재산의 대부분은 좌파민주당(현 민주당)이 소유했고, 우리는 건물과 집기도 없이 완전히 제로에서 다시 시작했다. 건물을 빌려 임대료를 내며 사용해야 했다. 사회 활동들을 조직하려면 공간이 필요하다. 로마에는 우리 당의 지역 사무실이 있는 민중의 집 같은 곳이 50개 정도 있지만, 그중 아주 일부만 사회 활동을 조직할 만한 넉넉한 공간을 확보하고 있다."

나중에 이탈리아 민중의 집과 재건공산당 사무실을 다니면서 느낀 것은 이들에게 '공간'은 단순히 사무업무를 보는 곳에 국한되지 않는다는 것이다. 이탈리아 좌파들에게는 사람을 모이게 하고 교류할 수 있게 하는 공간 전략이 있다. 아마도 이는 100년 넘게 이어져 온 민중의 집과 여러 저항의 공간들에 대한 집단적인 기억에서 비롯된 것인 듯하다. 그렇기 때문에 지역에서 당의 공간이 사라졌다는 것은 치명적인 손실이었을 것이다.

재건공산당 지역 조직들은 지역에서 일어나는 정치 사안에 대한 활동을 한다. 당을 홍보하고 이슈에 따라 캠페인을 조직하는데 최근에 진행한 캠페인 주제는 물 사유화 반대였다고 한다. 그 외 정치적 입장에 대한 토론회를 수시로 연다. 우리와 크게 다를 것은 없었다. 하지만 그는 이어서 새겨들어야 할 만한 내용을 말했다.

"지역에서의 공동 활동은 앞서 이야기했듯이 당뿐 아니라 노조에서 제기되기도 하고 다른 사회운동 단체들이 제안하기도 한다. 지역 조직이 없다면 정당은 존재할 수 없다. 지역 조직이 정치적 주도성을 갖고 토론회, 세미나를 조직하고 사람들을 직접 만나고 당원 배가를 위한 캠페인도 한다. 우리 당의 모든 활동이 지역 조직에 기반을 두고 있다. 중앙당이 정치 의제나 캠페인 이슈를 결정하지만 지역 조직을 납득시키지 못하면 그런 활동을 진행할 방법이 없다. 또한 지역 조직들은 과거부터 해오던 정치 토론이나 정치 활동뿐 아니라 사회 활동, 좀 전에 이야기한 사회적 삶의 정치를 모색하고자 한다. 정당은 실질적으로 사람들이 살아가는 생활 문제를 해결하는 데 유용해야 한다."

지역을 강조하는 건 중앙당 당직자가 으레 하는 이야기일 수 있다. 그렇지만 앞서 말한 사회적 정당이라는 노선의 승패가 생활정치의 일선에 있는 지역 조직들이 어떻게 움직이느냐에 달려 있다는 건 분명해 보인다.

소셜센터는 1960~70년대 신좌파운동에서 유래한 것으로 젊은이들이 과거 공장이었던 건물을 점유하고 사회 활동과 정치 활동을 하기 시작했다. 민중의 집 경험을 대체한 새로운 형태다.

마지막으로 지역 조직들이 민중의 집과 적극적으로 연계하고 있는지 물었으나, 파비오는 민중의 집을 그다지 긍정적으로 평가하지 않는 것 같았다. 민중의 집이 과거에 비해 정치적 색채가 퇴색된 것에 비판적인 입장이었다.

"토스카나, 에밀리아로마냐 지방에서 과거 민중의 집 운동이 강력했고 지금도 그런 경험이 남아 있다. 민중의 집의 대부분은 아르치로 조직되어 있다. 민중의 집이 정치적 장소라고들 하지만 많이 바뀌었다. '정치가 없는 사회적 장소just social place without politics' 가 되었다. 내가 살던 도시에서는 공산당이 두 개의 민중의 집을 운영했었는데 지금은 존재하지 않는다. 그냥 술집일 뿐 정당의 정치 활동들이 이루어지지 않는다."

그는 오히려 소셜센터centro sociale라는 새로운 시도에 더 주목하고 있었다.

"이탈리아에서 90년대에 흥미로운 시도가 있었는데, 사회 위기가 심화되면서 소셜센터라는 곳들이 생겨났다. 소셜센터는 1960~70년대 신좌파운동에서 유래한 것으로 젊은이들이 과거 공장이었던 건물을 점유하고 사회 활동과 정치 활동을 하기 시작했다. 우리를 포함한 좌파들이 협력하기도 했다. 소셜센터는 민중의 집 경험을 대체한 새로운 형태다. 로마에는 이런 소셜센터가 많다. 이곳은 어떤 정당과도 관련이 없지만 지난 총선에서 우리 당은 이곳 출신 활동가를 후보 리스트에 올렸다. 요즘 로마 소셜센터에서는 집이 없는 사람들을 위한 빈집 점거 같은 것을 하고 있다. 중부 지방에는 민중의 집의 전통이 강하게 남아 있지만 로마 인근에는 소셜센터가 많다."

소셜센터라는 게 있다는 건 처음 들어봤다. 기회가 되면 방문해야겠다고 메모를 해놓았다.

한 시간여 인터뷰를 마치고 재건공산당 건물을 한 바퀴 돌아보았다.

그는 몇 십 년간 국제 업무를 담당했던 사람답게 유창하고 빠른 속도로 영어를 구사해서 아내가 속도를 따라잡지 못해 애를 먹었다. 진땀을 흘린 아내와 함께 그에게 작별 인사를 했다.

재건공산당은 어딘지 모르게 위축되었다는 인상을 주었다. 지금의 상황이 과거 이탈리아 공산당의 규모와 위력을 복원하기에는 역부족인 것 같다는 안타까움에 그런 느낌을 받았던 것 같다.

그러나 지금 재건공산당이 가고자 하는 길은 분명해 보인다. 사회적 삶을 회복한다는 정치 노선, 강력한 지역 중심성, 어려운 상황이지만 섬세한 전략으로 연합 정치를 이끌어가려는 노력은 여러 차례 고비를 넘기며 얻은 교훈을 고스란히 수렴하고 있는 듯하다. 하지만 관건은 이것을 실현할 역량이며, 이러한 선택이 당의 역량 강화로 귀결될 것인지도 확신할 수는 없다.

근처 공원에서 아침에 싼 도시락으로 점심을 해결했다.

시간이 많지는 않다. 오후 1시에 좌파생태자유 인터뷰가 잡혀 있다.

좌파생태자유에서 조직담당으로 일하는 베아트리체Beatrice Giavazzi를 처음 만난 건 전날 오후였다. 로마에 도착하기 전 약속을 잡지 못했기 때문에 지도를 찾아 당사를 방문했고, 무조건 영어로 의사소통이 가능한 사람을 찾았다. 그렇게 만난 50대 여성 베아트리체와 다음 날 오후 질문지를 가지고 와 다시 만나기로 약속을 한 것이다.

이로써 연달아 세 개의 빡빡한 일정이 잡혔지만, 이곳에 와서 할 일이 잡혀 있다는 건 큰 위안이었다. 당장은 한시름 놓을 수 있어 마음 편히 콜로세움도 구경했다. 로마 시내를 걸어다니다 우연히 발견한 한국인 상점에서 깻잎, 김, 카레 등 눈물 나게 그립던 식재료도 샀으니 더 이상 걱정할 게 없었다.

좌파생태자유와 니키 벤돌라

다시 방문한 좌파생태자유 사무실은 재건공산당 당사보다 훨씬 규모가 작았지만 거꾸로 아기자기한 면도 있었다. 미디어 대응에 강하다는 소문처럼 사무실 안쪽에는 인터넷 방송 영상을 촬영할 수 있는 공간이 따로 꾸며져 있었다. 사무실에서 만난 당직자들도 우리에게 반갑게 인사를 건넨다. 햇빛이 잘 비추는 창이 있는 곳에서 베아트리체와 이야기를 시작했다.

먼저 그녀는 좌파생태자유와 현재 이탈리아의 정치 상황을 간략히 소개했다.

"4개의 다른 좌파정당에서 분리되어 나온 사람들이 정당을 구성했다. 이탈리아의 모든 좌파정당을 포괄하는 하나의 새로운 좌파 조직을 건설하는 것이 우리의 목표다. 그러나 시간이 필요하다. 야당 중에서는 민주당이 가장 큰 조직이다. 그러나 그들도 지난 선거에서 의석을 많이 잃었다. 민주당은 자본주의를 지향하며 그것을 개선하는 것을 목표로 한다. 현재 이탈리아뿐 아니라 유럽의 좌파정당들은 심화되는 위기에 어떤 해법을 제시하지 못하고 있다. 특히 이탈리아의 베를루스코니는 유럽에서도 가장 악질적인 우파 정권이다. 현재의 위기는 정치적 위기뿐 아니라 경제, 문화적 위기기도 하다."

그녀의 말처럼 좌파생태자유는 재건공산당 탈당파와 이탈리아 공산주의자의 당에서 탈당한 통합좌파Unire la Sinistra, ULS, 생태주의자 연합Associazione Ecologisti, AE, 민주좌파Sinistra Democratica, SD 이상 4개 세력이 2009년에 통합하여 결성한 정당이다. 우리가 갔을 때도 아직 정식 창당을 한 상태는 아니었다.

"2009년에 처음 당 대회를 개최해서 각 지역을 대표하는 1천5백 명의 대의원을 선출했다. 2010년 10월 22~24일에 첫 번째 대의원대회를 개최할 예정이다. 창당한 2009년 기준으로 당원은 2만 5천 명이다. 현재 이탈리아의 모든 주에 지부가 있다. 좌파생태자유는 아직 강하지는 않다. 서로 다른 배경을 가진 사람들이라서 융합해야 하는 과제도 있다. 당 대표인 54세의 니키 벤돌라는 지난 봄 지방선거 전 예비선거에서 민주당과 경쟁해 73퍼센트를 득표하여, 중도·좌파정당들을 대표하는 풀리아 주 주지사로 선출됐다. 이는 우리 정당에 매우 중요한 사건이었다. 니키 벤돌라가 주지사가 된 이후 그 지역 고용도 증가하고 관광산업도 활성화됐다. 우리는 니키 벤돌라를 향후 전국적인 좌파진영의 지도자로 만들기 위해 노력 중이다."

인터뷰 내내 니키 벤돌라에 대한 칭찬이 끊이질 않았다.

니키 벤돌라는 커밍아웃 한 동성애자, 가톨릭 신자, 시집을 출간한 시인이면서 공산주의자라는 독특한 이력의 소유자인데다 탁월한 대중 감각을 지니고 있어 '이탈리아의 버락 오바마'라 불리기도 한다. 한 눈에 보아도 매력적인 정치인이다.

"니키 벤돌라는 젊은 정치인으로서 젊은 세대를 고려하고 있으며, 그의 사고와 대화의 방식, 사람들과 관계를 맺는 방식은 다른 정치인과 완전히 다르다. 그것이 우리 당이 성공적으로 발전하고 있는 이유다. 우리는 지난 해 유럽 의회 선거 2퍼센트의 지지율에서 출발하여, 올해 3월 지방선거에서 3.2퍼센트, 최근 여론조사 결과 6~8퍼센트로 계속 상승 중이다. 우리의 지지율 상승은 니키 벤돌라라는 매우 대중적인 정치인이 있어서 가능했다. 내년 봄 총선을 앞둔 예비선거는 그가 전국적인 정치인으로 데뷔하는 계기가 될 것이다. 그가 모든 좌파정당을 대표하는 후보자가 될 것이라고 확신하고 있다."

나는 내가 속한 정당의 지지율도 3.2퍼센트 정도(2010년 당시) 된다고 하자 그가 "베리 나이스, 우리는 함께 가고 있다"라며 손뼉을 치고 반가워했다.

돌아온 후 확인해 보니 니키 벤돌라는 2013년 총선을 앞두고 2012년에 치러질 중도 · 좌파정당의 예비선거에 이미 출마 선언을 했다. 중도 · 좌파 세력 내 제1당인 민주당 입장에서는 마뜩찮겠지만 여론조사에서 그의 지지율은 현 총리와 민주당 대표는 물론 베를루스코니까지 앞선다고 한다. 대중적인 호감도와 인기에 있어 이탈리아에서 그를 따라올 정치인이 없다는 얘기다.

그렇다고 하더라도 좌파생태자유가 지나치게 니키 벤돌라 한 사람에게 의존한다는 비판도 있을 것 같다.

"물론 리스크가 있을 수 있다. 그러나 우리의 활동이 그에게만 지나치게 집중되지는 않는다. 우리도 지역 조직들이 활동하고 있고, 니키 벤돌라는 5명의 공동 대표(남자 3명 , 여자 2명) 중 한 명이다. 이들은 전국적인 프로그램에서 주로 활동하지만, 모두가 지역 정치에서도 주요한 역할을 한다. 이 점이 매우 중요하다. 정치를 지역화하고 중앙 정치와 지역 정치 간에 적절한 조화가 이루어져야 한다. 우리는 아직 지역 조직들을 갖추어가는 단계지만, 중앙과 지역 간에 수평적인 관계를 추구하고 있다."

역시 이곳에서도 지역 조직의 중요성을 말하고 있었다. 하지만 신생정당으로 지역 활동이 쉽지만은 않을 것이다. 좌파생태자유의 지역 조직들은 어떤 일을 하고 있는지 물었다.

"각 지역의 고유한 문제들이 있다. 에너지 문제, 환경 문제는 특히 중요한 이슈다. 중앙 차원에서는 노동 · 인권 등에서 여타 유럽 국가에 비해 훌륭한 내용을 담고 있는 이탈리아 헌법을 수호하기 위한 활동을 강력하게 전개하고 있다. 지역 정치에서는 교육, 건강, 교통 문제에 집중하고 있다. 특히 이 문제에 대해 우리 당의 각 지방의원들이 지방정부에 참여하여 관련 법률을 개선하거나 만들 수 있기 때문이다. 그 외 민주주의, 정의, 인권, 이주민 문제들은 일반적으로 중요한 의제다."

좌파생태자유는 온라인을 이용한 정치 활동에도 상당히 주력하고 있었다. 지역에서 움직일 수 있는 당원이 상대적으로 적고 재정이 넉넉하지 못한 정당에게 젊은이들의 기발한 아이디어와 SNS를 이용한 정치 참여는 천군만마와도 같은 것이다.

재건공산당과의 관계를 묻자 깊이 한숨을 쉬고 웃음을 지으며 "좋지도 않고 나쁘지도 않다"라고 말한다. 재건공산당에서 나올 때 마지막 대의원대회는 최악의 상황이었다고 한다.

"당시 재건공산당은 매우 폐쇄적이어서 다른 이들과 대화를 하지 못했다. 그러한 태도는 심각한 위기 국면에서 유용하지 못했다. 새로운 좌파를 위해서는 그라운드 제로에서 시작해야 한다. 우리는 그동안 정치와 관계를 갖지 않았던 젊은이들, 새로운 이들의 열정, 에너지, 정치에 대한 새로운 아이디어를 필요로 한다. 과거의 정당은 우파를 이기지 못했다. 베를루스코니 정부는 매우 강력하고, 좌파는 그것을 이길 만한 올바른 길을 찾지 못했다. 지난 20년간의 좋지 않은 과거의 정치와 단절하고, 정치를 바꾸고 새로 만들어야 한다. 특히 젊은이들, 그동안 정당과 관계가 없던 새로운 사람들과의 관계가 중요하다. 그동안 정치 조직들은 사회에 너무 폐쇄적이었다. 새로운 것, 특히 지금까지와는 다른 것이 필요하다."

▲사무실 안쪽에 준비된 인터넷 방송 촬영 공간, 니키 벤돌라 사진이 담긴 선거 포스터.
▼좌파생태자유 사무실에 걸려 있는 그림. 베아트리체는 한 스무 살 청년이 좌파생태자유의 강령 하나하나를 그림으로 표현한 작품이라고 설명했다.

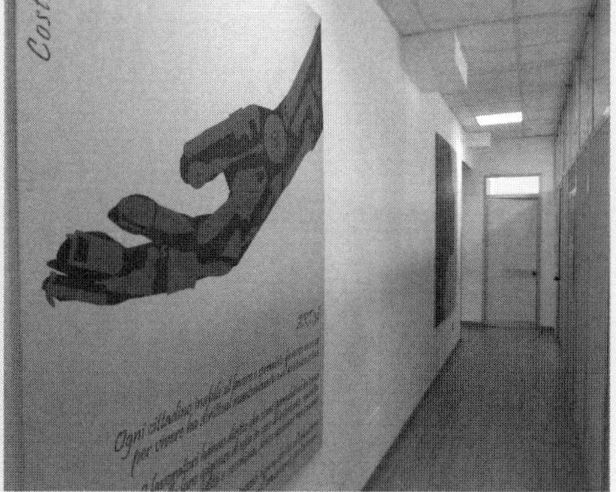

베아트리체 역시 단일한 좌파정당의 필요성을 언급했지만 재건공산당에 비해 좌파연합 추진에는 그리 적극적이지 않은 것 같았다. 니키 벤돌라가 좌파생태자유의 지지율을 끌어올려 중도·좌파연합의 총리 후보가 될 가능성도 높으니 좌파정당의 선 통합에 주력할 동인은 떨어질 수밖에 없을 것이다.

이탈리아 노총과의 관계도 그리 매끄럽지 못한 것 같다. 이탈리아 노동조합도 우리와 마찬가지로 진보정당이 분리되어 있는 상황에 불만을 갖고 있고, 어찌됐던 우파에 맞서야 한다는 현실적인 이유를 들어 이탈리아 노총 간부의 상당수가 민주당을 지지하고 있기 때문이다. 이에 대해 베아트리체는 노동자, 노동조합과 관계 맺는 방식을 바꾸어야 한다고 말했는데, 아마도 상층 중심의 노조 – 정당 연계가 한계에 봉착했다는 생각인 것 같다.

"노조와의 관계는 매우 어려운 문제다. 현재 이탈리아 노총CGIL은 민주당과 더 가깝다. 좌파생태자유는 좌파 성향이 강한 금속노조CGIL FIOM와 더 가깝다. 우리는 개별적으로는 노조 사람들과 좋은 관계를 맺고 있지만, 그들이 정치적으로 모두 좌파는 아니다. 이탈리아에는 3개 노총이 있는데, 그중 2개는 우파에 가깝다. 이탈리아 노총이 가장 좌파 성향이지만 민주당과 가깝고 노동자 계급의 정치적 권리를 방어하는 데 더 이상 적극적이지 않다. 이러한 상황을 우리도 위기라고 생각하지만, 노동자 계급과 노조와의 관계를 사고하는 방식을 바꾸고 새로운 모델을 찾아야 한다. 이탈리아 노총은 좌파정당들과 관련이 있는 유일한 노조로 남아 있지만 우리 입장에서 보면 비판할 측면들이 있다."

이제 민중의 집에 대해 물어볼 차례다. 당세가 미약한 신생 정당이 민중의 집과 어떤 관계를 맺고 있는지 궁금했다.

"민중의 집은 지역의 센터다. 에밀리아로마냐, 토스카나 등 여러 지역에서 보통 당원들은 민중의 집에 소속되어 있다. 우리는 건물이나 재산이 거의 없기 때문에 민중의 집이나 아르치 등 사회단체 안에 공간을 마련해 달라고 요청해서 일부를 나눠 쓰고 있다. 특히 볼로냐는 공산당의 아름다운 전통이 남아 있는 곳이다. 33퍼센트의 득표율을 올리기도 했다. 피렌체도 마찬가지고. 좋은 집단적인 경험이 많았던 곳이다."

그녀는 이어서 "그런데 우리가 모든 것을 파괴했다"며 안타깝게 웃었다. 볼로냐 출신인 베아트리체는 잠시 젊은 시절 동네를 누비며 공산당 당원으로 활동하던 시절을 떠올리는 것 같았다. 다시 바닥부터 새로운 좌파정치를 만들겠다는 포부와 자신감이 넘치는 그녀지만 과거에 비하면 지금 좌파정당이 놓인 현실이 초라하게 느껴지지 않을 수 없을 것이다.

이렇게 이탈리아의 대표적인 좌파정당인 재건공산당과 좌파생태자유 방문이 모두 끝났다.

복잡한 정치지형에 놓여 있기에 이들의 말처럼 선택은 쉬어보이지 않는다. 한편에서는 국민적인 요구인 반베를루스코니 연합에도 참여해야 하고, 다른 한편에서는 좌파의 재결집을 시도해야 한다. 재건공산당과 좌파생태자유의 노선에서 차이가 무엇인지 분별해내기 어려웠지만, 이들은 모두 지난 20여 년간 이탈리아 공산당의 거듭된 우경화 풍랑 속에서 '좌파의 길'을

> 연합정치의 공간에서 자신만의 색깔과 주장을 잃어버리는 순간, 좌파의 정체성이 무엇인지, 우리의 대안은 왜 현실화되지 못하는지 논란은 거듭된다. 그러면서 지지 세력도 잃고 분열된다.

지키기 위해 노력해온 사람들이다.

이들 사이의 분열이 문제만 야기한 것도 아닐 것이다. 위기를 겪으면 진화를 하게 마련이다. 생태주의와 같은 새로운 가치가 좌파정치와 만났고, 다양한 이슈를 다루는 운동들과 관계를 확장하는 성과도 있었다. SNS와 같은 새로운 미디어 전략을 주도하며 젊은이들과 호흡하는 좌파정치로 거듭나기 위한 노력도 진행 중이다.

다만 분명한 것은 중도 자유주의 정당으로 탈바꿈한 민주당과의 연정의 후과를 이탈리아 좌파들이 제대로 치르고 있다는 것이다.

선거연합보다 선거 이후의 연정이 더 문제였다. 국회나 행정부에서 두드러진 활약을 하는 것은 소수 정당으로서는 더 없이 좋은 성장의 기회지만, 동시에 연정 전체를 견인할 역량이 부족한 소수 정당에게 이는 강력한 독이 될 수 있다. 연합정치의 공간에서 자신만의 색깔과 주장을 잃어버리는 순간, 좌파의 정체성이 무엇인지, 우리의 대안은 왜 현실화되지 못하는지 논란은 거듭된다. 그러면서 지지 세력도 잃고 분열도 반복된다.

이러한 역사적 경험 속에서 재건공산당은 포괄적인 선거연합을 하되 정부에는 참여하지 않고, 대신 좌파연합과 선거제도 개혁을 통해 생존 기반을 다진다는 전략을 세우고 있다. 좌파생태자유는 유력한 대중 정치인을 견인차로 구좌파와는 다른 이슈와 소통의 방식을 모색하고 있다.

두 정당 모두 재기를 위한 전략으로 아래로부터 사회적 연대를 강조하고 있지만, 민중의 집을 그 거점으로 삼고 있는지는 의문이었다. 공산당 시절 지역 좌파정치의 토대였던 '붉은 민중의 집'은 많이 사라졌거나 있어도 예전 같지는 않다는 게 이들의 얘기다. 이렇게 된 데에 좌파정당의 분열이 한몫 했다는 게 안타까운 점이다. 지역 좌파가 공유하고 있는 역사적 유산이자 자원인 민중의 집이지만, 소수 정당이 주도적으로 꾸려나가는 건 쉽지 않을 것이라 추측된다.

이렇게 이탈리아에 와서 처음 전해들은 민중의 집 소식은 다소 김이 빠지는 것이었다.

민중의 집과 노동조합

재건공산당과 좌파생태자유 인터뷰를 마치고 이탈리아 노총 교원노조 Federazione Lavoratori della Conoscenza, FLC CGIL로 출발했다.

우리는 여기서 교원노조 국제담당자 피노Pino Patroncini를 만나기로 했다. 우리가 로마에 있는 동안 출장을 가는 레오폴도가 산하 연맹 국제담당자 중에서 이탈리아 노총과 민중의 집에 대한 이야기를 들려줄 수 있는 적절한 사람을 섭외해준 것이다.

교원노조로 가는 길은 꽤 복잡했다. 스마트 폰으로 검색을 해 보니 지하철역에서도 한참을 걸어야 하는 곳이고 골목 안쪽에 위치하고 있어서 결국 택시를 이용하기로 했다. 유럽에 와서 처음으로 타는 택시라 조금 긴장됐다.

주소를 보여주고 10여 분을 달리니 교원노조가 나왔다. 걸어서 왔다면 많이 헤맸을 위치다.

노동자의 집, 노동회의소

피노는 영화배우 숀 코네리를 닮아서 왠지 정감이 간다. 피노는 고등학교에서 역사와 라틴어를 가르치던 교사였고 지금은 은퇴하고 교원노조에서 일하고 있다.

그는 연륜 있는 노조 활동가이자 역사 선생님답게 이탈리아 민중의 집의 역사를 조리 있게 설명해주었다.

"이탈리아 민중의 집 운동은 일부 지역에서 매우 강력했다. 특히 토스카나 주 피렌체 주변에 많았다. 강당, 회의 공간, 댄스홀을 갖추고, 레크리에이션 등 다양한 사업을 했다. 민중의 집은 19세기부터 시작하여 오랜 역사를 가지고 있다. 파시스트가 집권했을 때는 '파시스트의 집'이라고 불리기도 했다. 과거에는 사회주의자들이 민중의 집을 거점으로 활동했지만, 무솔리니 집권 후에는 파시스트 조직들이 민중의 집을 점유했었다. 2차 세계대전 후 1950~60년대 피렌체, 밀라노, 토리노 같은 큰 도시에서 공산주의 정당들이 주로 민중의 집을 다시 세웠고, 1960대 후반부터 70년대까지 민중의 집은 다른 여러 조직의 공간이 되었다."

1960~70년대부터는 피노가 젊은 시절을 보냈던 민중의 집 얘기다. 자연스럽게 회상에 젖어 말을 이었다.

"내가 밀라노에 있던 시절에는 민중의 집 사람들이 내가 있던 학교에 와서 '저녁에 춤추러 오세요' 라며 홍보를 하기도 했었다. 1960년대 중반에 특히 밀라노와 토스카나 지방의 민중의 집 활동이 굉장히 활발했다. 1970년대까지는 이탈리아에서 학생운동 등 다양한 사회운동이 활성화되었던 시기였고, 이러한 활동들도 민중의 집에서 이루어졌다. 저녁이 되면 사람들이 그곳에 모여 춤도 추고 정치토론도 했다."

재건공산당에서 우리는 오늘날 민중의 집의 정치 활동이 약화되었다고 듣고 왔다. 그러나 피노의 말은 좀 달랐다.

"과거에나 지금이나 정치 활동은 여전히 중요하다. 민중의 집의 이름은 클럽Circolo, 가족Famiglia 등 다양했지만 사회주의 정당, 공산주의 정당, 사회민주주의 정당들과 주로 관련이 되어 있고, 민중의 집에 이들 정당의 사무실이 있다."

피노는 "민중의 집에는 정치적인 것과 여러 문화적인 활동들이 섞여 있고, 다만 사람들이 흥미를 가지고 있는 것들을 더 반영할 뿐"이라고 말했다. 현재 민중의 집을 조직하는 아르치는 1960년대부터 다양한 문화 스포츠 활동을 해왔지만, 민중의 집 안에는 크고 작은 모임들, 다양한 지역 공동체들이 공간을 확보하고 프로그램을 진행하고 있으며, 주변 공장이나 사무실에서 일하는 노동자들이 퇴근하고 들를 수 있는 술집도 운영하고 있다.

노동조합 조직과 민중의 집의 관계는 어떤지 물었다. 노동조합 지역 조직과 민중의 집의 결합은 과거에 비해 옅어졌고 노조와 정당 조직과는 독립적인 관계라고 한다. 그러면서도 "사실은 그 사람이 다 그 사람이다"라니 아마도 노조 활동가들이 좌파정당의 당원이자 민중의 집 회원으로 활동하는 경우가 여전히 많다는 얘기인 것 같다.

그와 이야기를 하던 중 우리는 이탈리아에서 노동조합도 자신들만의 공간을 운영해왔다는 걸 알게 됐다.

"과거에는 노조가 독자적으로 노동회의소Camera del Lavoro라는 걸 운영했었다. 이 전통은 19세기 시작된 것으로 노조도 공산주의자들의 공간처럼 고정된 장소를 확보하려 했던 것이다. 그 안에 여러 연맹 지역 조직들이 모여 있었다. 모든 지역마다 이런 곳이 있었고 1960년대까지 유지되었는데 현재는 많지 않다."

당시에는 피노의 이야기를 정확히 알아듣지 못했지만, 몇몇 자료를 찾아보니 노동회의소는 이탈리아에서 노동조합이 본격적으로 조직화되기 전 민중의 집처럼 지역 노동자 조직들을 연결하는 공간이자 노동자들에게 고용 서비스를 제공하던 곳이었다.

노동회의소가 만들어지기 시작한 건 1880년대 말에서 1890년대 사이로, 당시 프랑스에서 브루스 드 트라빌Bourses du travail이라 불리는 직업소개소를 모델로 하여 상공회의소Camera di commercio에 대항하기 위해 조직된 것이다.[(6)] 1891년 밀라노에 노동회의소를 만든 사회주의 저널리스트이자 정치인인 오스발도 뇨끼－비아니Osvaldo Gnocchi－Viani는 자신을 경제 결정주의자와 유토피아 사회주의자 사이에 위치지우면서 "구체적인 유토피아", 즉 노동자들이 스스로의 이해관계를 토론하고 전략을 세우고 집단적으로 행동할 수 있는 공간의 필요성을 역설했다고 한다.(7)

마가렛 콘에 따르면 당시 노동회의소는 민중의 집처럼 상호부조조합, 협동조합 등 기존 노동자 조직들의 연합 구조로 각 조직들 간에 협력을 촉진하고, 새로운 조직이 생겨날 수 있는 물적 기반을 제공했다고 한다. 노동회의소의 주요 기능은 일자리를 찾는 노동자와 고용주를 직접 연결하는 서비스나 합의를 통해 노동 분쟁을 조정하는 중재 서비스를 제공하는 것. 이를 위해 노동회의소는 지역의 생계비, 임금 인상률을 직접 조사하여 자료를 축적하기도 했다. 그러나 노동회의소의 운영 방식이나 재원은 지역마다 다양해서, 어떤 곳에서는 노동회의소가 노동 분쟁을 중재하는 채널로 유용하다고 생각하여 상공회의소가 지원을 하기도 했고, 직업소개소로서 기능을 인정하는 지방정부의 지원을 받는 곳도 있었다고 한다.

이 같은 노동회의소는 1900년대 초 이탈리아 전체에 약 76개 정도가 있었고 회원도 50만 명이나 됐는데, 특히 롬바르디아, 피에몬테, 토스카나, 에밀리아로마냐 등 중북부 지방에 집중되어 있었다. 개별 노동자들의 권익을 대변했던 노동회의소는 1900년 파업이 합법화되고 파업을 주요 쟁의 수단으로 하는 노동운동이 확산되면서 점차 약화되거나 이러한 투쟁을 지원하는 곳으로 그 성격이 변화했다고 한다. 이후 노동회의소의 기능과 공간은 이탈리아 노총을 중심으로 발전한 노조운동으로 흡수되었던 것이다.

피노는 이탈리아 노총의 역사에 대해 짧게 설명했다.

"이탈리아 노총은 1906년에 사회주의 운동 속에서 탄생했다. 그때는 다른 이름이었다. 파시스트들에게 활동을 차단당한 후 1944년에 다시 창립할 때 이탈리아 노총이라는 명칭을 달았다. 현재 조합원은 6백만 명인데, 그중 3백만 명은 은퇴자연맹 소속이다. 이탈리아 노총이 제1노총이다. 두 번째로 큰 가톨릭계 노조의 조합원이 약 4백만 명이다. 가맹 조직마다 차이가 있지만 노총 내 비정규직 조합원 비율은 약 10퍼센트 정도 된다."

우리나라처럼 진보정당이 여러 개로 분리되어 있는 이탈리아의 정치 상황, 오랫동안 노조 활동을 해온 피노가 이에 대한 고민이 없을 리 없다.

"1968년 사회운동과 노동운동이 활발했던 시기를 거치며 변화가 있었다. 그전까지 노조 대표자들은 다양한 정당에 각기 소속되어 주요한 역할을 했지만, 이 시기를 거치며 대다수 노조 활동가들은 정당에서 직책을 맡지 못하게 되었다. 정당에 가입을 할 수는 있지만 주요 직책을 맡으려면 노조 직책을 그만두어야 했다. 1968년 이전에는 노조가 사회주의, 공산주의 성향이 강했는데 그 이후에는 신좌파 성향의 그룹들이 많이 만들어지면서 다소 혼란이 생겼다. 이러한 혼란은 1990년대 좌파정당이 분열되기 시작하면서 더 커졌다. 1991년 좌파민주당과 재건공산당이 나뉜 이후 많은 사람이 정당에 가입하지 않았다. 1997년까지 나도 정당에 가입하지 않았었다. 어떤 정당도 맘에 들지 않았다. 나는 좌파고 공산주의자지만 왜 재건공산당, 좌파생태자유 등이 서로 폐쇄적인지 이해할 수 없다."

마치 우리의 상황을 보는 것만 같았다. 내 앞에 있는 사람이 이탈리아 노총이 아니라 민주노총 소속의 활동가라 해도 전혀 어색하지 않을 얘기다.

"좌파민주당(현 민주당)은 과거 공산주의 정당의 지지 세력을 포괄하고 있지만 그들은 이제 공산주의당이 아니다. 좌파가 되길 원하지 않는 중도 정당이다. 이탈리아의 좌파정당은 매우 급진적이고 강력한 입장을 가지고 있었다. 베를루스코니에 의해 그동안 우리의 많은 사회적 이슈들이 흔들리고 변화되고 있다. 재건공산당, 좌파생태자유는 의회에 진출하지 못했기 때문에 우리의 프로그램이 없다. 교원노조 사무실에 근무하는 다수는 좌파생태자유 당원이고 일부는 재건공산당, 민주당에도 가입해 있다. 그러나 20년 전처럼 조합원이 좌파정당과 관계를 갖지 못하고 있다. 그건 매우 결정적인 문제다."

이탈리아 노총이 공식적으로 지지하는 정당은 없다. 그러나 이탈리아 노총 대표가 민주당 당원이고, 조합원도 가장 다수가 여기 당원이라고 한다. 그러나 그 관계가 과거만큼 강하지는 않고 선거 때 투표방침을 정하는 것도 아니다. 우리와 마찬가지로 이탈리아 노총의 조합원이 모두 진보적인 정당을 지지하는 것도 분명 아닐 것이다. 피노는 "조합원 중 일부는 보수 정당 당원이기도 하다는 걸 알고 있다"며 "그들은 공장 안에서는 임금인상을 위해 파업을 하지만 공장 밖에 나가면 보수 정당에 투표한다"며 한숨을 쉬었다.

3시간 가까이 이야기를 나누다 보니 혼이 다 빠져나가는 듯했다.

게다가 좌파정치와 관련하여 노조가 무엇을 해야 할지 모르겠다는 답답한 심정에 공감하며 인터뷰를 마치니 피노도 우리도 지친 기색이 역력했다.

피노가 밖으로 나가자고 하더니 근처 카페로 안내했다. 아내는 커피를, 난 맥주를 한 잔 시켰다. 그가 한국에 오지 않는 이상 다시 만날 일은 아마도 없을 것이다. 정성을 다해 많은 얘기를 해준 그가 우리와 평생 한번 만날 인연이라는 생각이 들자 좀 슬펐다. 기꺼이 시간을 내준 그에게 감사 인사를 하고 헤어졌다.

다음 행선지는 이탈리아 노총 총연맹.

여기서 만날 수 있는 사람이 없다는 걸 알면서도 그곳에 가는 이유는 스페인 노총UGT에서의 강렬한 인상 때문이었다. 스페인 노총의 지역 사무실에는 조합원들을 위한 다양한 서비스가 이루어지고 있었고, 건물 내부에 조직의 역사에 대한 자부심을 드러내는 흔적들이 즐비했다. 이탈리아 노총건물 내부는 어떻게 구성되어 있고 어떤 형태로 근무하는지 호기심이 들었다.

이탈리아 노총 건물은 시내 중심가에 위치하고 있었고 예상했던 것처럼 규모가 컸다.

건물 현관에는 마치 정부기관처럼 경비실이 있었다. 여러 대의 카메라가 거리 곳곳을 비췄고, 그걸 지켜보는 인원 또한 많았다. 우리가 온 의도를 설명하고 안에서 일하던 사람이 나오기까지 시간이 좀 걸리긴 했지만 이젠 익숙해져서 초초하지 않았다.

이탈리아 노총도 스페인 노총과 비슷한 분위기였다. 건물 내부는 잘 정돈

이탈리아 노총 건물은 시내 중심가에
위치하고 있었고 예상했던 것처럼
규모가 컸다.

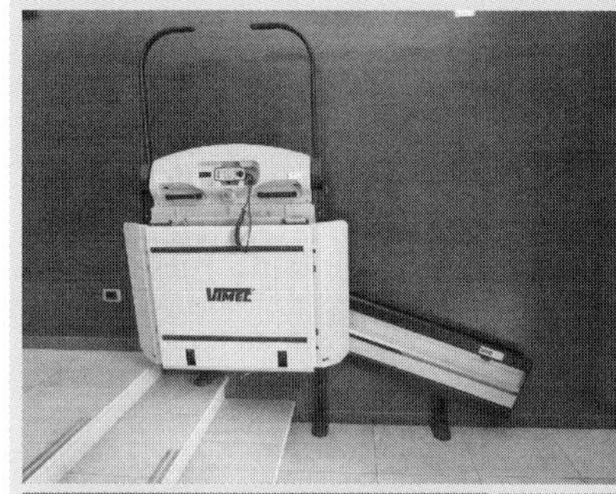

된 느낌을 넘어서 기품이 있었다. 복도에는 이탈리아 노동운동의 역사를 한 눈에 볼 수 있도록 사진들이 전시되어 있었다. 이런 점은 민주노총뿐 아니라 진보정당이나 사회운동 단체들이 참조할 만한 작업이다. 섬세한 작업이지만 꼭 필요한 일이다.

건물을 안내해주었던 한 상근자가 선물 보따리를 전해주었다. 이탈리아 노총의 역사를 기록한 서적과 두꺼운 화보집, 각종 필기구와 기념품들이다. 한 조직이 방문객에게 선사할 수 있는, 기념할 만한 것이 준비되어 있다는 건 무엇을 뜻하는 것일까. 지금의 나처럼 민주노총이나 진보정당에 외국에서 낯선 사람이 찾아온다면 선뜻 내놓을 무엇이 있을까. 갑자기 궁금했다.

파티하자, 정당Party하자

로마에서 방문한 정당과 노동조합에 대한 얘기를 마무리하면서 재미있는 이벤트 하나를 소개할까 한다. 로마에 있는 동안 우리는 두 번의 축제에 참석했다.

첫 번째는 재건공산당과 이탈리아 공산주의자의 당이 함께 개최하는 '좌파연합'의 첫 번째 전국 축제.

일단 거리 곳곳에 정당 로고와 함께 축제를 알리는 포스터가 붙어 있었기 때문에 모르고 지나칠 수가 없었다. 무엇보다 정당이 여는 '페스티벌'이란 게 어떤 것일지 잘 상상이 되지 않았기에 그 풍경을 사진에 담아 한국에 전하는 것도 의미가 있으리라 생각했다. 재건공산당을 방문했을 때 우리가 축제에 가도 되는지, 어떻게 가면 되는지 물어보니 저녁에 어디어디 공원으로 오라고 했다.

저녁 8시쯤 도착하니 행사가 한창 진행되고 있었다.

우리로 치자면 일종의 후원주점이 주력 행사인 것 같은데, 주점이 차지하는 공간은 전체 행사장의 일부였다. 나머지 공간 한쪽에서는 토론회가 열리고 다른 한편에서는 여러 개의 부스가 설치되어 있었다. 책과 음반을 파는 곳, 정치 신문을 판매하는 곳도 있고, 사회단체들이 자신들의 활동을 홍보하며 서명을 받는 곳도 있었다. 또 한편에는 탁구대와 놀이기구도 있고 악기가 세팅된 무대도 있었다.

노동자대회 전야제랑 비슷한 분위기인데, 규모는 전혀 다르다. 좌파생태자유의 베아트리체에게 들은 바에 따르면, 좌파정당들은 오래전부터 지역과 중앙 차원에서 이런 축제를 열어 지지자와 주민들에게 정책도 알리고 재정사업도 해왔다고 한다. 하루만 하고 마는 게 아니다. 작은 동네에서도 3일, 좀 큰 도시면 1주일, 중앙조직이 주최하는 축제는 이보다 더 길어 예전에 재건공산당에 있을 때는 28일 동안 축제를 열기도 했단다. 이 기간 동안 매일 콘서트나 정치 토론, 연설회도 열리지만, 계속 술과 음식, 물건들을 판매하고 기부나 후원도 받기 때문에 여기서 올리는 수익이 각 조직의 연간 수입에서 큰 비중을 차지한다고 한다. 보통 여름휴가 시즌이 끝난 후에 열린다니 한동안 고민을 내려놓고 휴식을 취했던 당원들을 추스르고 하반기 활동을 개시하는 의미도 있는 것 같다.

다음 날 저녁 방문했던 두 번째 축제, 이탈리아 노총 로마 · 라치오본부의 지역축제는 훨씬 규모도 크고 구성도 다채로웠다. 전날 좌파연합의 축제와 마찬가지로 이탈리아 노총의 지역축제도 시내 한복판에 위치한 공원에서 열리고 있었다.

이 축제의 캐치프레이즈는 "광장 아름다운 광장Piazza Bella Piazza." 2010년 9월 3일부터 12일까지 열흘 동안 열리는데, 우리가 방문한 날이 마침 개막일이었다. 노총 관계자로 보이는 사람들이 무대에 올라 개막 연설을 하고 있었다. 프로그램 안내지를 보니 매일 밤 교육, 노동, 정치 등 주제를 달리하여 토론회가 기획되어 있다.

▲거리에 붙어 있는 축제 홍보물.
▼좌파연합 축제 모습으로 행사장 한쪽에 설치되어 있는 놀이기구와 매일 밤 열리는 토론회 한 장면, 그리고 서적 판매 부스 등 다양한 부스가 설치돼 있다.

> 경찰 복장을 한 사람들이 있어서 다가가 보니, 이곳을 감시하기 위해 온 것이 아니라 행사에 참여하기 위해 온 것이었다. 이탈리아에는 경찰노조가 있어 이런 풍경이 연출된다.

여기에는 주점도 여러 개이다. 아마 바를 전문적으로 운영하는 사람들이 와서 장사를 하고 그 수익의 일부를 노총에서 가져가는 방식인 것 같다. 각종 전시나 판매 부스도 어제 본 축제에 비해 훨씬 많다.

산하 노조나 단체들도 부스를 하나씩 차지하고 홍보물을 나눠주며 회원들을 맞이하고 있었다. 그중에는 젊은 학생들이 있었는데 왠지 영어가 통할 것 같아 가서 말을 걸어 봤다. 한 명은 고등학생, 한 명은 대학생. 이들은 학생운동 단체에 소속된 사람들로 베를루스코니 집권 이후 등록금도 많이 오르고 유학생들에 대한 지원도 없어졌다며, 그런 이슈를 알리기 위해 부스를 차렸다고 한다.

경찰 복장을 한 사람들이 있어서 다가가 보니, 이곳을 감시하기 위해 온 것이 아니라 행사에 참여하기 위해 온 경찰들이었다. 이탈리아에는 경찰노조가 있어 이런 풍경이 연출된다.

역시 사람들의 이목을 끄는 건 한창 리허설 중인 공연장이다. 아내가 용기를 내어서 주변에 있는 사람에게 어떤 밴드냐고 물으니 이탈리아에서 굉장히 인기가 있는 밴드라고 자랑스럽게 말했다. 멤버들의 나이도 그렇고 우리로 치자면 '부활' 정도 되는 듯하니, 이 콘서트를 보기 위해 축제에 찾아오는 시민도 많을 것 같다.

좌파연합의 축제와 이탈리아 노총의 지역축제 모두 국내와 비교해서 다양한 볼거리와 먹을거리가 있고 더불어 일반 시민들이 참여할 수 있는 프로그램을 배치하고 있었다. 주점과 상품 판매로 수익도 올리지만 늘어선 테이블과 크고 작은 부스에서 만남과 대화가 이루어지고, 부모와 함께 온 아이들도 심심할 틈이 없어 보였다. 이런 축제를 통해 주민들에게 노조와 좌파정당의 존재를 알리는 것도 중요하겠지만, 당원들 스스로가 자신의 정치 활동과 일상생활에 대한 의견을 교류하는 장도 될 수 있을 것이다. 우리나라에서도 영화제와 콘서트, 정치 토론과 놀이가 어우러지는 축제다운 축제를 볼 수 있는 날이 올까.

▲이탈리아 노총 축제 행사장 입구 모습과 개막식에 참여한 사람들 모습.
▼경찰노조 부스와 공연 리허설 중인 밴드.

피렌체 : 130년을 이어온 리프레디 SMS

유럽에 온 지 벌써 25일이 되어 간다. 이제 남은 기간은 20일뿐이다. 우리는 그토록 고대했던 이탈리아 민중의 집을 보기 위해 로마에서 피렌체로 장소를 옮겼다. 그 사이 로마 외곽의 캠핑장에서 토요일 하루를 묵었다. 주말에 바티칸이라도 구경갈까 했는데 지난 일주일 동안 쌓인 피로가 평생 다시 못 올 수도 있다는 절박함을 눌러버렸다. 하루 종일 텐트에서 잠만 잤다.

일요일을 이용해 피렌체로 숙소를 옮겼다. 캠핑장이 아닌 호텔. 내일부터는 통역을 하는 분과 함께 숙박을 하며 이동을 해야 하는데 그분을 텐트에서 재울 수는 없었다. 짐을 풀고 잠깐 쉬고 나니 어둠이 내려앉기 시작했다. 오늘이 아니면 피렌체 시내를 볼 기회가 없을 것 같아 일단 밖으로 나갔다.

토스카나 주의 주도인 피렌체는 르네상스 시대의 중심지자 로마로 수도를 옮기기 전까지 이탈리아의 수도였다. 영화 <냉정과 열정사이>의 배경이 됐던 도시고, 유네스코가 지정한 세계문화유산으로 등재된 도시다. 단테와 미켈란젤로, 마키아벨리가 이곳에 잠들어 있다. 피렌체의 야경은 명성 그대로였다. 피사도 아름다웠지만 피렌체는 더욱 찬란했다.

마침 한 레스토랑에서 10유로(약15,000원)에 정식을 팔고 있어서 오랜만에 만찬을 즐겼다. 샐러드와 와인 한잔, 메인요리인 스파게티와 라자냐가 나왔다. 유럽에 와서 이렇게 여러 개의 음식을 한꺼번에 먹은 건 처음이다. 날씨도 이제는 한국의 초가을처럼 선선하다. 더워도 추워도 걱정하지 않아도 되는 밤, 음식을 잘 먹고 거리 구경을 한 후 밤늦게 숙소로 돌아왔다.

내일은 통역을 해주실 분을 만나 이탈리아 민중의 집을 다닌다. 그동안 신경을 쓰면서 영어를 하느라 고생했던 아내가 이제 편안한 마음으로 잠을 잘 것 같다.

무솔리니도 탐냈던 민중의 집

다음 날 아침.

피렌체 기차역에서 통역을 해줄 안희진 씨를 기다렸다.

안희진 씨는 이탈리아에서 10년간 건축을 공부하고 있는 유학생이다. 진보신당 유럽지구당 당원의 소개로 안희진 씨를 섭외할 수 있었다. 안희진 씨는 진보운동에는 큰 관심이 없었으나 홍세화 선생님을 잘 알고 있었다. 내가 홍세화 선생님과 함께 한국 민중의 집 대표라고 소개하자 반색을 한다. 오전 9시, 그렇게 짧게 인사를 나눈 후 차를 타고 이동했다.

피렌체 시내에서 10시에 약속이 잡혀 있어서 여유가 있었다. 내비게이션에 주소를 입력하고 목적지로 순탄하게 가고 있었는데 공사 중이란 푯말이 보였다. 유럽의 길은 일방통행이 많은데, 우리나라처럼 대충 뭉개고 역주행할 수 없는 구조다. 다시 빙글빙글 돌다 보니 기차역, 다시 출발했고 다시 돌고 또 기차역.

해괴한 일이다. 무협지에서 가끔 나오는 무슨 진에 갇힌 것 같은 느낌이다.

얼마나 빙빙 돌았는지 시간은 이미 10시가 다 되었다. 안희진 씨를 통해 전화를 걸어 양해를 구했다. 만나기로 한 분들에게 사정을 설명했더니 차로 오기가 쉽지 않을 거란다.

더 이상 늦으면 안 될 것 같아서 무조건 주차장부터 찾았다.

주차비용이 얼마가 나오든 일단 큰 건물 주차장에 차를 버리다시피 했다. 다시 내비게이션을 따라 바삐 걸었다. 생각보다 멀다. 30분은 족히 걸어 조바심이 하늘을 찌를 때쯤 도착했다.

CGIL, 이탈리아 노총의 로고가 보였다.

일단 이탈리아 노총 피렌체 지부의 건물부터 사진을 찍으려는데, 풍채가 좋은 이탈리아 사람들이 다가오더니 꼬레아에서 왔느냐고 물었다. 오늘 우리에게 피렌체 민중의 집을 안내할 사람들이다. 그들은 계속 밖에서 우리를 기다리고 있었다.

우리가 만난 3명의 아저씨들.

먼저 오십 대 중반의 안드레아 몬따니Andrea Montagni는 1988년부터 이탈리아 노총에서 일을 하고 있고 이전에는 슈퍼마켓 점원과 도서관 사서로 일했다. 그 다음 같은 연배의 레오날도 파울리Leonardo Palli는 아르치 피렌체 지부 소속이다. 피렌체에 있는 한 민중의 집 대표를 역임했고 현재도 왕성하게 활동하고 있다. 마지막으로 페릭 카네바. 이 사람은 이탈리아 노총 피렌체 지부 소속 조합원이다. 페릭은 영어를 잘해서 특별히 뽑혀 나왔다. 그가 오늘 나온 이유는 통역 때문이었다. 우리가 통역과 함께 갈 거라 했었는데 전달이 제대로 안 된 모양이다.

인구 36만인 이 도시에서는 늘 크고 작은 사건들이 일어날 것이다. 하지만 한국에서 민중의 집을 취재하러 온 특이한 사건은 앞으로는 모르겠지만, 이전에는 없었을 것이다. 때문에 이 3명의 이탈리아 사람은 마치 조용한 읍내에 큰 사고라도 난 듯 요란하게 우리를 맞이했다. 호기심과 친절함이 교차하며, 때로는 자랑스럽게, 때로는 그때 그 시절 추억을 상기하며 우리와 함께 있는 시간 자체를 즐기는 것 같았다. 사실 이곳에서 좌파운동의 옛날 얘기를 우리처럼 귀를 쫑긋 세우고 듣는 사람이 얼마나 되겠는가. 이탈리아는 어떤지 모르지만, 한국에서 뒤풀이 때 이런 과거 얘기를 하면 모두 자리를 털고 일어나기 십상이다.

이들은 내가 속한 정당부터 관심을 보였다. 진보신당에 대해 설명한 후 나도 그들의 당적을 물었다. 안드레아 몬따니는 재건공산당, 페릭 카네바는 민주당, 레오날도 파올리는 좌파생태자유 당원이다. 모두가 각각 지지하는 정당이 다르다.

"우리는 함께 일하며 친하게 지내지만 지지하는 정당이 다르다. 이게 지금의 이탈리아다."

그들의 이념적 다양성(?)이 개개인의 능동적인 선택의 결과만은 아니란 걸 알고 있으니 나도 함께 씁쓸한 웃음을 지어 보였다.

그들은 천천히 걸어서 우선 아르치 사무실부터 가자고 했다.

레오날도는 피렌체 아르치 대표도 맡았었다. 아르치 지역지부 대표가 해당 지역에 있는 민중의 집 대표를 동시에 역임하는 경우가 많다고 한다. 피렌체 아르치의 회원이 6만여 명이라니, 전체 도시 인구의 15퍼센트가 넘는다. 피렌체 아르치에는 동성애자를 위한 아르치, 아이들을 위한 아르치 등 다양한 조직과 모임이 소속되어 있어, 여기에 가입한 사람들은 각 조직의 고유한 활동을 하면서 동시에 아르치의 일원이 되는 것이다.

아르치 사무실은 피렌체에서 진보운동의 아카이브(기록 보관소)같은 역할을 한다. 피렌체 민중의 집 역사도 이곳에 다 정리되어 있다. 레오날도는 컴퓨터에 저장된 몇 개의 사진 파일을 보여주었다. 옛날 민중의 집에서 사람들이 모여 찍은 기념사진, 댄스홀 사진 등이 저장되어 있었다. 각 민중의 집에

흩어져 있던 이런 옛 사진과 자료들을 모아 디지털화한 것이다. 또 한쪽 벽에는 색색의 서류철이 빼곡히 정리되어 있다. 책장을 뒤적이던 레오날도와 안드레아가 "우리 민중의 집은 이거"라며 한 뭉치씩을 뽑아 보여준다. 피렌체에 민중의 집이 여러 곳 있는데 두 사람은 다른 민중의 집 소속이었다. 두 사람은 어릴 때부터 민중의 집에서 자랐다고 한다.

"그냥 부모님이 민중의 집 회원이다 보니 자연스럽게 민중의 집에 드나들었다. 거기서 친구도 사귀고 놀러 다녔다. 아직도 민중의 집 친구가 많다."

사무실 한쪽에 앉아 얘기를 시작했다. 먼저 레오날도가 민중의 집 역사에 대해서 짧게 말한다.

"1800년대 말 사회주의가 태동할 때 민중의 집이 생겼다. 아르치는 그보다 늦은 1957년에 만들어졌다. 노동자가 함께 참여하면서 민중의 집에 병원이나 학교도 생겼다. 무솔리니 때도 민중의 집이 존속되었다. 대신 무솔리니는 민중의 집을 자기 색깔로 만들려고 했다."

교원노조 피노의 인터뷰에서도 이 대목이 나왔고, 예전에 본 일본 책자에서도 무솔

민중의 집 자료실을 안내하는 레오날도 파울리.

리니가 집권한 후 민중의 집을 파시스트의 집으로 고쳐 불렀다는 기록을 봤다. 마가렛 콘 교수의 책에도 이에 대해 간략히 언급되어 있는데, 당시 파시스트의 집은 사회주의 운동의 힘과 연대의 근원이었던 민중의 집과 거기서 제공되는 사회 · 문화 서비스를 대체하려 했다고 한다. "모든 것은 국가 안에 있다. 국가의 외부에는 아무것도 없고 국가에 대항하는 것도 없다"는 유명한 무솔리니의 말대로 파시스트들은 모든 공동체와 사회생활을 파괴하는 것이 아니라 그것을 단일체적 국가라는 틀로 통합하려 했던 것이다.

민중의 집은 전쟁이 끝나고 다시 사회주의자들의 센터로 복원된 후 독립적으로 운영되다가 1957년 아르치가 만들어지면서 각 지역 민중의 집이 연결되었다고 한다. 이 과정에서 민중의 집 노선을 둘러싼 논쟁이 있었다고 하는데 긴 역사를 다 들을 수는 없었고, 사회운동 성향을 가지고 있던 민중의 집들이 아르치에 합류했다는 것 정도만 이해했다.

이탈리아 민중의 집 안에는 전통적으로 사회주의 정당 사무실, 노총 사무실, 지역 단체 사무실이 모여 있고, 공동으로 사용하는 강당과 회의실, 식당과 바 등이 있다고 한다. 이곳에서 정당은 당원 모임, 노동조합은 조합원 모임 등의 행사를 진행하기도 하고, 민중의 집 회원과 주민들을 대상으로 다양한 프로그램을 기획하여 자신의 뜻을 펼칠 수 있었다. 아르치에 소속된 다른 문화 · 예술 모임들도 민중의 집을 연습실이자 공연장으로 삼아 활동했다. 민중의 집은 아르치가 회원을 확대해 나가는 주요한 경로이기도 하다. 아르치에 소속되어 있는 민중의 집은 아르치 회원카드를 100장 내지 200장씩 구입해서 민중의 집 회원을 모집할 때 회비를 받고 이 카드를 준다. 회비는 1년에 11유로(우리 돈 17,000원)다. 회비를 납부하면 해당 민중의 집 회원이자 아르치 회원이 되는 것이다.

레오날도는 이런 민중의 집이 전국에 5천 개, 토스카나 주에만 1천4백 개가 있다고 해서 우리의 귀를 의심하게 했다. 알고 보니 이건 아르치에 소속된 모든 치르콜로를 합한 수였다. 그렇다고 해도 토스카나 주 인구가 350만 명 정도이니 인구 3천 명당 한 개씩 민중의 집과 같은 지역공동체 센터가 있는 셈이다. 피렌체에 있는 민중의 집과 아르치 회원 조직들은 한 달에 한 번 모여 회의를 하고 두 달에 한 번 개최하는 전국 회의에는 대표를 정해 4명이 참석한다고 한다.

자세한 얘기는 민중의 집으로 이동해서 더 나누기로 하고 우선 아르치 사무실을 둘러보았다.

아르치 사무실 안에는 법률 자문을 하는 곳과 경영담당 부서, 언론담당 부서, 사회봉사 사무실 등이 있었다. 규모가 제법 커 보였다. 특이한 점은 이주민을 위한 부서와 사무실이 독립적으로 나뉘어 있다는 것이다.

아르치 건물 내 자판기에는 인스턴트 식품을 팔지 않는 업체만 상품을 판매할 수 있게 해 놨다는 것도 흥미롭다. 커피도 유기농 공정무역 커피만 판매한다고 한다. 80년대 중반 패스트푸드가 이탈리아인들의 식생활을 망칠 것이라는 위기의식에서 시작하여 로컬의 식재료와 문화를 지키고자 했던 슬로푸드 운동의 영향인 것 같다. 당시 최초의 슬로푸드 운동 조직이 바로

> 이탈리아에서 민중의 집이 생길 당시 '잔돈의 집' 으로도 불렸다는 애기를 들었다. 노동자들이 잔돈을 푼푼히 모아서 지은 집이라고 해서 붙여진 이름이란다.

아르치 내에 있었다.

사무실을 둘러본 뒤 점심식사를 위해 거리로 나섰다. 이탈리아 사람과 함께 점심식사를 하는 건 처음이다. 게다가 통역도 있으니 든든해 발걸음에 힘이 넘친다.

이탈리아에서는 식사 전에 위스키 같은 음료를 마시며 목을 축인다고 한다. 우리는 식당에 가기 전에 작은 바에 들렀다. 여행을 오면 이런 재미를 누구나 꿈꾼다. 현지인들의 습관에 따라 코스별로 식사를 하는 것. 그 나라 음식문화를 직접 체험할 기회가 왔는데 어찌 흥분되지 않을 수 있을까. 나는 유독 낮술에 약하지만, 이날만큼은 위스키를 마셨다. 술을 좋아하는 아내도 단숨에 위스키를 들이켰다.

살짝 붉어진 얼굴로 바에서 나와서 식당에 들어갔다.

메뉴판에 적힌 애피타이저와 요리를 순서대로 주문했다. 3명의 이탈리아 사람들이 고기도 좀 먹어야 하지 않느냐고 물었다. 우린 그냥 빙그레 웃었다. 좋다는 뜻으로 들렸으리라.

먼저 여러 종류의 햄을 빵에 얹어 먹는 요리와 샐러드가 나왔다. 그것만 먹고도 이미 배가 찼는데 주요리를 주문하란다. 나는 피자를 시켰고 아내는 스파게티를 시켰다. 가장 알려진 음식이지만 그만큼 무난하기도 하니까.

식사가 나오기 전에 몇 가지 추가로 질문을 했다.

이탈리아에서 민중의 집이 생길 당시 '잔돈의 집'으로도 불렸다는 얘기를 들었다. 노동자들이 잔돈을 푼푼히 모아서 지은 집이라고 해서 붙여진 이름이란다.

"맞다. 내가 속한 민중의 집도 잔돈으로 지어졌다. 짓고도 남을 만큼 모았다. 집을 짓는 건 모두 자원 활동으로 이뤄졌다. 1960년에 크게 홍수가 났을 때 민중의 집이 물에 잠겼는데 우리 손으로 재건했다."

이어서 정당과 민중의 집의 관계에 대해 물어봤다.

"좌파정당 당원들은 다들 민중의 집으로 연결되어 있고 한 명 한 명이 모두 민중의 집 회원이다. 그렇지만 정당과 민중의 집은 독립적인 관계다. 민중의 집은 정당뿐 아니라 정부에도 돈을 받지 않는다. 우린 이익을 절대로 남기지 않는다. 다만 이주민에 대한 지원 프로그램만 지방정부의 지원을 받는다."

이건 내가 속한 마포 민중의 집도 마찬가지다. 많은 진보신당 당원이 민중의 집 회원이지만 당 조직이 공식적으로 민중의 집 운영에 관여하는 것도 아니고 재정을 지원하는 것도 아니다(사실 그럴 돈이 없기 때문이지만). 그러나 어떤 식으로든 당의 정치적 성향이 민중의 집 사업과 접합되고 있다는 건 서로 말하지 않아도 알고 있는 사정, 특히 이탈리아에서 민중의 집은 탄생 때부터 사회주의자의 아지트가 아니었던가.

"과거에는 반정부적인 성격이었다. 민중의 집은 초창기에 사회주의를 위해서 정부와 대항했는데 지금은 그런 부분이 퇴색되어 가고 있다. 베를린 장벽 붕괴 이후 그렇게 된 것 같다. 베를린 장벽이 무너졌을 때 다들 자본주의가 승리했다고 말했다. 우린 자본가가 총리가 될 거라고는 상상도 못했지만 지금 자본가인 베를루스코니가 총리가 되어 있다. 이로써 자본가들은 자기들이 승리했다고 생각한다. 하지만 아직은 아니다. 그걸 바꿀 기회가 아직 남아 있다고 우리는 믿는다."

얘기가 사뭇 진지하게 흘렀다. 민중의 집의 좌파적 색채가 예전 같지 않다는 얘긴 로마에서도 들었지만, 베를린 장벽 붕괴까지 거슬러 올라갈 줄이야. 안드레아는 당시의 충격으로 노동자와 좌파의 연결고리가 끊어지게 되었다는 말도 덧붙였다. 이때는 이탈리아 공산당의 노선이 변화되기 시작한 시점이기도 하다. 이탈리아 좌파정치의 쇠퇴가 민중의 집이 가지고 있던 정치성의 퇴색으로 이어졌다는 건 그만큼 좌파정당과 민중의 집의 관계가 긴밀했단 얘기가 아닌가. 여전히 좌파 당원들은 자기 지역의 민중의 집 회원으로 활동하지만, 지금의 민중의 집은 과거 독립적인 관계니 뭐니 굳이 논할 필요도 없을 만큼 당연했던 '좌파의 집' 은 아니라는 것이다.

상당히 오랜 시간 천천히 음식을 먹으며 얘기를 나눴지만 이미 메인 요리도 나오기 전에 배가 가득찼다. 남기면 결례가 될 것 같아 오랜만에 움직이기 불편할 정도로 먹었지만 애초 양이 너무 많았다. 결국 음식을 남겼다.

식당을 나서 친절한 3명의 이탈리아인들이 우리를 안내한 곳은 피렌체 시의회였다. 민중의 집을 다양하게 취재할 수 있게 해달라고 부탁은 했었지만, 시의회까지 들어가게 될 줄은 몰랐다. 안드레아는 재건공산당 소속의 재선 의원인 모니카 스켈리를 소개했다. 55명 중 재건공산당 소속 시의원이 3명인데 모니카 스켈리는 좌파정당의 원내 대표를 맡고 있다.

예상치 못한 방문에 어떤 질문을 할지도 준비되지 않았고 시간도 많지 않아 이 지역 재건공산당과 민중의 집의 관계에 대해 물었다.

그녀 역시 어릴 때부터 자연스럽게 민중의 집 회원이 됐고, 학생 때 민중의 집에서 영화도 보고 소모임에도 참여하며 자랐다는 얘기로 말문을 열었다. 그러나 재건공산당을 대표하는 시의원이 된 지금, 당과 민중의 집의 관계는 그리 밀착되어 있지 않다는 게 그녀의 설명이다.

"좌파 당원들이 함께 모임하고 교육하고 회의하고 캠페인하는 것, 뭐 그 정도다. 정당 색깔로 참여를 하기보다는 개개인들이 회원으로 가입하고 있다. 내가 속한 민중의 집 회원은 5천 명 정도 되는데, 선거 때 좌파 후보 리스트를 작성해서 회원들에게 알려주기도 한다."

모니카는 "재건공산당은 아르치를 통해 민중의 집이 운영되길 바란다"면서도, "현재 민중의 집이 재건공산당 선거에 도움이 되지는 못하고 있다"는 아쉬움을 토로했다. 민중의 집에서 그 이상의 정치 활동을 어떻게 펴나갈 수 있을지는 여전히 고민 중이라고 한다.

좌파정당이 여러 개로 나뉜 상황에서 민중의 집을 통한 지역 정치 전략을 제시하기는 어렵다는 것이다. 민중의 집은 지역별로 다르지만 현재 제1야당인 민주당이 주류가 될 수밖에 없는 상황이다. 공산당이 분리된 후 상대적으로 소수인 재건공산당이 민중의 집에 대해 갖는 물리적 · 상징적 지분은 적을 수밖에 없다. 하나의 정당일 때 가질 수 있었던 정치적 상징성도 약해진 상황에서 다수가 민주당 당원인 민중의 집 회원들 사이에서 재건공산당이 목소리를 내는 것은 곤혹스러운 일이 아닐 수 없을 것이다.

삶을 즐기는 공간, 저항의 거점

짧은 인터뷰를 마치고 택시를 타고 민중의 집으로 이동했다.

이곳은 레오날도의 민중의 집, 그가 대표를 맡기도 했던 곳이다. 이름은 치르콜로 아르치 르 판케Circolo Arci le Panche, 피렌체 동북쪽의 비아 카치니Via Caccini란 동네에 위치해 있다.

그동안 말로만 들었던 이탈리아 민중의 집은 생각보다 소박한 모습이었다.

이 민중의 집은 1951년 동네 사람들이 의기투합해서 만들기 시작했는데, 돈을 모아 손수 건물을 지어 올리기까지 거의 10여 년이 걸렸다고 한다. 1980년대 중반 한 번 더 건물을 보수하고 단장하면서 오늘날의 모습을 갖추게 되었다고 한다. 입구에는 민주당과 재건공산당의 지역축제를 안내하는 포스터가 각각 게시되어 있었다. 건물 입구에 꽂힌 깃발도, 건물 안의 홍보물도, 사무실도 모두 두 당의 것들이 나란히 놓여 있다.

안으로 들어가니 입구에서 본 것보다 꽤 공간이 크다. 나무가 우거진 앞뜰 곳곳에는 나이가 지긋한 분들이 담소를 나누고 있었고, 건물 뒤쪽에도 작은 공연이나 운동경기를 할 수 있을 만한 뒤뜰이 있었다. 건물의 내부에는 들어가자마자 넓은 바가 있고 1, 2층에 정당과 각종 단체 사무실, 회의실, 당구장과 실내 카드놀이장이 있다. 나는 홍세화 선생과 마포 민중의 집에서 만나 얘기를 나누다 옆 건물 식당에 가서 밥을 먹고 길 건너 기린당구장에서 당구를 치곤했는데, 여기는 그게 다 한 건물에 있다. 물론 당구를 치러 갈 때는 비밀 결사라도 하듯 몰래 나가야 했다. 우린 그런 놀이 문화에 너무 인색하다.

넓다고 할 수 없는 이 건물 안에 사람이 아닌 트로피가 주인인 방이 하나 있다. 이곳 민중의 집은 다양한 스포츠클럽이 활성화되어 있다고 한다. 50년 넘게 '치르콜로 아르치 르 판케' 의 이름을 걸고 경기에 나간 팀들이 타온 트로피가 방 하나를 가득 채우고 있는 것이다. 스포츠 외에도 이곳에는 영화 모임, 음악 모임 등 다양한 문화 · 예술 모임이 있다. 우리가 갔을 때 비어 있던 넓은 홀에는 한 쌍의 남녀가 춤 연습을 하고 있었다.

재미있는 것은 건물 입구와 내부에 "이 지역 아르치 회원카드가 있어야 입장할 수 있음"이라는 일종의 경고문이 붙어 있다는 것이다. 처음엔 폐쇄적이란 느낌을 받았다. 아마도 개방형은 좋고, 폐쇄형은 나쁘다는 선입견이 작용한 것 같다.

하지만 이탈리아 민중의 집은 오래 전부터 이런 방식의 회원제로 운영되어 왔다. 19세기 초 민중의 집이 만들어질 당시에는 사회주의자들에 대한 감시와 탄압이 삼엄했으니 회원제는 정부와 자본으로부터 공동체를 보호하는 중요한 장치였던 것이다. 그러나 회원이 될 수 있는 사람을 엄격하게 가렸던 것은 아니다. 주부나 소작농을 포함하여 '일하는 사람' 이면 누구든 성별, 연령, 직업을 불문하고 회원이 될 수 있었고 다른 정치적 이념을 가진 사람들도 노동자들의 권익을 실현한다는 이 집의 지향에 동의하면 얼마든지 회원이 될 수 있었다.

지금까지 이 전통을 이어 오고 있는 건 그때와는 또 다른 의미를 지닐 것이다. 지역사회에서 공동체라는 게 뭔가. 사회 · 문화적 자원을 주는 사람과 받는 사람이 따로 있는 게 아니다. 민중의 집의 회원이 된다는 것은 서로가 가진 것을 나눈다는 의미다. 그것이 기부든 소비든 특별한 재능이든, 아니면 그저 재미있는 이야깃거리든, 일방적으로 받기만 하고 주는 게 없는 사람은 있을 수 없다. 그런데 우린 이걸 참 단순하게 생각한다. 지역의 사회단체들이 주민들을 자신들이 혜택을 주는 대상으로 간주하는 순간, 이건 공동체가 아닌데 말이다. 그런 면에서 보면 이 치르콜로의 엄격한 출입 통제(?)는 이 공간 안에서는 모두가 동등한 주체라는 의미의 다른 표현일 수 있다.

또 하나 낯선 풍경은 가는 곳마다 민중의 집 사람들이 카드놀이에 심취해 있다는 것이다. 패기와 열정이 넘치는 젊은 활동가들은 '저 놈의 카드놀이 때문에 사업이 안 된다' 며 불만을 터뜨릴 것도 같다. 하지만 주로 카드놀이를 하는 사람들은 직장에서 은퇴한 노인들, 젊었을 때 민중의 집을 직접 지었던 할아버지들이니 뭐라고 할 수도 없을 것이다.

이곳 민중의 집에는 노인들이 상대적으로 많긴 했지만 구석구석 모여 있는 사람들의 연령대는 다양했다. 젊은 남녀들이 이야기를 나누고 있는 모습도 볼 수 있었다. 하지만 뭔가 활기가 넘치는 분위기는 아니다. 잔뜩 기대했기 때문인지 조금은 실망스럽기도 했다. 전반적으로 어수선하다고 할까. 여기 와서 방문한 여러 사무실에 비해 산만하고 정리가 안 되어 있다는 느낌이다. 내 생각을 눈치챘는지 레오날도가 한마디한다.

"내가 대표할 때는 이렇지 않았는데 요즘은 좀 나태한 것 같다."

하지만 첫 번째 민중의 집은 맛보기였다.

이제 피렌체에서 가장 잘 운영되는 민중의 집을 안내하겠다고 한다.

▲건물 입구.
▶초창기 민중의 집을 만드는 노동자들의 모습.
▼건물 1층에는 바가 있고 앞마당에서는 젊은이들이 이야기를 나누고 있다. 노인들은 삼삼오오 모여 카드놀이를 하고 몇몇은 홀에서 춤 연습을 하고 있다.

130년을 이어온 리프레디 SMS

여기는 피렌체 북서쪽에 있는 리프레디Rifredi SMS. 1883년에 세워진 곳이다.

SMS는 이탈리아어로 상호부조조합Società Mutuo Soccorso의 약자다. 상호부조조합은 말 그대로 회원들이 기금을 모아 아프거나 일자리를 잃어 생계가 어려운 회원을 지원해주는 일종의 사적 보험 시스템이다. 노동조합이 활발히 조직되기 전인 1800년대 후반부터 이탈리아의 상호부조조합은 노동자들의 사회적 결사체로 중요한 역할을 했다. 1904년 법적으로 인정된 것만 6,347개의 상호부조조합이 있었고, 여기 소속된 노동자 회원 수가 100만 명이 넘었다니 규모가 예사롭지 않다.[8]

중요한 건 이 상호부조조합이 회원들 간에 상부상조라는 실용적인 기능만 수행한 것이 아니라는 점이다. 상호부조조합은 대개 동일한 업종이나 직업별로 구성되는 공동체였지만 비공식부문 노동자, 소작농, 장인, 주부 등 다양한 계층의 일하는 사람들을 사회주의 운동으로 결합시키는 기초적인 연결망이기도 했다. 많은 상호부조조합은 소비 · 생산 · 주거 협동조합을 만들어 회원이 아닌 이웃 노동자들에게 혜택을 확대해 나가며, 전체 지역 노동자들의 생활 개선을 위한 다기능 공간으로 발전해 나갔다.

리프레디 SMS는 이러한 이탈리아 상호부조조합 운동의 역사를 고스란히 담고 있는 곳이다.

입구에 들어서자 통역을 맡은 안희진 씨가 범상치 않은 푯말을 해석해 준다.

"우리는 자유를 위한 투쟁을 잊지 않으며, 우리 형제들의 자유를 위한 희생을 잊지 않는다."

첫인상부터 기풍이 다르다는 느낌이다.

이곳 민중의 집은 상당히 넓다. 본 건물 외에도 유치원과 놀이터, 극장이 따로 있다. 아이들을 위한 유치원은 아르치가 은행대출로 자금을 조달해서 세웠다고 한다. 극장은 300석 규모로 남부럽지 않을 정도의 크기다. 여름에는 대관을 하지 않지만 가을부터는 지역 연극 축제가 거의 매일 열리기 때문에 정신없이 운영된다고 한다.

리프레디 SMS의 역사에서 이 '리프레디 극장'의 의미는 각별하다. SMS

리프레디 SMS 앞마당. 뒤에 보이는 것이 리프레디 극장이다.

가 처음 세웠던 극장은 1921년 화재로 사라졌다. 파시스트들이 SMS를 점령하기 위해 갖은 폭력을 행사하고 회원들이 결사적으로 이를 저지하는 싸움이 몇 년 간 지속되던 중, 파시스트 일당이 리프레디 SMS의 상징이었던 극장에 불을 지른 것이다. 이 충격적인 사건 이후 결국 SMS 운영진을 파시스트들이 장악했다고 한다. 이런 사연이 있어서인지, 이 극장은 회원들이 직접 모은 돈으로 다시 지었다고 한다.

겉보기에 건물은 지은 지 얼마 되지 않은 것처럼 깔끔했지만, 내부에는 오래된 민중의 집답게 역사의 흔적이 곳곳에 남아 있었다. 대표의 사무실에 들어가니 모든 가구에서 시간의 향기가 났다. 마르제리Giovanna Malgeri 대표는 이 공간에 130년 전 처음 쓰던 가구를 그대로 배치했다고 설명했다. 곳곳에 게시된 액자에는 민중의 집을 설립할 당시의 모습, 창립자들의 모습이 담긴 여러 개의 사진이 있었다. 나중에 알고 보니 이곳은 이 지역뿐 아니라 이탈리아 역사에서 굉장히 귀중한 사료들을 보관하고 있으며 그 자체로 중요한 역사적 유물이기도 하다. 100년도 넘은 사진들은 이제 디지털화되었고 홈페이지에 별도의 아카이브도 구축되어 있다. 이 SMS만을 연구한 논문들도 있고 우리가 본 마가렛 콘 교수의 책에도 특별히 이곳의 역사가 언급되어 있을 정도다.

우린 민중의 집 건물 내부를 천천히 구경했다.

좌파 대학생 치르콜로, 민주당과 재건공산당, 사회당의 리프레디 지역지부가 이곳에 사무실을 두고 있었다. 해외원조 단체, 스포츠 단체, 영화 관련 단체 등 다양한 사회·문화운동 단체 사무실도 있었고 여성들만으로 구성된 영화 모임과 같은 풀뿌리 모임을 위한 방도 있었다. 아이들이 발레나 춤 연습을 할 수 있는 공간이 있고, 주변에는 리프레디 극장에서 발레 공연을 하는 소녀들의 사진이 붙어 있다. 여기도 당구장과 카드놀이 방이 있다. 작은 회의실 겸 도서관에는 아주 오래된 책들도 보관되어 있었고 학생들이 독서실처럼 모여 공부할 수 있는 공간도 있었다. 대형 강당에서는 평소 기자회견이나 토론회, 각 단체 회의들이 열리는데 주말에는 단체 축구경기 시청 장소가 된단다. 이탈리아에서는 프로 축구 경기를 중계하는 채널을 보려면 돈을 내야 하는데 이 비용이 만만치 않은가 보다. 형편이 넉넉지 않아 집에서 이 채널을 볼 수 없는 사람들이 여기 모여 축구를 보며 주말을 보낸다니 참 흐뭇한 광경일 것 같다.

1층을 돌아보니 역시 작은 바, 음식과 술이 빠지지 않는다. 주변에는 사람들이 삼삼오오 모여 앉아 이야기를 나눌 수 있는 의자와 테이블이 여러 개 배치되어 있다. 이 SMS의 문화, 예술, 운동 프로그램들은 나름 큰 규모의 지역문화센터인 우리 동네 마포문화센터도 따라갈 수 없을 정도로 다양하고 많다. 이게 공동체의 힘이라는 게 실감난다. 이제야 민중의 집을 제대로 구경한 것 같아 뿌듯했다.

건물을 둘러본 후 어둑해진 앞마당에서 마리제리 대표와 얘기를 나눴다.

마리제리 대표는 직업으로 이 일을 하는 사람이 아니었다. 몇 명을 제외하고 사무국을 구성하는 사람들은 대부분 직업이 따로 있고 자원봉사로 이 일을 하는 것이다. 이들은 거의 매일 퇴근 후에 이곳에 들리고 매주 월요일에는 회의가 있어 반드시 온다고 한다. 운영위원회와 사무국은 3년에 한번 회원들의 투표로 구성되는데, 현재 운영위원은 21명이다.

마리제리 대표는 초창기 이곳 SMS의 역사를 소개했다.

"1883년에 노동자 회원들이 주축이 되어서 만들었다. 당시 사회주의 계열, 공산주의 계열이 함께 민중의 집을 만들고 운영했다. 초기 민중의 집의 역할은 가난한 노동자들을 지지하고 지원하는 것이었다. 문맹인 노동자들에게 글을 가르쳐주고 일터 밖에서 사회 활동을 할 수 있도록 각종 프로그램을 제공했다. 이곳은 노동자들이 삶을 즐길 수 있는 공간이었지만, 반정부 성향도 강해서 예전에는 사회비판적인 토론이 많았다."

초기 리프레디 SMS에는 이탈리아 사회당Partito Socialista Italiana, PSI의 영향력이 강했는데, 1919년에 있었던 선거에서 리프레디 지역의 사회당 득표율이 무려 63.9퍼센트였다는 사실이 이를 단적으로 보여준다. 당시 6개월 동안 SMS는 사회당 홍보 사무실로 이용되었다고 한다. 19세기말 20세기 초 수많은 노동자의 파업과 투쟁도 이곳을 거점으로 진행되었다. 이후 공산당이 창당하고 사회당 세력이 약해진 후에도 사회주의, 공산주의 계열 정당들이 모두 이곳에 사무실을 두었고 20세기 중반부터 운영위원회는 급진적 가톨릭 계열 정당까지 포함하여 모든 좌파정당들을 대표하는 사람들로 구성되었다고 한다. 이 공간은 각 정당이 자신의 대중적인 영향력을 확대해 나가는 하나의 경쟁 장이었던 셈이다.

▲리프레디 SMS는 대규모 공연장과 어린이를 위한 놀이터 등 다양한 시설을 갖추고 있다.
▼전쟁 후 1950년대 리프레디 SMS 풍경과 현재의 모습을 갖춘 1960년대 리프레디 SMS.

긴 세월이 지나면서 이곳 SMS의 모습도 많이 변했다고 마리제리는 말한다.

"지금은 과거와 같은 생계 지원 역할이 요구되지 않기 때문에 각 지역별로 자신의 지역에 필요한 것을 만든다. 유치원이 없는 동네에는 유치원을 만들어 운영하는 식이다."

실업자나 환자에 대한 기초적인 사회 안전망이 갖추어졌기 때문에 공동체에서 공급할 지역사회 서비스가 무엇인지는 해당 지역의 사정에 따라 달라진다는 얘기다. 그렇지만 SMS는 중앙정부나 지자체의 정책에도 계속해서 개입한다. 마르제리는 회원들이 아닌 모든 주민을 대상으로 하는 토론회를 많이 열고 있으며, 그 주제는 도로 문제 같은 지자체 정책이라고 말한다. 그러한 지역 주민의 요구 사항을 의회에 전달하고 해결을 촉구하는 것도 SMS의 기능 중 하나인데, 이러한 활동의 역사도 매우 오래된 것이다.

마가렛 콘 교수의 책에는 과거 리프레디 SMS가 지방정부에서 지역 주민의 이해를 대변하는 정치적 역할을 수행해왔다는 기록이 소개되어 있다. 처음 SMS가 생길 당시 리프레디는 농촌이었지만 20세기에 들어서면서 피렌체의 산업화가 진행되고 리프레디는 도시 외곽의 노동자 밀집 지역이 되었다고 한다. 그러면서 SMS는 의료 문제와 건강보험, 공공 일자리 확충 등 노동자들의 생활과 관련된 이슈들을 해결하기 위한 정치 활동을 진행했고, 이 과정에서 임금 노동자뿐 아니라 비숙련 노동자, 주부, 실업자, 소작농 등 다양한 사람을 포괄할 수 있었다.

이 사례는 지금 한국의 노동조합에도, 지역 공동체에도 모두 중요한 함의를 갖는다. 리프레디 SMS는 노동자가 공장이 아닌 지역사회에서 '이웃'으로 만날 때 어떤 생활정치가 가능한지를 보여주며 또한 이러한 정치를 통해 노동조합에 다가가기 어려운 노동자들과 접속할 수 있다는 것을 보여준다. 나는 제도 정치에 대한 개입을 배제하고 이미 성원이 정해진 공동체의 내부로만 향하는 몇몇 지역 공동체의 활동에 비판적이었다. 그런 면에서 회원, 즉 구성원의 경계는 분명하지만 늘 그 경계 밖으로 향하는 지역 정치 활동을 해온 리프레디 SMS는 정말 인상적이었다.

정치적 이념을 선명하게 표명하는 것도 마찬가지로 해석될 것이다.

"현재 민중의 집 회원 중에는 민주당 당원이 많다. 물론 민주당뿐 아니라 다른 좌파정당의 당원도 함께 하고 있다. 지지하는 정당은 다르지만 민중의 집은 좌파의 확산에 기여하고 있다. 여당의 문제점을 민중의 집에서 알리며 좌파에 대해 이해시키고 있다."

예전에 비해 민중의 집의 정치적 색체가 약해졌다는 여러 사람의 평가에도 불구하고, 마르제리는 이처럼 이 지역공동체의 정치적 지향이 무엇인가를 굉장히 명확하게 이야기하고 있다. 민중의 집이 좌파의 확산에 기여해야 한다는 목표 의식도 뚜렷하다. 반면 한국의 시민운동이나 지역공동체 운동은 이념적 지향을 제거하거나, 있어도 드러내지 않으려는 경향이 강하다. 어떤 정당을 지지하느냐는 구성원마다 다를 수 있지만, 이곳 민중의 집처럼 어떤 정치적 지향을 가지고 있는지를 분명히 하는 것이 지역 공동체의 강화

인터뷰를 마치고 일어서는데 마리제리 대표가 방명록을 건네주었다. 첫 장을 열어보니 1960년에 방문한 누군가의 서명이 보였다. 쭉 들춰보니 일본에서도 이미 왔다갔다. 한 호흡 가다듬고 방명록에 한글로 글을 적었다.

와 배치되는 것은 아니다. '정치' 가 없으면 우리의 삶이 변하지 않는다는 게 너무나 명백하기 때문에.

마지막으로 마르제리에게 앞으로 민중의 집의 과제가 무엇이라고 생각하는지 물었다.

"젊은이들과 가까워져야 하고 결론적으로 국민들을 이해시켜야 한다. 국민들이 선거를 잘못했고 앞으로 좌파에 투표해야 한다는 걸 설명해줘야 한다."

역시나 결론은 정치로 끝맺는다.

마포에서 민중의 집을 고민할 때, 나는 정치적인 입장을 명확히 하면서 새로운 지역 공동체 운동을 만드는 것이 가능하다는 생각에서 출발했다. 기존의 주민운동이나 지역운동이 정치 중립적 혹은 정치 배제적 성격을 가진 것에 비해 마포에서 만들 민중의 집은 정치 영역에도 한 발 들어설 수 있도록 하자는 것이었다. 나의 이런 아이디어를 이곳 민중의 집 대표와의 대화에서 다시 확인하게 되어 뿌듯했다.

해가 이미 완전히 기울었다.

인터뷰를 마치고 일어서는데 마리제리 대표가 방명록을 건네주었다.

첫 장을 열어보니 1960년에 방문한 누군가의 서명이 보였다. 쭉 들춰보니 일본에서도 이미 왔다갔다.

한 호흡 가다듬고 방명록에 한글로 글을 적었다. 미리 문구를 생각했더라면 좋았을 텐데, 그러질 못해 아쉬웠다. 마르제리 대표는 우리에게 SMS 회원카드도 주었다. 카드의 앞면에는 리프레디 SMS 창립자들의 단체 사진이 인쇄되어 있다. 130년 전 이 집을 세운 사람들은 남성과 여성 그리고 아이들이다. 단 한 장의 사진이 참으로 많은 것을 말해준다.

이제 피렌체에서 우리를 안내해준 사람들과 작별인사를 했다. 먼 곳에서 온 우리를 환대해주고 취재에 정성껏 협조를 해줘서 이만저만 고마운 게 아니다. 그런데 선물 보따리를 차에 두고 급히 나오는 바람에 감사의 표시를 할 길이 없었다. 계속 고맙다는 말만 되풀이하고 택시를 타고 주차한 차를 찾으러 시내로 들어갔다.

밤 8시 30분.

주차장이 닫혀 있었다. 한 시간 주차료가 5유로(우리 돈 7,500원)다.

하룻밤을 지나서 찾으면 감당할 수 없는 금액이다. 취재가 잘되어서 흥겨웠던 마음이 일순간에 가셨다. 안희진 씨와 처음 만난 날, 돈 걱정을 하면 너무 못나 보일까 봐 걱정하지 않는 척 애를 썼다. 하지만 머릿속이 복잡했다. 오전 11시에 주차를 했으니, 다음 날 8시에 다시 차를 찾는다고 해도 21시간이다. 무려 100유로, 약15만 원에 달하는 금액이다. 이를 어쩌나.

할 수 없이 버스를 타고 호텔로 이동하기로 했다. 이미 로마에서 돈을 안 내고 버스를 탄 적이 있다. 돈을 받는 사람도 카드를 찍을 곳도 없었기 때문이다. 피렌체도 버스표가 필요 없는 줄 알았는데 그게 아니다. 안희진 씨가 이 사람들 큰일 날 뻔했다며 버스카드 구입하는 걸 도와줬다. 이걸 가지고 다니지 않다가 불시에 통행권을 검사하는 사람들에게 걸리면 벌금이 굉장하단다. 특히 유색인종들이 낭패를 보는 경우가 많다니 우리도 검사원을 만났으면 표적이 될 뻔했다.

뭘 좀 알고 여행을 해야 한다. 사전 정보가 이렇게 부족한 상태에서 참 배짱 좋게 다녔다.

볼로냐 : 전통의 붉은 도시

두고 온 차 걱정으로 잠이 안 올 줄 알았는데, 완전 녹초가 되어 씻지도 않고 곯아 떨어졌다. 그럼에도 되도록 빨리 차를 찾으러 가야 한다는 생각에 이른 아침 눈이 번쩍 떠졌고, 탄환처럼 뛰쳐나갔다. 두려운 마음으로 주차장에 들어갔는데 다행히 주차료는 25유로였다.

가슴을 쓸어내리고 다시 호텔로 돌아와 아침을 먹고 출발 준비를 했다.

오늘의 일정은 볼로냐. 재건공산당 지역 조직과 민중의 집 몇 군데를 취재할 계획이다. 그런데 아직까지 우리가 방문할 곳을 연결해주기로 한 피렌체의 레오날도와 재건공산당의 파비오에게 연락이 없었다. 전화를 걸어도 받지 않았다. 그렇다고 머뭇거릴 수는 없었다. 통역도 있으니 무조건 부딪혀도 이전보다 훨씬 수월하지 않겠는가.

두 시간 거리인 볼로냐까지 절반 정도 갔을 때 레오날도에게 연락이 왔다. 볼로냐에서 소개해줄 민중의 집 대표가 오늘 로마에 있다고 한다. 재건공산당도 계속 연락이 되질 않았다. 무작정 방문할 민중의 집 몇 군데라도 검색해 놨더라면 거기라도 둘러 볼 텐데, 어젯밤엔 그럴 새도 없이 잠들었었다.

할 수 없이 밀라노로 방향을 틀었다. 이미 오후가 되었는데 취재할 곳이 정해지질 않았으니 통역인 안희진 씨의 집이 있는 밀라노에 가야 그나마 숙박비용이라도 줄일 수 있었다. 가는 길에 인터넷에서 찾아본 민중의 집 한 군데를 가볼 생각으로 밀라노 근처 로디라는 곳에 갔다. 주소를 찍고 찾아갔

밀라노 인근 로디라는 도시의 공장 지대에 있는 민중의 집. 문이 닫혀 있어 방문하지는 못했다.

지만 문이 닫혀 있었다. 전화를 해 보니 목요일부터 주말까지만 문을 연다니 안에 들어가 볼 방법도 없었다.

결국 하루 취재를 완전히 공치고 통역비도 허공에 날려버린 채 밀라노에 도착해서 안희진 씨를 바래다주었다. 숙소를 검색해 보니 물가가 만만치 않다. 겨우 외곽에 세일 중인 숙소 한 군데를 찾아 들어갔다. 짐을 푼 후 아내와 난 서로 한마디도 꺼내지 않았다. 안희진 씨와 함께 취재할 수 있는 건 내일 하루뿐이다. 조급증이 목구멍까지 치고 올라왔다.

메일을 확인해 보니 재건공산당 파비오에게 연락이 와 있었다. 볼로냐 지역 위원장의 메일 주소를 잘못 알려줘서 연락이 꼬인 것이었다. 다시 위원장의 전화번호를 받고 아내가 전화를 걸었다. 아내가 영어로 말해야 할 때 중 제일 힘들어하는 게 전화. 그동안은 어떻게든 피하려 했는데 어쩔 수 없었다. 절박한 심정이었다.

다행이 위원장이 내일 오전 11시에 만나자고 했다.

저녁도 먹지 않고 멍하니 있다가 통화 후 그대로 잠이 들어 버렸다.

좌파정당 분열, 민중의 집 축소

다음 날 아침.

오전에 <레디앙> 이광호 대표에게서 낭보가 전해졌다. 돈이 입금됐다는 전화였다. 우리는 '긴급 구제 금융'을 요청해놓은 터였다. 타는 가뭄에 하늘에서 단비가 내린 격이다. 사실 안희진 씨에게 줄 통역비도 모자라고, 밥값도 겨우 낼 정도의 재정 상태였다. 오전부터 좋은 일이 있으니 오늘은 취재가 잘 될 것 같았다. 전날 하루를 망쳤기에 오늘은 두 배의 성과가 있어야 한다.

아침 7시 호텔을 나와 안희진 씨를 태워 곧장 볼로냐로 출발했다. 밀라노에서 3시간 거리인 볼로냐, 서둘러 가야 약속 시간을 맞출 수 있는데 비가 억수로 퍼부었다. 유럽에 온 후 이런 비는 처음이다. 시야가 제대로 확보되지 않아 고속도로를 엉금엉금 기어가다시피했다.

무사히 늦지 않고 도착. 재건공산당 볼로냐 지부 사무실도 헤매지 않고 잘 찾아 왔다.

재건공산당 사무실 앞에서 노크를 하니 남성 2명이 우리를 반겼다. 한 명은 볼로냐 지부 사무국장인 주세페Giuseppe Quaranta, 또 한 명은 에밀리아로마냐 지역 담당 사무장 카스트로Castro Guillero다. 특히 베네수엘라에서 온 이주민 출신인 주세페의 이력이 흥미롭다. 우리로 치면 이주노동자가 당 지역위원회 사무국장을 맡고 있는 건데, 한국에서도 이런 활동가를 만나려면 더 시간이 흘러야 할 것 같다.

위원장이 조금 늦는다는 연락이 왔다고 해서 먼저 사무실을 함께 둘러보기로 했다.

전체 공간은 재건공산당 에밀리아로마냐 주 지역 조직 사무실과 볼로냐

시 지역 조직 사무실 2개로 나뉘어져 있었다. 우리나라 진보정당에도 광역시·도당과 기초단위 지역위원회가 공간을 같이 사용하는 경우가 종종 있는데 그것과 마찬가지인 셈이다. 1996년부터 지역 조직 간에 의사소통을 원활히 하기 위해 사무실을 통합했다는데 특이한 건 볼로냐 지역 조직의 사무실이 훨씬 넓다는 것이다.

"당원들이 모임을 할 수 있어야 하기 때문에 볼로냐 지역 사무실이 더 넓다. 식사를 할 수 있게 만들었고 다양한 모임을 진행할 수 있도록 배치해 놓았다."

현재 볼로냐 재건공산당의 당원은 350명, 두 달에 한 번씩 정기회의를 갖고 석 달에 한번은 에밀리아로마냐 주 당원 전체 모임을 갖는다고 한다. 볼로냐 인구는 40만 명으로 서울 마포 인구랑 비슷한데 당원 수도 얼추 비슷하다. 가장 어린 당원이 16살이지만 45세~60세 사이의 당원이 가장 많다고 하니 우리보다 연령대는 높다.

사무실 곳곳이 각종 홍보물품, 시위물품으로 채워져 있는 게 매우 낯익다. 여기서 7년간 상근을 했다는 주세페의 주 업무는 당원 관리와 모임 연락, 소식지 만들기. 역시 우리와 별반 차이가 없다. 지역에 집회가 있으면 이를 지원하고 필요하면 버스를 대절해 타 지역 투쟁에도 참여한단다. 지역에 현수막을 걸고 유인물을 나눠주는 것, 돈을 모으기 위해 파티를 열고 각종 토론모임을 개최하는 것 등 대부분 지역 활동이 우리와 비슷하다.

다만 차이가 있다면 공간 활용 전략이 있다는 것이다. 안정적인 사무실을 확보하고 이를 지역 주민들에게 개방하는 공간 전략이 우리와 다른 점이었다.

"주민들이 장소를 이용하기 위해 온다. 이탈리아 사람들뿐 아니라 이주민도 많이 온다. 얼마 전에는 팔레스타인 사람들이 이곳에서 파티를 열었다."

사무실에서 한 층 더 내려가 보니 넓은 파티장 겸 대회의실이 있고, 한편에는 큰 부엌과 바도 있다. 지난 번 파티 때 쓰고 남은 듯한 와인과 음료수가 정리되지 않은 채 남아 있었다.

자세히 보니 와인 병에 낫과 망치, 붉은 별이 그려져 있었다. 볼로냐가 협동조합의 도시로 유명하니, 혹시 지역 협동조합에서 생산된 와인이 아닌지 물어봤다. 그건 아니고 지역의 와인 생산 농가에서 단체로 구입해서 재건공산당 로고를 붙여 당원들에게 판매하는 것이라고 한다.

얘기가 나온 김에 볼로냐 협동조합과 재건공산당과의 관계를 물었더니 의외의 답이 나온다.

"협동조합과의 관계는 그리 원활하지 않다. 예전에는 굉장히 긴밀한 사이

파티를 할 수 있는 지하 강당.

대형 회의실.

였는데 이젠 조합 자체의 힘이 너무 커져서 독립적인 곳이 되어 버렸다."

협동조합과 좌파정당의 관계에 대해 더 자세한 얘기를 나누지는 못했지만, 100여 년 전 사회주의 운동과 협동조합이 함께 성장해온 역사를 돌아보면 지금의 상황이 안타깝지 않을 수 없다.

널리 알려진 이탈리아 협동조합 운동의 태동 또한 19세기 말로 거슬러 올라간다. 1900년대 초 60만 가구를 포괄했을 만큼 성장한 협동조합의 중심에는 사회주의자들이 있었다. 당시까지 산업 인구 비중이 높지 않았던 이탈리아에서 협동조합은 여러 계급 계층 노동자 · 농민의 생계 문제를 해결하고 이들을 반자본주의 정치 · 경제 투쟁으로 연결하는 핵심적인 조직이었다.

1903년 이탈리아 사회주의 운동 지도자였던 안토니오 베르냐니니Antonio Vergnanini의 '통합적 협동조합주의Integral Cooperativism'는 이러한 문제의식을 잘 반영하고 있다. 그는 협동조합의 정치 · 사회적 역할을 강조하며, 협동조합이 노동자 운동의 결절점으로서 노동자들 간, 노동자 조직들 간에 의사소통을 촉진할 것이라고 주장했다. 즉, 노동자 민중의 경제적 어려움을 해소한다는 애초의 목적을 넘어 정치 세력화로 나아가는 경로이자 사회주의 결사체로 협동조합을 발전시키는 것이 사회주의자들의 목표였던 것이다.

이러한 이론을 기반으로 이탈리아 사회당 내 특히 개량적 분파들은 초기 이탈리아 협동조합 운동의 사상적 · 조직적 기반을 제공했고, 그 결과 대다수 협동조합이 사회주의자들이 주도했던 전국 이탈리아 협동조합 연맹Lega Nazionale delle Cooperative Italiane에 소속되어 있었다. 1914년 당시 이탈리아 사회당PSI 당원이 5만 7천여 명이었던 것에 비해 이 연맹이 포괄하는 협동조합 회원이 100만 가구였다니, 협동조합은 19세기에서 20세기 전환기 이탈리아 사회주의 대중운동의 주요 기반이었던 셈이다.(9)

100여 년이 지난 지금 이탈리아에서 사회주의 정당과 협동조합의 관계는 그리 긴밀해 보이지 않는다. 자본주의 경제와는 다른 소비·생산 시스템을 만들어온 협동조합은 거대한 하나의 경제 체계로 성장했다. 여전히 그 안에서 사람들은 시장 원리가 아닌 다른 방식으로 경제적 관계를 맺고 있지만, 과거처럼 활발한 정치·사회적 의사소통이 이루어지지는 않는다. 이건 우리나라 몇몇 협동조합의 모습이기도 하다. 대안적인 경제 체제의 규모가 커진다고 해서 곧바로 대안적인 정치, 일상의 다양한 영역에서 사람들 간에 새로운 관계가 만들어지는 건 아니다. 오히려 그 반대가 되기 쉽다. 100년 사이 어딘가에서 이탈리아 사회주의자들은 자생적으로 성장하는 협동조합 운동을 급진화할 수 있는 개입의 지점을 놓쳤을 것이다. 그 과정을 차분히 들여다볼 기회가 있어야 할 것 같다.

이런 저런 얘기를 나누며 사무실을 거의 다 둘러볼 때쯤, 재건공산당 볼로냐 지부 위원장인 로셀라Rossella Giordano가 바쁜 걸음으로 도착했다. 우리는 반갑게 인사를 하고 곧장 자리를 잡고 대화를 이어갔다. 1996년부터 볼로냐에서 꾸준히 활동해왔다는 로셀라의 직업은 변호사다.

먼저 사무실을 본 소감을 말했다. 사무실이 대단히 인상적이고 지역 주민을 위한 공간 활용 전략이 많은 도움이 됐다고 하니 웃음을 머금고 얘기한다.

“우리의 주요한 지역 활동은 사무실을 구하고 주민들에게 편의를 제공하는 것이다. 이런 공간에서 주민들끼리 생각을 나누기도 하고, 우리와 주민들이 서로 생각을 나눌 수 있다. 2주에 한번 씩 토요일에 장을 열고, 농민들에게 과일이나 채소를 사서 주민들에게 판매하는 사업도 한다. 이윤을 남기진 않는다. 직거래 장터를 여는 것이다. 현재 이탈리아의 경제 위기가 심각하기 때문에 이런 사업을 한다.”

직거래 장터를 2주일에 한번 정도 하는 건 쉽지 않은 일이다. 아마도 그 장터가 볼로냐 재건공산당의 주요 활동으로 지역에 각인 될 것 같다.

“일요일에는 여기서 축구경기를 함께 시청하기도 하고, 아이들의 생일파티 장소로 제공하기도 한다. 다른 곳에서 생일파티를 하려면 돈이 굉장히 많이 들기 때문에 이곳에서 저렴하게 식당이나 파티 공간을 이용할 수 있게 도와주는 것이다.”

피렌체의 민중의 집과 마찬가지로 여기서도 축구경기 단체 관람이 빠지지 않는다. 이탈리아에서 축구는 정치와 생활을 잇는 긴밀한 고리인 것 같다. 생일파티 장소로 당 사무실을 대여한다는 것도 인상적이다. 요즘은 국내에서도 아이들의 생일파티에 적지 않은 금액이 든다는 얘기를 들었다. 자신의 아이도 다른 아이의 생일파티에 초청되었기 때문에 자신의 아이 차례가 오면 부모가 어쩔 수 없이 생일파티를 열어줘야 한다. 20~30명만 모여도 30만 원은 족히 들어가는 생일파티가 된다. 저소득층에게는 큰 부담이 아닐 수 없다. 이탈리아도 상황은 비슷한 모양이다.

그 외 지역 활동으로는 우리로 치자면 생활법률 상담 같은 것이 있다. 사람들의 세금 관련 서류 작성을 도와주고 교육도 하며, 이주민들에게 편의를 제공하는 활동을 주로 한단다.

이제 좀 무거운 얘기를 나눠볼 시간이다. 먼저 볼로냐의 민중의 집 상황에 대해 물었다.

"민중의 집 회원이 2천 명이었는데 지금은 줄어들었다. 민중의 집도 예전에 더 많았고 공산당이 적극적으로 참여했는데, 당이 나뉘면서 그 수도 줄었다. 민중의 집은 우리가 하나였을 때는 많았지만 당이 여러 개로 나뉘면서 축소된 것이다."

과거 민중의 집에서 당원들은 노동자와 그 자녀들과 함께 공부도 하고 책 읽기 모임을 꾸리기도 했었다. 민중의 집 안에 사무실을 두고 있는 정당들은 유인물을 만들어 회원들과 주민들에게 당의 정책을 알리기도 했다. 로셀라는 과거 민중의 집의 간판은 '민중의 집' 이었지만, "여기는 좌파정당의 집" 이라고 쓰여 있는 것과 다름없었다고 말했다. 그런 '좌파의 집' 이 볼로냐에만 15~16개 정도 있었는데 지금까지 남아 있는 곳은 단 3곳뿐이다. 이탈리아 공산당이 좌파민주당과 재건공산당으로 나뉜 1990년대 초부터 그 수가 급격히 줄었다고 한다. 좌파정당의 당세가 기울면서 더 이상 임대료를 감당하지 못해 문을 닫은 곳도 있었다.

19세기 이후 줄곧 사회주의 정당이 강세를 보여온 전통 때문에 '붉은 도시Bologna la rossa' 라는 별칭을 가진 볼로냐, 그 전통을 만들어온 이탈리아 공산당의 후예들은 고전을 면치 못하고 있다. 재건공산당의 당세는 예전과 비교할 수 없이 약해졌고 44명의 시의원 중 재건공산당 출신은 단 2명. 민주당과 합쳐도 과반을 넘지 못했다.

"예전에는 민중의 집에서 노총 – 정당 – 협동조합이 함께 회의를 했는데 지금은 연결선이 약해졌다. 매우 아쉬운 일이다. 요즘은 당과 민중의 집이 정기적인 회의를 하지는 않고 이주노동자 인권 문제 등 서로 겹치는 분야가 있으면 함께 의논하고 집회를 기획하는 정도다."

정당과 노조, 민중의 집의 연결선이 약해짐으로써 민중의 집의 정치적 색채도 옅어졌다.

"민중의 집의 정부 비판 기능은 예전에 비해 약해졌다. 당이 분당되지 않고 민중의 집과 노총 등이 함께했을 때 민중의 집은 항상 노동운동 편이었고 자본가를 상대로 했지만, 지금은 당이 나뉘고 우리는 국회의원도 없다. 굉장히 힘든 상황이다."

좌파정당이 여러 개로 나뉜 상황 자체도 곤혹스럽지만, 소수 정당인 재건공산당의 시련은 더 클 수밖에 없다. 그러나 로셀라 위원장은 경쟁 관계에 있는 정당들 간에 연합, 지역 조직들과의 연대가 어느 때보다 절실하다고 강조한다.

"다시 민중의 집과 정당, 노동조합을 하나로 모으기는 매우 힘들지만 굉장히 시급한 과제다. 나는 현재 정부가 하는 일을 보며 엄청난 두려움을 느낀다. 그 끝이 어디인지 알고 있다. 이탈리아는 파시즘을 경험했기 때문이다.

민중의 집 활동이 왕성했던 시절로 돌아갔으면 좋겠다. 전 세계적인 경제 위기가 곧 닥쳐올 것이다. 그때 민중의 집이 다시 사람들을 모으고 쉴 수 있게 해주고, 자본에 대항하는 기지 역할을 할 수 있길 기원하고 있다.

좌파들끼리 함께 가야 할 선을 정하고 베를루스코니 정부에 대항하기 위해 힘을 모아야 한다."

나보다 젊어 보이는 로셀라 위원장은 당연히 무솔리니의 파시즘을 직접 경험하지 못했을 것이다. 유럽의 정당과 노조, 민중의 집을 다니면서 이곳 사람들은 기나긴 역사를 늘 자신이 어제 겪은 일처럼 기억하고 있다는 인상을 받았다. 내 앞에 앉아 있는 이 젊은 여성에게 파시즘은 과거 역사의 한 조각이 아닌 것 같았다. 그것은 미래에 언제든 재연될 수 있는 끔찍한 재앙이며 현 정부에서 그 위험을 느낀다고 말하는 모습은 전혀 과장돼 보이지 않았다.

"민중의 집 활동이 왕성했던 시절로 돌아갔으면 좋겠다. 전 세계적인 경제 위기가 곧 닥쳐올 것이다. 그때 민중의 집이 다시 사람들을 모으고 쉴 수 있게 해주고, 자본에 대항하는 기지 역할을 할 수 있길 기원하고 있다."

볼로냐 재건공산당에서 선물을 받았다. 재건공산당 로고가 찍힌 와인과 노트, 기념품들이다. 지지율이 바닥을 치고 당원들이 계속 줄어드는 상황에서 볼로냐 재건공산당은 힘겨운 활동을 하고 있는 것 같았다. 볼로냐 사회주의의 찬란했던 시절을 함께 지나온 사람이라면 자괴감은 더욱 클 것이다. 그 많은 사람 중 극히 일부만 현재 재건공산당에 남아 있다.

나머지 사람들은 모두 어디에 있을까.

민중의 집은 노인회관?

재건공산당 사무실을 나와 민중의 집 한 곳을 방문했다.

약속대로 피렌체 아르치의 레오날도가 소개해준 이곳은 볼로냐 북쪽에 위치한 브루노 토사렐리Bruno Tosarelli 민중의 집으로, 조용한 주택가에 자리 잡고 있었다. 3층짜리 건물 한쪽에 걸려 있는 민중의 집 간판은 멋진 그림으로 되어 있어 시선을 끈다.

우리를 안내하는 사람은 이탈리아 노총 은퇴자 연맹Sindacato Pensionati Italani, SPI CGIL 소속의 칠십 대 할아버지.

먼저 3층으로 되어 있는 민중의 집 내부를 구경시켜 주겠다며 앞장섰다.

장애인도 올 수 있게 만든 계단이 눈에 띄었고, 지하에는 50명 정도 수용 가능한 작은 극장이 있었다. 연극 공연을 하기에 안성맞춤인 장소다.

1층에는 유도, 요가, 발레 등 다양한 종목의 운동을 할 수 있었다. 홍보물을 보니 아침저녁으로 아이들과 성인, 노인을 위한 스포츠 프로그램이 빽빽이 차 있었다. 이곳을 이용하는 주민들이 하루 평균 350~400명이라니 규모가 상당하다. 우리나라처럼 이탈리아에도 이런 프로그램을 운영하는 주민 자치센터나 문화센터가 있을 텐데, 사람들이 굳이 민중의 집을 찾는 이유가 궁금했다.

"여기 오는 것은 선생님들과의 관계가 가장 크다. 선생님과 배우는 사람들과의 관계가 다른 곳과 달리 굉장히 친밀하다. 또 아이들은 민중의 집 회원인 부모를 따라 자연스럽게 이곳에 온다."

2층에는 각종 정당과 단체 사무실이 입주해 있었다. 민주당 사무실, 재건 공산당 사무실, 이주민 연합 단체인 FILEF Federazione Lavoratori Emigrati 사무실이 있고, 예외 없이 아르치 사무실도 있다. 한편에는 어학 실습, 컴퓨터 수업을 할 수 있는 교육장도 있었다.

우리가 방문한 오후 시간 가장 붐비는 곳은 은퇴자연맹 사무실이다. 여러 명의 할아버지들이 모여 앉아 얘기를 나누고 있었다. 나중에 알고 보니 이 민중의 집에는 이탈리아 빨치산 전국 연합Associazione Nazionale Partigiani d'Italia, ANPI의 지역 사무실도 있었다. 2차 세계대전 당시 나치와 파시스트에 반대하여 저항군으로 참여했던 사람들의 단체다. 이 단체가 아직까지 건재하다는 것도 놀랍지만, 이곳을 드나드는 할아버지 중에 당시 무장하고 전장에 뛰어들었던 빨치산이 있을 거라 생각하니 더욱 놀라지 않을 수 없다.

1962년에 만들어진 이 민중의 집은 현재 회원이 800명, 연회비는 10유로(우리 돈 15,000원)이고, 대체로 자원봉사로 운영되는데 그들이 대부분 은퇴자 연맹 소속의 할아버지들이다. 이들은 자원봉사자의 주축일 뿐 아니라 민중의 집 전체를 주도하는 사람들이다.

여기서 가장 재미있는 공간인 3층 무도회장은 노인들에게 맞춤형으로 제공된 놀이터였다. 영락없는 우리나라의 카바레다. 입장료가 남자 5유로, 여자 3유로인 것도 우리나라 나이트클럽 관행을 떠올리게 한다. 아르치에서 운영하는 이 무도회장에는 댄스 교습도 하고 주말에는 갈 곳 없는 노인들이 많이 찾아온다고 한다.

이렇게 이곳 민중의 집은 과거 노동조합과 공산당에서 활약했던 이들이 노년을 보내는 공간이다.

우리를 안내해준 할아버지는 과거에 공산당이었고 지금은 민주당 당원이라고 한다. 그는 평생 기계공으로 일하고 은퇴한 뒤 여기서 자원 활동을 하며 남은 인생을 보내고 있다.

우리나라에서 정치에 활발히 참여하는 노인들을 떠올려보면 어버이연합이 가장 먼저 생각난다. 적어도 65세 이상은 이념적으로 진보가 보수에 완전히 눌려 있는 상태. 이탈리아에서 지역 정치 활동의 일선이 있는 은퇴자연맹 노인들을 한국에서는 상상하기 어렵지만, 머지않아 한국의 민주노조운동 1세대가 은퇴를 하는 시기가 올 것이다. 그때 우리의 선배들은 어떤 공간에서 어떻게 정치, 놀이, 생활을 함께해 나갈지 고민이 필요할 것 같다.

이런 생각을 하며 브루노 토사렐리 민중의 집을 나섰지만 뭔가 아쉽다.

피렌체에서 방문했던 민중의 집도 그렇고 여기도 마찬가지고, 젊은 세대의 생동감은 영 찾아볼 수 없었기 때문이다. 민중의 집이 100년을 이어오고

▲부르노 토사렐리 민중의 집 간판, 브루노 토사렐리 민중의 집이 위치한 건물은 민주당이 소유하고 있는 건물이다.
▼체육관과 컴퓨터 교육실, 우리나라 카바레를 연상케 하는 3층 무도회장과 아르치 사무실 그리고 소형 교육장 겸 회의실 모습.

있지만, 이걸 유지해온 사람들이 수십 년간 바뀌지 않았다면 오늘날 민중의 집의 의미는 과연 무엇일까.

붉은 볼로냐를 만들어온 사회주의자들이 이제는 이빨 빠진 호랑이가 되어 민중의 집을 지키고 있다니. 이들이 젊었을 때는 치열하게 정치 활동을 했던 아지트에서, 나이가 든 후에는 카드놀이를 하거나 춤추며 놀 수 있는 일종의 노인회관으로 민중의 집의 의미도 함께 변화된 것일까.

그런데 이어서 방문한 민중의 집은 나의 우려를 180도 뒤집어 놓았다.

젊은이들이 오고 있다

볼로냐 민중의 집을 나와 어젯밤 인터넷으로 검색해 두었던 소셜센터를 찾아가 보기로 했다. 그런데 내비게이션이 데려다준 곳은 도로 한복판. 이런 경우가 이번만이 아니었다. 피사에서도 민중의 집을 찾아 주소를 찍어 간 곳이 간선도로 한가운데였다. 또다시 황망해할 때 즈음 전화벨이 울렸다.

피렌체 아르치의 레오날도가 밀라노 민중의 집과 약속이 잡혔다고 전화를 준 것이다. 약속 시간은 7시. 시계를 보니 4시가 넘었다. 서둘러 밀라노로 차를 돌렸다. 다행히 늦지는 않았다.

밀라노 민중의 집의 정식 명칭은 치르콜로 아르치 벨레차Circolo ARCI Bellezza. 이탈리아에서 치르콜로는 아르치뿐 아니라 각 정당의 세포 조직, 그러니까 가장 기초가 되는 단위를 일컫는 말로 널리 사용되고 있다. 그런데 치르콜로는 19세기 말 이탈리아에서 역사적 의미를 갖는 특정 공간을 지칭하는 말이기도 하다.

마가렛 콘의 책에는 협동조합, 상호부조조합, 민중의 집 등 여러 저항 공간에 대한 소개에 앞서 치르콜로에 대한 이야기가 나온다. 19세기 말 이탈리아에서 동네마다 만들어진 치르콜로는 노동자 민중들이 사회성을 형성하는 최초의 공간이었다고 한다. 치르콜로는 이들이 모여 카드놀이를 하고 와인을 마시고, 노래하고 신문을 읽고, 정치 문제에 대해 토론도 하는 술집이었다. 또한 부르주아들이 폐쇄적인 자신들만의 클럽을 만들고, 주거공간과 분리된 공장이 들어서는 등 자본주의적 공간 구획이 시작되던 시기, 치르콜로는 노동자 민중이 자신들만의 사회적 관계를 맺어나가는 거점이기도 했다. 치르콜로는 특정한 정치 세력이 일부러 만든 곳도 아니었고 이웃들과 일상생활을 나누는 자연스러운 활동의 연장이었기 때문에 만드는 데 큰 비용이 들지도 않았다. 그러나 치르콜로는 자본주의 사회에서 소외된 노동자 민중들이 연대의 인프라를 만드는 출발점이었고, 향후 상호부조조합나 협동조합, 민중의 집의 모태가 되었다고 한다.

치르콜로 벨레차는 그야말로 100년 전 치르콜로를 21세기에 옮겨다 놓은 듯한 공간이었다.

해질 무렵 도착한 민중의 집에는 벌써 많은 사람이 구석구석 공간을 채우고 있었다.

우리를 맞이한 2명의 운영위원 중 한 사람은 문학 선생님이었던 할아버지 제삐노Geppino Materazzi, 또 한 사람은 대학생 루까Luca Tripeni Zanforlin다. 루까는 청년 사업을 담당하는 운영위원이다. 두 사람은 회원들이 직접 선출한 18명 운영위원의 일원이다. 제삐노는 민중의 집 역사를 설명하면서 20세기 초에 만들어진 상호부조조합 얘기부터 시작한다.

"원래 이 건물은 1908년 밀라노 외곽에 지어졌다가, 밀라노가 산업 도시로 확장되면서 밀라노에 편입됐다. 당시 이곳은 노동자 교육 운동을 주로 하는 상호부조조합이었다. 노동자들이 수업을 받는 교실이 있었고, 구내식당과 휴식 공간도 갖추고 있었다."

이러한 역사를 반영하듯, 건물 외벽에는 상호부조조합Società di Mutuo Soccorso이라는 글씨가 지금도 새겨져 있다.

치르콜로 벨라차 전경

"1940년대에 재정 문제로 상호부조조합이 문을 닫고 밀라노 시에 건물도 팔았다. 전쟁이 끝나고 이탈리아 공산당 지역 조직이 다시 건물을 사서 1976년 민중의 집이란 이름으로 이 공간을 다시 열었다. 그 후 1980년대까지 공산당과 아르치가 민중의 집을 함께 운영했다. 이탈리아 공산당과 민중의 집의 관계는 당연히 긴밀했다. 정당 사람들이 민중의 집 사업을 기획하고 운영을 거의 담당했다. 간판에 공산당이라고 쓰지 않았을 뿐 사실상 공산당 당원들이 민중의 집을 경영했었다. 당시 돈 많은 사람들은 가톨릭 세력과 연결되어 있고 돈 없는 노동자들은 민중의 집에 연결되어 있었다."

그런데 왜 지금은 민중의 집이란 명칭을 쓰지 않을까.

"모두가 민중의 집이란 이름을 쓰진 않는다. 간판은 지역마다 다르다. 아르치 간판을 그대로 쓰기도 하고 SMS 간판을 달기도 한다. 남부 지방으로 갈수록 민중의 집이란 이름을 쓰는 곳이 많지만 북부 이탈리아에서는 쓰지 않는 곳이 많다. 중부 지방은 공산당의 당세가 강해서 민중의 집이란 이름이 많이 남아 있지만 여기는 더 이상 그렇지 않다."

비슷한 성격의 지역 공동체 공간들은 각 지역 역사를 반영한 고유한 이름을 사용하고 있지만, 확실히 '민중의 집' 이란 이름은 좌파와 더 깊은 관련이 있는 것 같다. 더 이상 공산당이 운영의 주도권을 갖지 못하게 되면서 이곳에서도 민중의 집이라는 간판이 사라져버린 모양이다. 아마도 지난한 논쟁이 있었으리라.

놀라운 건 이곳 민중의 집이 지금도 성장세에 있다는 것이다.

건물 자체는 그다지 크지 않은 편인데 회원은 무려 1만 5천 명이다. 밀라노에 이런 민중의 집이 3개 더 있고 그중에는 회원이 3만 명이 넘는 곳도 있단다. 밀라노 근교에 있는 것까지 합하면 모두 110여 개의 민중의 집이 있는데, 롬바르디아 주 전체에서 민중의 집 회원 수는 급증하는 추세라고 한다. 정체되거나 쇠퇴하는 것으로 알았던 이탈리아 민중의 집. 그러나 현실은 달랐다.

그 이유는 무엇일까.

"먼저 정치적인 이유가 있다. 지금 이탈리아 정부는 보수주의자들이 집권하고 있다. 좌파의 위기라고 볼 수 있다. 좌파는 이런 위기 상황 때문에 정치와 관련된 다양한 토론을 할 수 있는 공간을 필요로 하고 민중의 집이 바로 그런 공간이 되고 있다. 경제적인 이유도 있는데 민중의 집 회원이면 싼 가격에 여기서 음식을 먹을 수 있다는 것도 무시할 수 없다. 근처 노동자들이 이곳에 와서 점심과 저녁을 먹는다. 다른 곳에 비해 저렴하고 음식 맛이 좋기 때문이다. 경제 위기라서 다들 생계가 어렵다 보니 값싸게 식사를 해결하는 것이 실생활에서 대단히 중요한 문제다."

한마디로 하면 정치와 밥이다. 이 둘이 따로 떨어진 것이 아니기에 민중의 집은 더욱 중요해진다. 정치 위기와 경제 위기가 맞물려 있는 이탈리아에서 노동자 서민들이 함께 생계를 꾸려가고 함께 사회를 변화시킬 수 있는 힘을 모으는 곳이 바로 이 공간이다.

영화, 음악, 춤을 배울 수 있는 질 좋은 문화 프로그램이 있고, 그 외 자신이

원하는 게 있으면 뜻 맞는 사람들과 새로운 모임을 만들 수 있다는 것도 회원들을 모으는 요인이다.

"회원이 많은 이유는 바로 그런 것이다. 좋은 프로그램에 참여하기 위해서 회원에 가입한다. 회원이 되면 함께 얘기할 수 있는 공간이 생긴다. 공동체를 이룰 수도 있고, 다양한 소모임에 참여할 수도 있다."

특히 새로 유입되는 회원 중에는 젊은 사람이 많다. 회원의 3분의 1이 청년들이고 계속 젊은 사람들의 비중이 늘어나는 추세라고 한다. 대학에서 사회학을 전공하고 있다는 루까는 그 이유를 다음과 같이 설명한다.

"민중의 집은 다른 곳에 비해 연령대별로 다양한 교류를 할 수 있다. 다양한 세대의 사람이 서로 교류하면서 자신의 인생관을 좀 더 확장시킬 수 있는 공간이 민중의 집이다. 밀라노에 있는 대학에는 이제 서클 문화라는 것이 없다. 오직 공부해야만 살아남을 수 있다는 인식이 강하다. 모두가 개인주의로 흐르고 있다. 이런 것에 답답함을 느끼는 학생들이 민중의 집에서 모이고 서클을 만들어 활동한다."

루까의 이야기에 안희진 씨도 공감했다. 밀라노에서 오래 대학을 다닌 안희진 씨는 동아리, 학회 같은 한국의 대학 문화가 없다 보니 수업을 듣고 나면 갈 곳도 없고 친구를 사귈 곳도 없다고 한다. 민중의 집은 그런 대학생들이 대학 밖에서 또래는 물론 여러 세대의 사람들과 소통하며 문화 활동을 할 수 있는 소중한 공간이다.

회비는 1년에 13유로, 우리 돈으로 2만 원이 조금 안 되는 금액이니 학생

홀이 젊은 사람들로 가득찼다. 인근 대학의 연극 모임 사람들이 오늘 저녁 이곳에서 파티를 열 예정이라고 한다. 회원 확보의 일등 공신이라는 맛있는 음식을 먹어보다니 고마울 따름이다.

들이 가입하기에도 큰 부담이 없을 것 같다. 1년 치를 한꺼번에 내기 어려운 사람은 6개월 단위로 나눠서 낼 수도 있다. 이 민중의 집은 출입부터 저렴한 식사를 즐기는 것까지 모두 회원에게만 허용되지만, 이 정도 회비로 누리는 혜택이 많으니 회원 가입을 하지 않을 이유가 없을 것 같다. 집이 여기서 멀지 않은 안희진 씨도 여기를 꽤 맘에 들어 하는 것 같아 회원으로 가입하라고 부추겼다.

이야기를 나누는 사이 옆에 있는 큰 홀이 젊은 사람들로 가득찼다. 인근 대학의 연극 모임 사람들이 오늘 저녁 이곳에서 파티를 열 예정이라고 한다. 제뻬노와 루까가 어차피 저녁 식사가 준비되고 있으니 같이 식사를 하자고 권했다. 회원 확보의 일등 공신이라는 맛있는 음식을 먹어보다니 고마울 따름이다.

우리는 식사가 준비될 동안 잠시 건물을 둘러보기로 했다.

먼저 우리가 앉아 있던 곳은 2층의 작은 바이고 옆에는 공연장 겸 연회장으로 사용되는 대형 강당이 있다. 이곳 건물은 회원 규모에 비하면 상당히 비좁을 것 같다. 그래서인지 사무실은 구석에 매우 작은 공간만 차지하고 있었다. 한쪽에는 시각장애인을 위한 협회 사무실이 있는데 이 협회는 시각장애인을 위한 책 출판, 콘서트 등을 기획한다고 한다. 아래층 마당에도 테이블이 여러 개 있다. 아마 카드놀이 장으로 많이 사용될 것 같다.

건물 1층에는 재건공산당과 민주당, 몇몇 단체 사무실이 있고, 공사 중인 방이 두 개 있었다. 이 중 한 곳은 운동을 하는 공간으로 사용되어 왔다고 한다. 권투 강습이 아주 인기가 있었다고 한다. 옥상에는 올라가보지 못했지만 햇볕을 쬐며 모임도 할 수 있단다.

한마디로 먹고 놀고 마시고 공부할 수 있는 공간을 다 갖추고 있었다.

요즘 국내 영화관은 멀티플렉스가 대세다. 거대 자본은 사람들이 영화도 보고 차도 마시고, 놀기도 하는 복합적인 공간을 만들어 돈을 쓰도록 유혹한다. 밀라노 민중의 집도 그런 곳이다. 하지만 소비가 아니라 공동체가 이 공간을 움직이는 힘이다.

식당에 들어가기 전 한창 음식 준비로 바쁜 주방에도 들어가 보았다.

음식을 만드는 사람들은 이탈리아 사람들이 아니다. 알고 보니 요리사들은 스리랑카 등에서 온 이주노동자들이다.

"특히 밀라노가 개인주의가 심해서 이주노동자가 함께 일하고 모일 수 있는 장소가 없다. 이주노동자들이 회원으로 많이 가입하고 있는 이유이기도 하다."

이주노동자들이 민중의 집 회원으로 가입해 활동하다가 음식을 배우고 이곳을 아예 일터로 삼는 경우가 종종 있다고 한다. 그들은 민중의 집에서 적정한 임금을 받고 일을 한다. 그게 민중의 집의 정신이다.

> 이주노동자들이 민중의 집 회원으로 가입해 활동하다가 이곳을 아예 일터로 삼는 경우가 종종 있다. 그들은 민중의 집에서 적정한 임금을 받고 일을 한다. 그게 민중의 집의 정신이다.

"우리는 자주적 기관이다. 모든 걸 우리가 결정하고 우리가 집행한다. 식당 밥값도 회의를 통해 합리적인 가격으로 결정한다. 경제 위기 상황을 감안하여 최대한 저렴하게 책정하고 있다. 이주노동자들도 공정한 임금을 받을 수 있도록 음식 가격을 함께 결정한다."

기대했던 저녁 식사. 파티가 열리고 있는 강당 한쪽에 테이블을 마련하여 운영위원들과 마주 앉았다.

이탈리아에서 여러 번 레스토랑에 가봤지만 확실히 여기 음식은 맛이 좋다. 정성스럽게 코스별로 나오는 음식이 고급 레스토랑을 연상케 한다. 안희진 씨가 가격을 물어보더니 밀라노에서 이 정도 질 좋은 음식을 이 가격에 먹을 수 있는 곳은 흔치 않다고 한다.

대화가 계속 이어지다 보니 이제 우리가 더 질문을 많이 받고 있었다. 어떻게 여기까지 오게 됐는지, 앞으로의 일정은 무엇인지, 한국에 있는 민중의 집은 어떤지 반복해서 물었다. 스페인과 스웨덴 민중의 집에 대해서도 궁금한 점이 많은 모양이다. 통역을 해주는 안희진 씨는 음식도 제대로 먹지 못하고 연신 상대방의 말을 받아 적어 내게 알려주기 바쁘다.

중간 중간 담배를 피우러 밖에 나갈 때도 안희진 씨는 나와 함께 다녔다. 덕분에 식사를 하고 있는 회원들과도 짧은 대화를 주고받을 수 있었다.

"이곳에 자주 오나."

"시간 있을 때마다 온다. 다들 직업이 있어서 주로 밤에 온다. 일반 식당의 절반 가격이기 때문에 가족이 함께 올 때도 많다. 혼자 오더라도 아는 사람들이 있어서 함께 대화를 나누며 식사를 하고 집에 돌아간다."

또 다른 이에게 물어본다.

"이곳 민중의 집은 어떤 의미인가."

"지역공동체로서 많은 활동을 하고 있고 지역에서는 특히 춤으로 유명한 곳이다. 춤추고 연극하러 많이 온다. 여름에는 사람이 더 많다."

젊은 친구에게도 물어봤다.

"지금 대학생인데 학교가 끝나면 거의 매일 와서 모임을 갖는다. 이곳에서 사람들과 밥을 먹고 모이고 집으로 가는 게 코스가 됐다. 여기 오면 사람을 많이 만날 수 있다. 민중의 집은 재미있는 공간이다."

강당에서 파티를 열고 있는 사람들.

바에서 이야기를 나누며 저녁을 먹는 회원들.

이 사람들은 정말 내 집인 것처럼 편히 둘러앉아 밥 먹고 술 마시며 이야기를 나누고 있었다. 마치 하루 일과의 일부인 것처럼 자연스럽게 말이다.

식사를 하던 중 이곳 민중의 집 대표인 마시밀리아노Massimiliano Gaspari가 도착했다. 그는 변호사로 일하면서 대표직을 겸하고 있다. 우리가 왔다는 소식을 듣고 일을 마친 후 급히 달려온 것 같다. 마시밀리아노 대표는 신기하다는 눈빛으로 우리를 보더니 반갑게 인사를 했다. 그 역시 우리에 대해 궁금한 게 많았다.

나는 그가 대표로서 가지고 있는 민중의 집의 비전에 대해 물었다.

그가 가장 강조한 것은 "다양한 연령대, 다양한 인종의 사람들이 회원으로 참여하는 민중의 집"이다. 이건 이곳 민중의 집의 지향 그 자체다. 서로 다른 세대, 문화, 인종의 마주침, 거기서 시작되는 새로운 접합과 연대의 필요성이 이 공간의 존재 이유다. 그 옛날 치르콜로가 노동자들에게 이런 공간이었다면, 오늘날 치르콜로는 좀 더 다양한 사람들이 함께 공동체를 이루고 문화를 교류하는 공간인 셈이다.

우리나라에는 이주노동자 운동이 따로 있고, 지역 주민 운동, 진보정당 운동, 노동운동, 문화운동, 여성운동, 성소수자운동, 장애인운동이 각각 따로 있다. 물론 이탈리아도 마찬가지일 것이다. 그러나 그런 운동들이 하나의 공간에서 녹아 흐르는 곳이 바로 민중의 집이라는 느낌이다.

그런데 마시밀리아노 대표는 정치 활동보다 문화 활동에 훨씬 더 무게를 두고 있었다.

"정당에서 볼 때 민중의 집은 사람을 모으는 역할을 했다. 좌파를 모으는 것뿐 아니라 어려운 사람들을 모으는 역할을 민중의 집이 했고 정당에서 공을 많이 들였다. 그래서 정치적인 토론도 많았다. 하지만 좌파정당이 분당된 1990년 이후에는 점차 그런 활동이 줄어들고 있다. 1970~80년 민중의 집 역할과 많은 것들이 달라졌다. 예전에는 정치적 색깔이 분명했지만 지금은 좀 다르다. 민중의 집에 오는 사람들이 대부분 진보적인 성향을 가졌지만, 이념은 어차피 개인적인 것이기 때문에 회원 1만 5천 명이 다 좌파일 수는 없다. 우리는 이제 좌파만을 위한 활동을 하지는 않는다. 옛날에는 정치적 성향을 분명히 하면서 문화 활동도 했지만, 요즘은 정치적 성향이 줄어들고 문화 활동을 더 많이 한다. 현재 민중의 집이 추구해야 할 역할은 지역사회 사람들이 서로 교류하고 커뮤니케이션 할 수 있는 공간이다."

예전에는 민중의 집에 좌파들이 모였고 좌파정당이 주도적으로 참여했기 때문에 정치적 성향이 강했지만, 이젠 시대가 바뀌었다는 것. 다양한 배경의 사람들이 이곳에 찾아오고 좌파정당도 분리됐기 때문에 예전의 활동방식을 고집할 필요가 없다는 것이다. 민중의 집 간판을 떼고 그냥 치르콜로라는 간판만 단 것도 이런 이유에서인 것 같다. 재미있는 건 다른 운영위원들은 대표의 말에 조금 불만스러운 표정을 지었다는 것. 아마 민중의 집의 위상은 여전히 논쟁적일 것이다.

과거에 비해 민중의 집에서 노동조합이나 좌파정당의 역할이 현저히 줄어든 것은 공통된 현상인 것 같다. 좌파정당이 여러 개로 나뉘고 당세도 약해졌으니 이런 현상은 필연적일 것이다. 하지만 이탈리아의 모든 민중의 집이 애초부터 하나의 정치적 지향을 공유하고 있는 것도 아니었으니, 각 지역의 공동체 센터들이 약간씩 다른 목표를 지향하는 게 당연해 보인다.

밀라노의 이 치르콜로는 정당 정치의 거점으로서 민중의 집의 역할보다 생활문화 공간으로서 역할을 강조하고 있지만, 그렇다고 정치와 완전히 분리된 곳이라고 볼 수는 없다. 신자유주의가 초래한 총체적인 사회 위기 속에서, 파편화된 개인들이 서로의 차이를 인정하면서 마주치고 소통한다는 것 자체가 이미 정치적이기 때문이다.

이 21세기의 치르콜로가 어떤 연대의 인프라가 될지는 알 수 없지만, 19세기 치르콜로가 그랬던 것처럼 언젠가 등장할 새로운 저항과 정치의 모태가 될 것임은 분명해 보인다.

긴 얘기를 나누다 보니 벌써 10시가 넘었다.

식사를 마칠 때 쯤 루까가 가입 신청서를 가져왔다. 우리 부부에게 이곳 민중의 집 명예 회원이 되어달라고 했다. 회비를 내지는 않았지만 일련번호가 찍혀 있는 아르치 회원 카드를 하나씩 쥐어 준다. 정말 뜻 깊은 선물이다.

대표와 운영위원들은 민중의 집 입구까지 나와 떠나는 우리를 배웅했다. 우산이 소용없을 정도로 우박이 쏟아져서 모두가 비에 젖었다. 먼 나라에서 자신들이 가꾸고 있는 민중의 집을 취재하러 온 것에 모두 감동을 받은 눈치였다. 언젠가 꼭 한국에 초청하고 싶다는, 정말 빈 말이 아닌 인사를 연거푸 하며 돌아섰다. 우리도 숙제를 짊어지고 나왔지만, 그들 역시 민중의 집을 꾸려가며 가지고 있었던 숙제를 푸는 데 우리의 방문이 자극이 되었으리라.

차에 올라타서 안희진 씨 집으로 갔다. 3일간 통역을 하느라 그도 지쳤을 것이다. 안희진 씨는 잠시 기다리라고 하더니 아내에게 줄 옷과 양말을 가지고 나왔다. 스페인에서 도둑을 맞은 후 몇 벌 안 되는 옷가지로 버티고 있는 우리가 딱해 보였나 보다. 그의 마음이 다정하다.

이제 우리가 묵을 곳을 구해야 한다. 무료 와이파이가 되는 곳을 찾아 차를 조금씩 이동했다. 11시가 넘어서야 겨우 숙소 한 군데를 찾았다. 밀라노 시내를 한참 벗어나 있는 호텔이다.

취재를 무사히 마쳤다는 안도감이 피곤을 잊게 해줬다.

이제 우리는 이탈리아 국경을 넘어 스위스 제네바에서 차량을 반납하고 비행기를 타고 스웨덴으로 가야 한다. 제네바까지는 그다지 멀지 않다.

이탈리아를 떠나며 : 잊을 수 없는 산타 리베라

2010년 후인 9월 9일. 스웨덴 도착 예정일 3일 전이다. 그동안 우린 이탈리아를 떠나 스위스 제네바로 천천히 이동하기로 했다.

이탈리아 경유지의 마지막 도시에서 차에 잔뜩 실려 있는 대부분의 짐을 한국으로 부칠 예정이다. 스위스보다는 물가가 싼 이탈리아에서 보내야 비용을 줄일 수 있기 때문이다. 이게 피에몬테 주 토리노를 방문하기로 한 가장 큰 목적이었다.

밀라노를 떠나면서 토리노 근처에 있는 민중의 집을 한 군데 더 갈 것인지 망설였다.

그곳은 토리노 남동쪽에 있는 인구 7만 5천 명의 작은 도시 아스티Asti에 있다. 이름은 산타 리베라 민중의 집Casa del Popolo – Santa Libera. 한국에서 취재할 곳을 알아보다 발견한 민중의 집이었다. 홈페이지가 잘 정돈되어 있어 쉽게 검색이 되었다.

이 주소를 손에 쥐고 찾아가 볼까, 아니면 그냥 토리노에서 마지막 캠핑을 하며 휴가 기분을 낼까 고민했다. 다음 날 일정을 걱정하지 않고 야외에서 술을 맘껏 마시고 싶었다. 게다가 아스티를 거쳐 가면 이동 거리도 길어지고 밤늦게 토리노에 도착할 것 같았다.

한국에 있는 사람들 얼굴이 떠올랐다.

10만 원, 20만 원 봉투에 넣어준 사람들. 무려 50만 원을 취재경비로 쓰라며 건넨 민중의 집 홍세화 공동대표. 지금의 내 모습을 본다면 이들은 하루 정도 마음 편히 쉬고 관광도 하라며 격려해줄 것 같았다.

그 생각이 드니 취재를 해야 할 것 같았다.

결국 2시간 정도 달려 아스티에 도착했다. 우리가 찾아간 이탈리아의 마지막 민중의 집이다. 그런데 문이 닫혀 있다. 안내문을 보니 오후 3시에 연다는 것 같은데 확실치가 않다.

갑자기 괜히 여기까지 왔다는 후회가 밀려왔지만 일단 밥을 먹고 기다려

보기로 했다.

아침 일찍 출발을 한 탓에 점심을 먹고 나니 식곤증이 일었다. 졸려서 어질어질하다. 차 안에 들어가서 의자를 누이고 낮잠을 잤다. 잠들기 직전까지도 저 안을 끝내 못 보고 갈 거라 확신했지만, 졸려서 운전도 할 수 없으니 일단 눈을 붙였다.

단잠이었고, 꿈까지 꾼 것 같았다. 시계를 보니 2시 40분. 아내는 계속 자고 있다. 골목에 세워 놓은 차를 천천히 민중의 집 쪽으로 몰았다. 만약 문이 닫혀 있다면 아내를 깨우지 않고 바로 토리노로 달려갈 생각이었다.

그런데 기대와 달리 대문이 활짝 열려 있었다. 난 정신없이 자고 있는 아내를 깨우면서 동시에 민중의 집 앞마당으로 차를 몰았다.

산타 리베라 민중의 집 입구.

놀란 눈으로 우리를 맞이한 건 오누이. 둘이 우리를 바라보는 표정은 그냥 신기한 정도가 아니라 외계인이라도 본듯 놀란 표정이다.

한국에서 민중의 집을 보러 온 사람이라고 대충 소개를 했지만 문제는 영어로 의사소통을 할 수 없다는 거였다. 오빠인 루까Luca Gugliotta는 기계공학을 전공하는 대학생이고 여동생은 고등학생이라는 것, 우리는 한국의 좌파정당 소속이고 민중의 집을 운영하고 있다는 걸 서로 파악하는데만도 한참이나 애를 먹었다. 건물 안쪽 사무실에 있다 합류한 루까의 친구 스테파노도 영어를 못하기는 마찬가지였다.

그들이 한참 상의한 끝에 단어 하나를 제시하면 아내는 영어로 그 뜻을 확인했고, 다시 그들은 토의를 해가며 아내의 말을 이해하려 노력했다. 루까의 여동생은 말없이 사전을 찾아주며 우리의 대화를 도왔다.

서로를 알고 싶다는 격렬한 의지를 확인한 순간, 다시 떠올려 봐도 가슴이 벅차다.

결국 루까와 스테파노는 결단을 내린 듯 영어를 잘하는 친구에게 전화를 걸었다. 다행이 30분 정도 뒤에 올 수 있다고 한다.

그 사이 우리는 민중의 집 한쪽 식당에 앉아 느릿느릿 대화를 이어갔다. 루까는 아스티 인근에서 생산하는 유기농 제품이라며 음료수와 과자를 내

영어 사전을 찾아가며 우리와 대화를 하고 있는 루까와 여동생.

루까의 친구 스테파노(왼쪽)와 인근에서 가장 영어에 능통하다는 달리아.

주었다. 여길 어떻게 알고 왔냐고 묻기에 인터넷에서 웹사이트를 찾아봤다고 하니 루까가 깜짝 놀란다. 홈페이지 관리자인 루까가 그렇지 않아도 얼마 전에 한국 아이피로 접속한 기록이 있어 의아해했다는 것이다. 그 방문자가 실물로 나타났으니 얼마나 놀라운 일인가.

잠시 후, 드디어 아스티에서 영어를 제일 잘 할 것만 같은 친구 달리아Dalia Moretto가 친구들의 환호를 받으며 입장했다. 유창하게 영어를 구사할 줄 아는 친구가 오니 모두 득의양양한 표정이다.

나도 나이가 들었나 보다. 이 젊은이들의 모습이 너무 귀엽다.

달리아와 얘기를 나누기 시작하자 드디어 모호했던 이 민중의 집의 윤곽이 드러났다.

가장 궁금했던 건 이 젊은이들의 실체, 이들은 모두 '프로젝트 셰어우드Progetto Sherwood' 라는 단체의 회원이다. 이 조직은 우리로 치면 진보적인 지역 청년 단체로, 회원은 120명 정도인데 대체로 대학생이나 대학원생이라고 한다. '프로젝트 셰어우드' 는 '좌파A Sinistra' 라는 지역 단체와 함께 이 민중의 집을 운영하고 있다. '좌파' 의 회원은 약 100여 명.

회원이 그리 많지 않은 두 단체가 민중의 집을 유지하는 게 쉽지 않을 것 같다.

"원래 이곳은 레스토랑이었는데 3년 전에 두 단체가 인수해서 민중의 집을 열었다. 화장실, 지붕, 사무실 등을 개조하는데 1,000유로(약 150만 원) 정도가 들었다. 공사는 대부분 자원봉사로 이뤄졌다. 지금도 세미나실, 도서관 등 공간을 계속 정비하는 중이다. 건물 주인에게 한 달에 1,000유로씩 임대료를 내는데 아직까지 적자는 없다."

회원들이 매년 20유로(우리 돈 30,000원)씩 내는 회비와 레스토랑을 운영해서 번 수익으로 임대료를 충당한다니 빠듯할 것 같다. 주말에 식사와 술을 판매해서 수익을 남기는 게 가장 큰 일이니 이때는 회원이 모두 와서 자원봉사를 한단다. 모자란 비용은 가끔 복권 판매를 해서 보충한다. 무작정 기부를 받는 게 아니라 한두 명에게 경품을 몰아주고(?) 수입을 남기는 방식인데 한번 따라해 보고 싶다.

마포 민중의 집은 초기 비용을 마련하느라 노조의 후원을 많이 받았는데 여기도 그런지 물었다. 달리아는 웃으면서 "정당이나 노조의 후원은 전혀 없다"고 말했다. 마포 민중의 집은 노조나 단체에서 회비를 낸다고 하니 그렇게 된다면 훨씬 운영이 쉬울 것 같다고 한다.

우리가 가본 민중의 집과 달리 여기에는 정당이나 노조, 단체들의 사무실이 입주해 있지 않다. 하지만 지역 단체나 노조, 정당과 다양한 방식으로 관계를 맺고 있다.

"이 공간은 여러 단체가 함께 이용한다. PIAM이라는 단체는 주요 협력 조직인데 이주민을 위한 활동을 주로 하는 곳이다. 이 공간에서 이주민을 위한 언어교육도 하고 재원마련을 위한 전시회도 한다. 물론 노동자 조직에서도 온다. 몇몇 노조 조합원들과도 협력한다. 재건공산당, 이탈리아 노총 아스티 지부, 그 외 여러 사회운동 단체가 이곳에서 행사를 개최하기도 한다."

민중의 집 자체에서는 어떤 사업을 주로 하는지 물었다.

"학생들 문제, 노동자 문제를 비롯해 지역의 다양한 이슈에 대해 투쟁한다. 노동자와 그 가족이 저렴한 비용으로 지역 병원을 이용할 수 있게 도와주는 단체와도 연계하고 있다. 아스티는 예전부터 공업도시였고, 많은 사람이 산재를 당해 사망했다. 이 단체는 산재 노동자의 유가족을 지원해왔던 곳이다. 이 외에도 여러 무료 서비스를 제공한다. 예를 들어 연말에 세금정산 양식을 작성하는 것을 도와주기도 한다."

이 민중의 집의 모든 활동은 이렇게 지역 단체들과 연계 하에 진행된다.

"초반에는 이주민을 돕는 활동도 많이 했다. 법적 지원을 비롯해 여러 가지 프로그램을 운영했다. 아스티에 거주하는 이주민들은 주로 아프리카나 동유럽에서 오는 사람들인데 그들도 이곳에서 모임을 갖고 도움을 받는다. 지금 이곳 민중의 집에서 주방을 책임지는 사람도 세네갈에서 온 요리사다."

이탈리아 민중의 집은 예외 없이 이주민과 이주노동자를 위한 프로그램을 운영하고 있었는데 여기도 마찬가지였다.

알고 보니 루까와 스테파노는 재건공산당 당원이었다. 아스티에는 아직 좌파생태자유 지역 조직은 없고 좌파정당 중엔 재건공산당 당원이 가장 많다고 한다. 그러나 달리아는 민중의 집이 정당과 독립적인 관계임을 강조했다. 오히려 이들은 정당과는 다른 방식의 지역 정치를 펴는 것이 자신들의 목표라고 말한다.

"우리의 목표는 일차적으로 지역에서 어떤 일이 일어나고 있는지를 주민이들이 민중의 집을 통해 새로운 지역 정치의 방식을 모색하게 된 배경에는 좌파정당의 분열과 그에 대한 국민들의 실망이 있다.

들에게 알리는 것이다. 우리는 사람들이 도시에서 무슨 일이 일어나는지 알고 지역 정치에 참여하길 원한다. 우리의 주요 목적은 지역운동 단체들의 네트워크를 만들고, 그 속에서 각각의 조직들이 살아남게 하는 것이다. 정당이 추진하는 정치 프로젝트를 신뢰하지만 정당 정치만으로는 부족하다고 생각한다. 정당 정치와 지역운동 둘 다 필요하다. 정당만의 힘으로 지역을 바꾸는 것이 불가능하고 거꾸로 정당 없이 지역운동만 가지고 지역을 바꾸는 것도 불가능하다. 여기서 우리는 정당이 아닌 다른 정치 활동, 즉 지역 주민들이 직접 나서서 스스로를 조직하는 활동을 모색하려는 것이다."

이들이 민중의 집을 통해 새로운 지역 정치의 방식을 모색하게 된 배경에는 좌파정당의 분열과 그에 대한 국민들의 실망이 있다. 우파정당의 장기 집권이 지속되고 이에 대한 좌파정당의 대응이 무기력한 상황은 이탈리아 국민들에게 정치 자체에 대한 불신을 가져왔다는 것이다. 이 비슷한 얘기를 좌파생태자유에서 만난 베아트리체도 했었다. 결국 이들은 '정치란 무엇인가' 라는 질문에서 다시 시작하게 된 것이다.

이탈리아의 여러 민중의 집이 과거의 이름을 떼어 버리고 있는 요즘, 이 젊은이들이 '민중의 집' 이란 이름을 고집하는 것도 이런 이유에서다.

"70년대에는 민중의 집이 많았는데 지금은 거의 없다. 근처에 50년 된 민중의 집이 있는데 지금은 그냥 식당이다. 우리는 과거의 민중의 집을 복원하고 싶다. 우리는 새로운 지역 정치 활동으로 다시 시작하려고 한다. 사람들이 다시 정치 그 자체, 그리고 좌파정당을 신뢰하게 만들고 싶다. 그러기 위해 지역운동 네트워크를 하나의 도구로 활용하려는 것이다. 이탈리아 정치 상황이 이런 것을 요구한다고 생각한다."

지역 주민들이 일상생활에서 부딪히는 문제들을 스스로 해결해가는 운동. 이것이 지금 이 젊은이들이 되찾고자 하는 '정치' 다. 아래로부터 주민들이 참여하는 정치를 활성화함으로써 오늘날 좌파정당의 위기를 극복하는 것. 이들은 이 전략을 민중의 집의 '전통' 이라 부르고 있다.

"우리 도시에 붉은 지대를 만들기 위한 콘텐츠와 아이디어, 열망을 담는 공간"

아스티 민중의 집을 소개하는 이 문구가 지역과 사회운동, 정당 정치에 대해 얼마나 오랜 고민 끝에 탄생했을까. 이 젊은이들의 노력이 눈물겹다.

달리아와 이야기를 마치고 우리는 함께 민중의 집을 둘러봤다. 가운데 마당이 있고 ㄷ자 모양으로 된 건물 곳곳에 생각보다 숨겨진 공간들이 많다.

오른쪽 식당 아래에는 동굴 같은 공간의 작은 식당이 있다. 곧 정비를 해서 소규모 공연장으로 만들 예정이란다. ㄷ자 건물의 왼쪽에는 사무 공간이 있다.

건물 정면에는 작은 도서관이 있는데, 역시 책을 정리 중이다. 그 옆에는 밴드 연습실을 만들기 위한 공사가 한창이다. 컴퓨터가 있는 방은 디자인 연구소로 꾸밀 예정이란다. 가장 구석에는 소파 몇 개가 놓여 있는데 매일 여기 오는 스테파노가 애용한다고 한다.

아직 많은 공간이 정리되지 않은 상태였지만 모든 공간 하나하나가 이 젊은이들의 꿈을 담고 있다. 그 꿈이 실현되었을 때 꼭 다시 와보고 싶다고 응원의 말을 전했다.

마지막으로 잊고 있던 질문, 민중의 집 뒤에 붙어 있는 산타 리베라가 무슨 뜻인지.

"산타 리베라는 2차 세계대전 때 나치와 파시즘에 맞서 주민들이 스스로 조직해 모임을 가졌던 장소다. 아스티에 있는 작은 언덕의 옛 이름이다. 우리 지역의 저항의 역사를 기억하려고 이 이름을 붙였다."

시간을 기억하는 방식이 우리와 다르다는 걸 다시 한 번 느꼈다.

이곳에는 지금은 사라진 아스티 민중의 집에 관한 자료도 보관되어 있었다. 루까와 스테파노는 우리에게 60년 전에 만들어진 민중의 집 규정집을 복사해주기도 했다.

이제는 떠나야 할 시간. 기념으로 단체 사진을 찍은 후, 여러 번 손을 흔들며 산타 리베라 민중의 집을 나섰다.

이런 말은 좀 꼰대 같지만 이 젊은이들이 정말 기특하고 자랑스럽다.

처음 만났을 때 서로를 알고 싶어 했던 강렬한 열망은 몇 시간 뒤 강렬한 동질감으로 바뀌었다. 타인과의 강렬한 동질감은 인간이 가진 수많은 감정 중에서도 손꼽히게 아름다운 것.

▲공연장으로 꾸밀 예정이라는 지하 공간.
▶사무 공간. 체 게바라와 레닌 초상화가 걸려 있다.
▼밴드 연습실로 꾸미기 위한 공사가 진행 중이다.

가슴이 두 배는 넓어진 것만 같다.

오늘 우리는 유럽에 온 후 가장 인상적인 곳을 방문했다. 스페인 사회주의 마을 마리날레다, 이탈리아 몇몇 민중의 집도 분명 울림이 있었지만, 이곳은 이탈리아 민중의 집의 미래이자 나의 지역 정치 활동의 비전을 보여주는 것 같았기 때문이다.

100년을 이어온 이탈리아 민중의 집의 전통은 분명 흔들리고 있다. 우리가 만난 좌파정당들이 처한 위기도 여기에 한몫을 하고 있다. 그러나 여러 개의 좌파정당으로 분열되어 있다는 것 자체가 문제는 아니다. 이탈리아를 위기에 몰아넣고 있는 보수 정당에 맞설 대안 세력으로서 신뢰를 잃었다는 것이 민중의 집의 정치색을 옅게 만든 진짜 이유인 것 같다. 더 많은 젊은이가 민중의 집을 찾지 않고 과거 한 팔뚝질했을 것 같은 노인들만의 놀이터가 된 민중의 집도 있었다.

그러나 또 다른 민중의 집은 한 세기가 넘게 정치적 결사체이자 생활 공동체로서 민중의 집의 역사를 이어오고 있었다. 예전보다 더 다양한 사람들의 만남의 장소가 된 곳도 있다. 서로 다른 세대, 인종, 성별, 문화, 직업의 사람들이 마주치고 소통하는 공간은 공동체와 정치가 실종된 시대의 새로운 급진적 공간이다. 나아가 아스티에서 만난 젊은이들은 이 공간을 좌파정치의 또 다른 경로로 만들고자 한다. 정당 정치와 지역 주민의 삶 사이, 멀어진 간극을 이들은 지역운동 네트워크의 복원을 통해 메우려 하고 있다.

이러한 다양한 정치적 시도와 지역운동, 공동체를 아우를 수 있는 이름이 바로 이탈리아 민중의 집이다. 오랜 역사적 경험이 이렇게 언제든 다시 저항의 불씨를 지필 수 있게 해주니, 앞으로 한 세기 더 이탈리아 민중의 집은 부침을 거듭하면서도 새로운 모습으로 성장하게 될 것 같다.

2장 스웨덴

스웨덴 일정

9월 12일 (일) • 스위스 제네바 공항을 출발해 스웨덴 스톡홀름 도착. 유학생 이유진 씨 기숙사에서 숙박.

9월 13일 (월) • 휴식을 취하며 스웨덴 일정 조정.

9월 14일 (화) • 스톡홀름 인근 니나삼 민중의 집, 락스베드 민중의 집 방문.

9월 15일 (수) • 쉐데르턴 대학 최연혁 교수를 만나 스웨덴 정치상황에 대한 취재, 린케비 민중의 집 방문.

9월 16일 (목) • 민중의 집 연합회 방문 후 밤 10시 고속버스를 타고 예테보리로 출발.

9월 17일 (금) • 새벽 6시 예테보리 도착 후 도심 외곽 함마쿨렌 민중의 집, 예테보리 민중의 집 방문.

9월 18일 (토) • 예테보리에서 휴식.

9월 19일 (일) • 스웨덴 총선 개표일. 고속버스 편으로 말뫼로 이동.

9월 20일 (월) • 민중의 집 연합회 말뫼 지부와 민중의 집 연합회 자회사가 운영하는 극장 '스페겔(Spegeln)' 방문, 말뫼 외곽 소피엘룬드 민중의 집, 루센고드 민중의 집, 말뫼 민중공원 방문, 심야 기차로 말뫼에서 스톡홀름으로 이동.

9월 21일 (화) • 노동자교육협회(ABF) 방문.

9월 22일 (수) • 스톡홀름에서 휴식.

9월 23일 (목) • 스웨덴 스톡홀름 공항에서 서울 출발.

9월 24일 (금) • 서울 도착.

"민중의 집 없는 스웨덴은 없다"

스웨덴 민중의 집은 이탈리아, 스페인과 달리 규모가 상당히 크다는 것을 여러 자료를 통해 알고 있었다. 나는 그 이유가 스웨덴 사회민주노동당 Sveriges Socialdemokratiska Arbetareparti, SAP (이하 사민당)의 장기 집권 때문일 것이라고 막연하게 생각을 해왔다. 스웨덴의 여러 곳을 취재한 후 나는 민중의 집이 강력한 지역운동 연합체로서 스웨덴 사민당의 지지층을 넓히는데 핵심적인 역할을 한 것으로 결론을 내리게 됐다. 흔한 말로 아래로부터의 민주주의가 어떻게 꽃피워갔는지를 민중의 집을 통해서 확인할 수 있었다.

스웨덴의 경우 전국적으로 널리 퍼져 있는 민중의 집을 연결하는 민중의 집 · 민중공원 연합회Folkets Hus och Parker, FHP (이하 민중의 집 연합회)가 굳건

하게 자리 잡고 있다. 우리는 유럽으로 출발하기 전 서울에서 민중의 집 연합회 담당자에게 메일을 보냈다. 하지만 답장이 없었다. 스페인 민중의 집을 취재하는 동안 두 차례 더 이메일을 보냈고, 민중의 집 연합회 언론담당인 마티아스Mathias Bohman에게서 민중의 집 연합회 대표를 소개시켜 주겠다는 답장이 왔다.

그리고 이탈리아 취재를 거의 마칠 때 즈음 마티아스에게서 다시 메일을 받았는데, 9월 16일 민중의 집 연합회 대표와 인터뷰 약속을 잡았다는 내용이었다. 마티아스는 우리가 스웨덴에 체류하는 9월 12일에서 23일까지 스웨덴 민중의 집 몇 군데를 섭외하며 취재를 도와주겠다고 했다.

우리는 스웨덴 체류기간 동안 민중의 집 연합회의 도움으로 스톡홀름을 비롯한 몇몇 지역의 민중의 집, 스웨덴 노동조합총연맹Landsorganisationen I Sverige, LO, (이하 노총) 올로프 팔메 재단, 사민당을 방문할 계획을 세웠다. 스웨덴에 도착한 다음 날인 9월 13일 팔메 재단의 프로그램 매니저 프레드릭Fredrik Lindahl에게서 우리가 스웨덴에 머무는 동안 만날 수 있다는 답변이 왔다. 여기까지는 순조롭게 진행됐다. 하지만 결과적으로 사민당과 스웨덴 노총의 방문은 이뤄지지 못했다. 스웨덴 쇠데르텐 대학에서 정치학을 가르치는 최연혁 교수의 소개로 사민당 국제담당 비서들에게 연락을 취했지만 뜻을 이루지 못했다. 그 이유는 우리가 방문하는 기간이 마침 스웨덴 총선과 겹쳤기 때문이었다. 설상가상으로 올로프 팔메 재단 역시 급박하게 전개되는 총선 때문인지 낯선 방문객을 받을 여유가 없었다.

사민당을 중심으로 한 적녹연합 대 온건당을 중심으로 한 중도보수연합의 격돌이었던 스웨덴 총선은 결국 9월말 보수연합의 승리로 막을 내렸다. 우리는 스웨덴 총선의 영향으로 계획했던 취재를 하지는 못했지만, 대신에 바로 눈앞에서 스웨덴 총선의 모습을 볼 수 있었다. 우리와는 사뭇 다른 선거 문화를 접해볼 수 있었던 것은 물론 사민당 당수인 모나 살린과 온건당 당수이자 당시 수상이었던 라인하르트의 유세를 우연치 않게 직접 보고 들을 수 있는 행운도 가졌다.

따라서 스웨덴 민중의 집 소개와 함께 스웨덴 총선의 풍경도 언급할 예정이다. 또 예정에는 없었지만 스웨덴 민중교육의 산실인 노동자교육협회 Arbetarnas Bildningsforbund, ABF를 방문해서 인터뷰를 할 수 있었다. 노동자교육협회는 대부분의 민중의 집과 연계돼 있는 시민교육 단체이며, 사민당과 스웨덴 노총에 맞춤형 교육프로그램을 제공하는 교육 전문기관이다. 노동자교육협회와 정당, 노동조합, 여러 진보적인 단체들이 상층뿐 아니라 지역에서 서로 긴밀하게 연계하여 탄탄한 교육 사업을 진행하고 있다는 사실이 매우 흥미로웠다.

민중공원과 민중의 집 : 기원과 역사

한여름 밤 낭만적인 춤과 흥겨운 술자리 속 사색적인 대화들, 그리고 때로는 논쟁적인 정치 모임들. 민중의 집과 민중공원은 스웨덴 사람들의 기억 속에 너무 단단한 조각으로 남아 있어 서로 떨어질 수 없는 존재였다. 기록학자인 마가렛 스탈Margaret Stahl은 민중의 집 100년 역사를 다룬 책에서 민중의 집이 스웨덴 지역사회에서 어떻게 민주적인 공동체의 중심이 되었는지를 보여준다. 스웨덴 민중의 집은 노동자와 도시 서민들에게 평생교육, 문화, 오락, 여가 그리고 각종 모임을 위한 공간을 제공해왔다.

민중공원은 다른 나라와 다른 스웨덴만의 독특한 특성이라 할 수 있다. 민중공원은 민중의 집처럼 지역사회 공동체가 직접 만든 놀이공원이다. 지역별로 이런 공원을 만들어서 지역 주민이기도 한 노동자와 시민들은 자기 자신과 가족에게 쉼터를 제공했다. 우리로서는 잘 상상이 가지 않는 규모의 사업이다.

스웨덴 민중의 집은 19세기 말 스웨덴 노동운동 활동가들과 노조가 초기 노동자 조직화를 진행할 때, 노동자들이 방해받지 않고 일상적인 모임을 진행할 자신들만의 공간을 필요로 하게 되면서 시작됐다. 민중의 집이라는 아이디어는 남부에서 북부로 확산되어 갔는데, 스웨덴 남동부 지방의 크리스티안스타드Kristianstad에 1890년 최초의 민중의 집이 세워졌고 최초의 민중공원은 1893년 말뫼Malmö에 만들어졌다.

초기 대다수 민중의 집은 공업화된 지역에 세워졌으며, 이곳들은 노조 활동을 위한 공간의 필요성이 높았던 곳들이다. 당시 민중의 집은 도심 외곽에 위치한 경우가 많았는데, 이는 기업주나 지방정부가 민중의 집과 같은 저항적인 기관에 토지를 임대해주려 하지 않았기 때문이다. 외곽에 있던 민중의 집이 수도 스톡홀름에 입성한 것은 1901년. 스톡홀름 시내 중심부인 노라 반토리엣Norra Bantorget, 철도 광장에 문을 열었다. 이곳은 지금도 스웨덴 노총 본부가 있는 곳이다.

유럽의 다른 민중의 집과 마찬가지로 스웨덴 민중의 집 역시 100년의 역사 속에서 계승 발전됐고, 현재는 스웨덴 전역에서 500개가 넘는 민중의 집이 운영되고 있다. 김영삼 정부 시절 한국문화관광연구원이 발간한 한 보고서(10)에는 스웨덴 민중의 집에 대해 다음과 같이 언급되어 있다.

1902년 스톡홀름 민중의 집이 위치한 철도광장. 왼쪽 건물이 노총, 오른쪽 건물이 민중의 집.

> 복지의 천국으로 알려진 스웨덴에서 발견할 수 있는 것은 정부 차원의 문화센터로서 프랑스 퐁피두센터를 모방한 '문화의 집'이 있으며 이곳은 수도 스톡홀름의 시가지 한복판에서 대형 문화공간의 역할을 하고 있다. 이에 반하여 자발적이고 자치적인 차원에서 '민중의 집'이라는 전국에 수백 개의 거점을 갖고 있는 문화기관이 있다. 이곳은 노동계급의 성장 및 노동운동의 역사와 함께 해왔으며 아직도 이러한 전통 속에 있는 것으로 보인다. 즉, 사회의 진보를 위한 만남의 장소로서의 구실을 톡톡히 하고 있으며 다양하고 실험적인 차원의 문화 활동을 통해 사회의 의사소통 능력을 향상시키고 있다. …스웨덴의 문화 기관 중에서 지역 주민의 문화생활을 향상시키기 위한 역할을 수행하는 것은 스톡홀름의 '문화의 집'이 아니라, 오히려 '민중의 집'임을 알 수 있다. 그리고 이곳에서의 문화 활동은 문화 활동 그 자체보다는 인간과 사회에서 각 영역과 구성원 사이에 이해를 돕고 진보를 위한 활동의 차원에서 전개하고 있었다.

이 보고서는 또 한발 더 나아가 "스웨덴 민중의 집은 대부분의 스웨덴 사람들 가슴에 살아 있고 남아 있으며 민중의 집이 없이는 살아 있는 마을들도 고립되고 황폐해질 것"이라며 "한마디로 민중의 집이 없이 스웨덴은 존재할 수 없다"고 단언하고 있다.

애초 스웨덴 민중의 집의 출발은 유럽의 다른 나라와 크게 다르지 않다. 그러나 스웨덴 민중의 집의 독특한 특성을 유추해 볼 수 있는 논문이 있어 잠시 소개한다. 19세기 말 20세기 초 스웨덴 노동운동과 사민주의 정치운동에 대한 아주대 안재흥 교수의 한 논문[11]에 민중의 집이 언급되어 있다. 비록 전체 논문 중 극히 짧게 언급된 부분이긴 하지만, 오늘날 노동운동과 진보정당이 주목해야 할 내용이라고 생각되어 간략히 싣는다.

> 1889년 창당된 사민당은 1898년 스웨덴 노총이 창설되기까지 중앙부터 지역 조직까지 노동조합을 설립하고 운영하는데 깊숙이 개입해왔다. 그러던 중 1890년대 중반에 들어 노동조합운동이 성장하여 전국적으로 조직된 직능별, 산업별 연맹들이 주도권을 갖게 되고 재정적 역량도 강화되자 노조가 사민당에 종속되는 것을 반대하기 시작했다. 이에 노조 지도자들의 주도하에 노총에 가입한 단위 노동조합은 2년 안에 사민당에 의무적으로 가입해야 한다는 노총 강령이 삭제되었다. 이러한 흐름에 갈등하던 사민주의자들은 중앙에서는 노총의 조직적 · 기능적 독자성을 인정하되 하부 지역에서는 당과 노조의 연계를 더 강화하는 방안을 하나의 해법으로 제시했다. 그 결과 1900년 단위 노조의 사민당 집단가입 조항을 강령에서 삭제하는 대신 단위 노조가 사민당의 지역 조직인 노동자 코뮌을 통해 당에 가입하도록 권고해야 한다는 안이 노총에서 통과되었다. 이후 사민당은 기존의 당 지역 조직을 폐지하고 노동자 코뮌과 이에 집단적으로 가입한 단위 노동조합으로 조직을 구성한다는 회람을 산하 조직에 내려보냈다.

> 놀라운 사실은 지역 노동자 코뮌을 통해 아래로부터 노조와의 관계를 강화한다는 이 전략이 성공을 거두었다는 점이다. 사민당과 노총 지도자들 사이의 조직적 마찰이 본격화 된 1902년 이후 오히려 사민당에 가입한 단위 노동조합의 수는 상당히 증가했고, 1909년 총파업이 실패한 후 단위 노조의 3분의 1이 노총을 탈퇴한 반면 사민당에 가입한 노조 수는 감소하지 않았다고 한다. 이러한 당과 노조의 관계 강화는 노동운동의 변화에도 영향을 미쳐 지방에서는 사민당과 노동조합의 경계가 뚜렷하지 않게 되었고, 노동조합 조합원들은 노동자 코뮌의 조직적 활동에 깊이 관여하게 되었다. 노동자 코뮌은 정치 활동뿐 아니라 각종 문화 행사도 주도했는데, 민중의 집이 바로 이러한 흐름의 결과물 중 하나다. 지역 차원에서 당과 노조의 결속이 강화되는 가운데 노동자들이 문화생활을 하고 학습을 할 수 있는 민중의 집이 만들어졌고, 결국 민중의 집이 증가했다는 것은 아래로부터 노조운동과 사민주의 운동의 결합을 상징하는 것이다.

이 두 가지 이야기를 종합해 보면 이렇다. 스웨덴 민중의 집은 노동운동과 정당운동의 긴밀한 결합의 산물로 성장하며 각 조직의 발전사를 고스란히 담고 있는 공간이자, 지역사회 공동체를 기반으로 사람들 간에 소통과 이해를 도모하고 자신들만의 문화를 만들어온 거점이다. 실제로 우리가 스웨덴에서 방문한 민중의 집들은 이 두 가지 의의를 뚜렷하게 확인할 수 있는 곳들이었다.

노총과 사민당이 소유 · 운영하고 있는 대형 컨벤션센터도, 멀리 타국에서 온 이주민들이 원주민들과 '지역 주민'으로 만날 수 있는 자그마한 임대공간도 모두 민중의 집이라는 공동의 이름을 달고 있었다. 전자가 장기 집권해온 사민당과 노총이 오늘날 스웨덴 사회에서 차지하고 있는 위상을 보여준다면, 후자는 정치 · 경제 · 사회적으로 취약한 사람들이 일방적으로 도움을 받는 위치에서 벗어나 지역사회의 주체가 되어가는 과정을 보여주고 있다. 물론 이 사이 어딘가에 있거나 혹은 정부 주도하에 지어진 문화센터에 더 가까운 곳들도 있었다. 지역 특성이나 참여하는 단체에 따라 너무나 다양한 색깔을 띠고 있는 민중의 집들은 스웨덴 민중의 집 100년사를 하나의 단면으로 담아내고 있는 것 같았다. 그곳들을 하나하나 소개하기 전에 민중의 집 연합회와의 만남부터 얘기를 시작해 보려 한다.

민중의 집 총본산, 연합회를 가다

몇 차례의 메일이 오간 끝에 드디어 스웨덴 민중의 집 연합회를 방문하게 됐다. 민중의 집 연합회는 전국 533개 민중의 집과 125개 민중공원이 회원 조직으로 가입되어 있는 명실상부한 스웨덴 민중의 집의 총본산이다.

우리가 스웨덴에 도착한 날은 9월 12일 일요일이었다.

이탈리아 민중의 집 취재를 마치고 스위스 제네바 공항에서 비행기를 타고 북쪽 스웨덴으로 날아왔다. 날씨가 두 배는 추워진 것만 같았다.

숙소는 스웨덴의 한 대학원에서 문학을 전공하는 이유진 씨의 집. 일면식도 없는 가난한 방문자를 눈물겹게 반겨준 그는 우리가 스웨덴에 체류하는 기간 내내 많은 도움을 주었다. 스웨덴에 도착한 지 4일째 되는 날 스웨덴 민중의 집 연합회를 방문할 때도 이유진 씨는 통역을 자청해주었다.

스웨덴 민중의 집 연합회는 스톡홀름 시내에 있다. 우리는 언론담당인 마티아스와 사업개발 이사인 비욘Björn Gardarsson을 만났다.

비욘은 우리가 바로 전날 방문한 스톡홀름 외곽의 린케비 민중의 집 대표이기도 하다. 전날 린케비 민중의 집을 방문할 당시 작은 에피소드가 있었

민중의 집 연합회 건물 전경.

다. 린케비 민중의 집의 부대표가 우리에게 민중의 집 건물을 안내해주기 위해 잠시 사무실을 비운 사이에 누군가 침입해서 그의 노트북을 가져간 것. 부대표는 울기 일보직전이었고, 우리는 어떻게 위로의 말을 해야 할지 몰라서 전전긍긍했지만 결국 어색하게 작별인사를 하고 나오는 수밖에 없었다. 하필 우리가 방문했을 때 이런 일이 생기다니.

"어제의 사고 얘기는 들었다. 안타까운 일이다."

비욘은 조금은 웃음기가 있는 얼굴로 첫인사를 건넸다.

우리는 멋쩍은 미소로 답했다.

민중의 집 연합회는 역사의 숨결이 느껴지는 건물에 있었고 사무실 내부도 훌륭했다.

회의실에 들어가 인터뷰를 시작했다. 스웨덴어에 능통한 이유진 씨 덕에 부담 없이 질문을 할 수 있었다.

정책 생산에서 뮤지컬까지

"민중의 집은 말 그대로 민중을 위해, 민중에 의해 운영되는 공간이다. 처음 민중의 집은 19세기 가족도 친구도 없는 도시로 상경한 노동자들이 서로 의지하기 위해 상호부조조합을 결성하고 돈을 걷어서 모임을 운영하던 동네 사랑방에서 시작했다. 이들을 교회나 다른 도시 공간에서 받아주지 않았기 때문에 민중의 집 같은 독자적인 공간이 필요했다."

이야기는 스웨덴 민중의 집의 간략한 역사에서 시작했다. 노동자들이 스스로 그들만의 공간을 만들기 위해 민중의 집을 짓기 시작했다는 얘기는 이탈리아나 스페인과 크게 다르지 않다. 그러나 오늘날 민중의 집은 그야말로 각양각색이다.

"과거와 달리 현재의 민중의 집 역할은 많이 달라졌다. 20세기 초까지는 자체적으로 재원을 마련하여 운영했으나, 이후 국가의 지원을 받으며 대규모화되어 그냥 대관 사업을 하는 곳도 있지만 초창기 커뮤니티 센터로서 정신을 고수하는 데도 많다."

실제로 스톡홀름 시내에 있는 민중의 집은 국제회의장은 물론 호텔까지 갖추고 있어 전통적인 '민중의 집' 이라고 불릴 수 없을 정도로 거대하다. 반면 우리가 이후 방문한 작은 도시의 민중의 집은 여전히 초창기 민중의 집 형태로 운영되고 있었다. 한눈에 보기에도 지역별로 민중의 집의 규모나 운영방식은 매우 다른 것 같았다. 그렇다면 민중의 집 연합회는 서로 다른 민중의 집들을 어떻게 엮고 있을까.

연합조직의 필요성은 19세기 초 민중의 집이 전국적으로 확대되어 갈 때부터 대두되었던 것 같다. 각 지역별 연합에서 시작해서 1905년과 1932년 각각 민중공원 센터Folkparkernas Centralorganisation와 전국 민중의 집 조직Riksorganisationen för Folkets Hus이라는 전국적 연합 조직이 만들어졌다가 오늘날 민중의 집 연합회로 통합된 것이 2001년이라니 비교적 최근의 일이다. 이전의 두 조직 간에 어떤 차이가 있었는지는 자세히 듣지 못했지만, 현재 민중의 집 연합회는 모든 사람이 공동체에 대한 이해를 높일 수 있는 열린 공간이자 이주민·여성·실업자 등 소수자 집단이 지지를 받고 함께 일할 수 있는 장소, 각종 모임이 자유롭게 열리는 장소로서, 민중의 집을 통해 민주주의를 발전시킨다는 지향을 분명히 하고 있다. 여기 가입한 민중의 집과 민중공원이 이런 취지로 움직일 수 있게 연계하는 것이 민중의 집 연합회의 목표인 셈이다.

이런 목표를 달성하기 위한 연합회의 활동은 일일이 다 열거하기 힘들 정도로 다양하다. 큰 틀에서는 민중의 집 활동과 관련한 정책을 생산하고 민중의 집 운영에 대한 전반적인 컨설팅도 제공한다. 주로 문화·예술 콘텐츠를 공급하고 직접 생산하기도 하는데, 이 문화·예술 활동이 포괄하는 영역은 영화, 연극, 뮤지컬, 전시 등 매우 광범위하다. 그러나 이러한 프로그램이 연합회 사업의 전부는 아니라고 비욘은 강조했다.

여기서 잠시 민중의 집 연합회가 회원 조직들에게 제공하는 편의와 혜택

민중의 집 연합회에서 인터뷰를 진행하고 있다. 왼쪽부터 아내 김원정, 통역을 자청한 이유진, 비욘 이사, 마티아스.

을 자세히 소개할 필요가 있을 것 같다. 이름뿐인 중앙조직이 아니라 실제 각 지역 조직들의 발전을 위해 어떤 일을 벌이고 있는지 설명하면 우리의 경우와 분명히 대비될 수 있기 때문이다. 노조든 정당이든 사회운동 단체든 국내에도 연합 단체는 무수히 많다. 그러나 그 연합 단체의 중앙조직이 가입 조직을 위해서 무엇을 해주고 있느냐를 따지게 되면 흡족하지 못한 경우가 매우 많다.

민중의 집 연합회의 회원 단체에 대한 혜택

1) 특혜를 주는 협약 : 민중의 집 연합회는 각 회원 조직들에 유리한 방향으로 계약을 맺는다. 이 계약 덕분에 회원 조직들은 보험, 통신, 임금 지급 시스템, 회계 프로그램 등에 드는 비용을 줄일 수 있다.

2) 고용주 조직 : 민중의 집 연합회는 특별히 각 회원조직 고용주들의 조직을 운영하고 있으며, 이를 바탕으로 각 종사자들과 단체협약을 맺도록 하는 시스템을 갖추고 있다. 연합회는 고용주 조직에 협상과 노사 관계에 대해 지원한다.

3) 재정적 조언 : 경영 자문, 컨설팅, 그 외 다양한 재정 관련 프로그램에 참여할 수 있는 권리와 기회를 제공한다.

4) 영화 개발 : 회원조직들과의 협력과 토론을 통해 영화 상영을 위한 레퍼토리를 제공하고, 영화와 관련된 세미나나 교육과정을 제공한다. 또한 질 높은 영화를 개발하기 위해 관련 단체와 협력한다.

5) 디지털 하우스 : 영화 회사, 방송국, 오페라 하우스, 극장 등과 협상을 진행해 회원 조직들이 각 극장에서 오페라, 스포츠 경기, 콘서트 등을 상영할 수 있는 독점적인 권리를 제공한다. 연합회는 유럽에서 최초의 디지털 시네마 배급 구조를 만들어상영되는 오페라를 HD 화질로 각 조직 내 극장에서 실시간 상영하기도 했다.

6) 예술 : 회원 조직들은 예술 작품들에 대한 조언, 훈련, 재정적 지원을 받는다. 연합회가 가진 예술 작품 컬렉션에서 무료로 예술품을 지원받을 수도 있으며, 연합회 차원에서 매년 순회 전시회도 개최하고, 매년 봄에는 회원들을 위한 예술 컨퍼런스 Art Days를 개최한다.

7) 문화 프로그램 제공[12] : 회원 조직들에 아이들이나 가족이 볼 수 있는 양질의 쇼, 팝 · 락 콘서트, 그 외 뮤직 소프트웨어들을 합리적인 가격에 제공한다.

8) 조직가 훈련 프로그램 개발[13] : 연합 포럼이나 기타 다양한 아이템을 통해 회원 조직들의 상호 발전을 꾀할 수 있는 협력과 경험 교류의 장을 만들고 있다. 조직가를 위한 맞춤형 교육인 조직가 학교Arrangorshögskölan라는 정규 프로그램을 운영한다.

9) 컨퍼런스 개발 : 각종 회의나 컨퍼런스를 개최해 서로 교류하고 영감을 얻을 수 있는 자리를 만들고 있다.

10) 부동산 이슈 : 자산 및 경영 문제와 관련하여 새로 개정된 법에 대해 조언을 한다. 공사나 리모델링 등을 할 때 회원조직들은 많은 도움을 받을 수 있다. 그 외 부동산 이슈에 대한 다양한 협상 등을 지원한다.

11) 지역 조직: 사업 개발과 민중의 집에 초점을 둔 사업 개발가Business developer가 각 지역 조직에 배치되어 있다. 이들은 각 회원 조직과 중앙 조직을 연결한다.

12) 공공기관과의 관계 : 문화예술부, 영화 기관, 국회 문화 위원회 등에 정기적으로 청원하거나 압력을 행사하고, 회원조직 외 여러 지역 조직들과 협력하에 각 지방정부와 협력 관계를 구축한다.

13) 커뮤니케이션 : 각 회원 조직 아이디로 연합회 웹 페이지에 접속해 포스터, 사진, 광고 등 마케팅에 필요한 것, 그 외 각종 정보나 프로그램들을 다운 받을 수 있다.

14) 협력과 협동 : 연합회는 항상 다른 중앙 · 지역 조직과의 협력과 연대를 모색하고 있다. 이러한 활동의 목표는 네트워크를 강화하고 지역의 회원 조직들의 역량을 강화하기 위한 것이다. 대표적인 파트너는 ABF, 청년 문화의 날Ungkulturdagarna, 임차인 연합Hyresgästföreningen, SABO스웨덴 공공임대주택 기업 연합회(지자체 소유의 공공임대주택을 관리, 운영하는 300여 개 기업 조직의 연합조직) 국립극장, 청년 영화 네트워크Unga Teaternätet 등이다.

–스웨덴 민중의 집 연합회 홈페이지 (http://www.fhp.nu)

흥미로운 점은 이러한 활동을 하는 민중의 집 연합회가 연합조직으로서의 구조와 문화기획 사업체로서의 구조를 동시에 가진 조직이라는 점이다. 우리로선 잘 상상이 안 되는 이러한 조직의 성격은 회원 조직에 기반을 둔 민주적 운영의 원칙을 잃지 않으면서 또한 그들이 필요로 하는 혜택을 가장 실용적이고 전문적으로 제공하기에 적절한 것 같다. 조직운영 방식에 대한 이야기를 들어보면 더욱 와 닿는다.

민중의 집 연합회 운영 구조와 사업

민중의 집 연합회가 3년에 한 번 개최하는 총회는 연합회의 최고 의사결정기구이며, 각 회원 조직의 대표자들이 참석해 민중의 집의 비전을 결정하고 이사회를 구성한다. 마지막 총회는 지난 2009년 10월에 열었고, 2010~2012년 3개년간의 비전을 결정했다고 한다. 총회에서 선출한 이사회는 총회 사이에 열리는 의사결정기구로, 총회 때 결정한 계획을 운영하고 발전시키는 역할을 담당한다. 보통 각 지역 민중의 집을 대표하는 사람들로 이사회를 구성하며, 민중의 집 연합회 대표도 이 이사회에서 선출한다. 이사회에서 결정할 문제들을 준비하는 기구로는 집행위원회가 있으며, 의장 1인, 부의장 2인과 연합회 대표로 구성된다.

비욘은 연합회 총회와 이사회에 대해 자세한 말을 덧붙였다.

"지역 민중의 집과 민중공원은 민중의 집 연합회 총회에서 각 한 표씩을 행사한다. 각 조직의 규모에 따라 비율제로 회비를 내고 지역 민중의 집은 독자적인 재정으로 운영한다. 전국 12개 지역에 지역 지부(광역단위)가 있고 그 아래 각 동네별 조직이 분포되어 있다. 재정이 열악한 민중의 집은 중앙에서 지원금을 대서 이들의 네트워킹을 지원하기도 한다."

연합회에 내는 회비는 각 지역 민중의 집 규모에 따라 1년에 10,000 크로나(우리 돈 약 160만 원) 에서 100 크로나(우리 돈 약 16,000원)까지 다양하다고 한다. 워낙 민중의 집 마다 주요 재원도 다르고 재정 규모도 달라서 일률적인 회비를 책정하기 어렵기 때문이다.

민중의 집 연합회는 또한 회원조직에 대한 전문적인 지원을 위해 3개의 자회사를 운영하고 있다.

첫 번째 자회사는 미래의 모임 공간Framtidens Mötesplats으로 민중의 집 연합회가 운영하는 4개의 극장을 소유 · 관리하는 기업이다. 4개의 극장은 각각 말뫼, 예테보리, 스톡홀름, 헬싱보리에 1개씩 있는데, 이 회사는 이들 극장에서 양질의 영화를 상영할 수 있게 할뿐 아니라 민중의 집 전체에 보급할 수 있는 디지털 상영기술 개발, 지역 영화 제작자나 축제 기획자와 협력하여 각종 토론회나 세미나를 개최하는 사업도 진행한다.

두 번째 자회사는 놀이기구를 만드는 회사다. 이 회사는 스칸디나비아에서 가장 큰 놀이 공원과 동물원, 컨벤션센터, 식당 등을 소유한 회사로, 각종 놀이 기구나 회의장 가구 등을 만들어 민중의 집과 민중공원에 싼값에 공급하며 수출도 한다.

마지막은 민중공원 소프트웨어 회사Folkparkernas Programbolag인데, 문화 엔터테인먼트 상품 및 행사 관련 상품을 개발해 제공하는 역할을 담당한다. 각종 공연 및 행사 예매 지원, 화상회의, 각종 컨퍼런스 및 케이터링 지원 등이 이 자회사의 주요한 업무다.

이러한 사업들은 그야말로 '사업'이며, 연합회는 각 민중의 집과 민중공원이 필요로 하는 기본적인 자원을 맞춤형에 가깝게 제공하는 활동을 자회사라는 형식으로 특화시킨 셈이다.

정당, 노동조합과 관계 및 연대활동

이제 인터뷰가 막바지에 왔다. 이유진 씨가 통역을 하느라 너무 고생이다. 몇 가지만 더 추가로 질문하고 마치기로 했다.

스웨덴하면 사민당이 떠오른다. 오늘날 복지국가 스웨덴의 모델을 만든 사민당과 민중의 집 관계를 묻지 않을 수 없다.

"민중의 집에 공식적으로 정당은 개입되어 있지 않다. 그러나 역사적으로 민중의 집은 주로 사민당과 연계해왔으며, 주요 활동가들이 사민당 관계자거나 지지자들인 경우가 많다. 하지만 지역 발전을 위해 가능한 많은 열린 채널을 동원하는 것이 원칙이다. 정치노선이 다르다고 해서 민중의 집 본연의 목적인 '모든 사회적 약자를 위한 활동'에 이의를 제기할 사람은 없다. 당파성이 사업을 좌우하지 않는다. 문화 향유가 어려운 사람들이 문화를 향유하게 하는 것이 가장 중요하기 때문이다."

우리가 스웨덴에서 만난 대부분의 민중의 집 관계자는 사민당과 직·간접적인 관계를 가지고 있었다. 그러나 비욘의 말에서 알 수 있듯 민중의 집과 사민당은 어느 하나의 관계로 정의내리기 어려웠다. 스웨덴 민중의 집은 연 5천만 명이 이용하는 공간이다. 이는 스웨덴 인구의 5배가 넘는 수다. 각 동네에서 준 공공기관에 가까운 민중의 집을 보수정당이 외면할 수는 없는 노릇이다. 때문에 보수정당도 지속적으로 민중의 집과 유익한 관계를 맺기 위해 노력할 것이고 때로는 민중의 집의 주요 임원으로 등장하기도 할 것이다. 무엇보다 지역 주민 간에 소통과 공동체의 화합, 사회적 약자를 지원한다는 민중의 집의 정신은 민주주의의 가장 기본 원칙이기에 진보든 보수든 동의하지 않을 이유가 없다는 것이 비욘과 다른 활동가들의 설명이다.

그렇다면 스웨덴 노총과의 관계는 어떨까. 과거 스웨덴 민중의 집과 스웨덴 노동운동은 동전의 양면과도 같은 관계를 가지며 서로의 성장을 도모했던 관계였다.

"노총은 가끔 중앙 차원에서 민중의 집 연합회를 지원한다. 유사한 목적을 가진 곳이니만큼 관계를 회복하고자 노력 중이지만 초기와 달리 노조와 민중의 집 간에 관계는 옅어지고 있다. 여러 가지 이유가 있겠지만 스웨덴 노동자들의 생활수준이 향상되고 노조가 노동운동의 이념과 운동적 지향보다는 조합원을 위한 경제투쟁 쪽으로 기울면서 그렇게 된 것 같다."

규모와 체계를 갖추고 그만큼 사회적 영향력도 갖게 된 노동조합에게 민중의 집은 이전만큼 중요한 공간은 아닌 듯했다. 항상 그 시대 약자들의 편에서 그들의 역량 강화에 힘써온 민중의 집은 100년의 시간 동안 노동조합을 이만큼 성장시켰지만, 그들이 오늘 이 시대의 사회적 약자들을 돌아보고 연대하는 기운은 예전보다 못한 모양이다.

이탈리아와 마찬가지로 스웨덴 민중의 집 역시 이주민 관련 사업이 많이 진행되는 것으로 보였다. 혹시 연합회에서 이주노동자 관련 사업을 의식적으로 주요 사업으로 배치하고 있는 것은 아닌지 궁금했다.

"민중의 집 연합회 차원의 가이드라인이 있는 것은 아니다. 이주민이 많은 지역에서는 그들이 가장 사회적 약자이기 때문에 자연스럽게 그들을 대상으로 한 사업이 활발한 것이다. 린케비 민중의 집의 경우 노동자교육협회와 함께 이민자를 위한 언어 강좌, 요리 강좌 등을 하면서 이들이 소외되지 않고 민주시민으로 살 수 있게끔 시민교육을 진행하고 있다.

특히 이주민이 많은 신도시에 있는 민중의 집은 따로 지역의 특수한 문제에 대해 토론하는 모임을 운영하기도 한다. 민중의 집 연합회 차원에서는 각 민중의 집의 영화 상영시설을 연계해서 디지털 영화를 동시 상영하는 시스템을 갖추고 있는데, 여기서 이란, 터키 등 이민자들이 자기 나라 영화를 볼 수 있도록 하는 프로그램을 제공하기도 한다. 이런 식으로 자연스럽게 현재 스웨덴 사회에서 가장 약자라고 볼 수 있는 이주민들과 연대하고 사업을 펼 스웨덴 민중의 집 연합회는 칠레와 우루과이뿐 아니라, 필리핀 민중의 집 운동을 지원한 적이 있다. 또한 보스니아에 민중의 집 건설을 지원하는 국제연대 활동을 했다.

친다."

스웨덴 민중의 집 연합회가 1980년대 독재에 신음하고 있는 칠레와 우루과이의 민주화를 촉진시키기 위해서 민중의 집 설립을 지원했다는 것을 유럽으로 출발하기 전에 자료를 통해 알고 있었다. 30년이 지난 지금 스웨덴 민중의 집 연합회는 여전히 활발한 국제 협력과 지원 활동을 진행하고 있었다.

"스웨덴 민중의 집 연합회는 칠레와 우루과이뿐 아니라, 필리핀 민중의 집 운동을 지원한 적이 있다. 또한 보스니아에 민중의 집 건설을 지원하는 국제연대 활동을 했다. 북유럽 지역 민중의 집 간에 협력을 모색하고 있다. 핀란드와 노르웨이 민중의 집을 초청하는 행사도 했었다. 그곳 민중의 집이 여기보다 100배 더 크다."

우리가 생각지도 못했던 전 세계 여러 나라에 민중의 집이 존재했고 지금도 존재하고 있다니 놀랍다.

비욘은 개인적으로 터키 민중의 집 운동에 관심이 많다고 했다. 비욘이 마포 민중의 집 소개를 부탁해서 잠시 설명하자, 그는 터키가 마포 민중의 집과 유사한 것 같다며 반색을 했다. 그곳은 전통적인 민중의 집의 모습을 갖추고 있으며 노동자 교육 또한 활발하게 진행된다고 덧붙였다.

100년 동안의 진화와 새로운 길

"스웨덴 민중들에게 오늘날 민중의 집이란 무엇인가."

드디어 우리가 준비한 마지막 질문이다.

"시대에 걸맞게 발전하기 위해 자기 역할을 찾아야 한다고 생각한다. 설립 초기의 목표를 유지하되 시대에 맞는 해석을 하는 것이 중요하다. 민중의 집의 정신은 사회의 모든 구성원이 차별받지 않고 문화를 향유할 수 있게 하는 연대의 정신이다. 오늘날 이 사회에서 가장 소외된 것은 어떤 집단이며 기본권을 못 누리는 곳은 어디인지를 계속 파악하고 그들이 기본적인 삶을 영위할 수 있도록 하고 평등과 연대를 실현할 수 있어야 한다. 예를 들어 린케비의 경우 실업자가 50퍼센트 정도다. 이 사람들의 문제를 고민해가면서 실업 극복을 위한 프로그램을 모색해야 한다."

가장 최근에 개최된 2009년 연합회 총회에서 결정된 3개년 비전을 보면, 이러한 정신을 이어가면서도 새로운 활동의 기반을 모색하려는 시도들이 눈에 띈다. 디지털 기술 기반을 구축하여 연합회의 각종 장치와 활동들이 지역 · 광역 · 중앙 조직의 플랫폼이 되도록 하는 것, 많은 사람의 흥미를 끌 수 있도록 민중의 집 디자인과 시설 등 환경을 개선하는 것, 가난한 사람들이나 취약계층 등 새로운 집단의 접근성을 확대하는 것, 지역에 기반을 둔 대중운동이 성장할 수 있도록 지원하고 각각의 조직 수준에서 시민운동 단체, 비영리 조직들과 협력 수준을 강화하는 것 등이 그 내용이다.

스웨덴 민중의 집은 100년간 천천히 진화해왔다.

동네에서 모인 노동자들이 벽돌을 쌓아 자신들의 집을 짓듯 민중의 집을 건설하는 일부터 시작했다. 그리고 지역과 지역이 네트워크를 통해서 서로를 격려했다. 결국 전국의 민중의 집을 잇는 연합회가 만들어지고, 이곳은 칠레, 우루과이, 보스니아, 필리핀 등에 민중의 집 건설을 지원하며 국제연대를 보여줬다.

100년의 시간 동안 스웨덴 민중의 집은 여러 가지 부침을 겪었을 것이다. 우리는 스웨덴 민중의 집이 퇴보하고 있다는 어떤 증거도 발견하지 못했다. 그들은 여전히 진화 중에 있었다. 우리가 떠나기 전 한국에서 우연히 만난 한 스웨덴 청년에게서 젊은 사람들은 민중의 집을 그다지 활발하게 이용하지 않는다는 얘기를 들은 적이 있었는데, 이런 문제를 민중의 집 또한 인식하고 있었다.

연합회는 2009년부터 젊은이들의 참여를 제고하기 위한 특별 프로젝트를 진행 중에 있다. 민중의 집이 새로운 세대와 소통해야 한다는 위기의식의 발로이기도 하지만, 거꾸로 현실에 안주하지 않고 지속적으로 변화발전하려는 그들의 의지를 엿볼 수 있는 대목이기도 하다. 이 프로젝트가 얼마나 성공을 거둘지는 알 수 없다. 그러나 민중의 집이 이어오고 있는 참여와 소통,

연대의 정신은 분명 새로운 세대, 또 다른 소외계층에 문을 열고 그들에 의해 변화되는 것도 기꺼이 수용할 수 있을 것 같다.

스톡홀름 인근 : 다채롭게, 젊게, 새롭게

9월 중순의 스웨덴 날씨는 매우 쌀쌀하다.

유럽에 가져온 대부분의 여름옷은 이미 잃어버렸고, 이제 그나마 스페인, 이탈리아에서 입고 있었던 두 벌의 여름옷도 쓸모가 없어져 버렸다. 스웨덴에서 대학원을 다니는 이유진 씨가 우리를 위해 유학생들이 귀국을 하며 남겨 놓고 간 두꺼운 겨울옷을 준비해줬다. 이제 아내와 나는 솜이 들어간 겨울옷을 입고 움직였다. 유럽에 45일 있을 뿐인데 여름옷에서 겨울옷으로 갑자기 넘어가버리니 몇 달간 있었다는 착각까지 든다.

찬 공기와 예고 없이 내리고 그치기를 반복하는 비를 맞으며, 우리는 스톡홀름 인근의 민중의 집을 찾아가는 것으로 첫 일정을 시작했다. 인터넷에서 몇 개의 민중의 집을 검색해 보고, 그곳이 어떤 동네인지, 어디에 가면 색다른(?) 민중의 집을 만나볼 수 있을지 이유진 씨의 조언을 듣고 행선지를 정했다.

니나삼 : 복합 문화예술 공간

9월 14일. 스웨덴에서 우리가 처음 간 곳은 니나삼 민중의 집Folkets Hus Nynäshamn.

스톡홀름 도심에서 남쪽으로 50킬로미터 떨어진 곳이다. 시내에서 전철을 타고 가다가 도심과 외곽을 잇는 통근열차를 타고 1시간 반 정도를 더 갔다. 우리로 치자면 전철을 타고, 국철로 갈아타서 외곽으로 가는 식이었다. 스웨덴의 이국적인 풍경을 신기하게 쳐다보다가도 피곤을 이기지 못해서 얼핏 잠이 들었다 깼다를 반복했다. 언제 내려야 할지 모르는 불안감이 깊은 수면을 방해했다. 이럴 때 느낌은 대단히 좋다. 자고 싶은데 잘 수 없는 상황, 그러다 결국은 깜빡 잠이 들었다가 화들짝 놀라서 깨는 느낌.

니나삼은 바다와 여러 섬들로 둘러 쌓여 있는 인구 2만 5천 명의 작은 동네다.

열차에서 내리자마자 보이는 민중의 집 안내판은 스웨덴에서 민중의 집이 차지하는 위상을 상징적으로 보여준다.

스웨덴은 우리나라의 기초자치 단체에 해당하는 지방정부를 코뮌이라고 한다. 민중의 집은 바로 그 코뮌 광장이 있는 곳에 있었다. 동네의 중심인 셈이다.

코뮌 광장으로 들어가는 길가에는 스웨덴 각 정당의 선거 부스가 차려져 있었다. 우리를 신기한 듯 쳐다보는 정당 관계자들을 지나서 광장으로 걸어가자 민중의 집이 한눈에 들어왔다.

2층 건물로 된 민중의 집은 동네에 비해서 규모가 제법 커 보였다. 이곳은 우리가 사전에 약속을 잡지 않고 간 곳이다. 스웨덴은 이전에 방문했던 스페인이나 이탈리아와는 달리 영어가 잘 통하는 곳이라서 약간의 자신감도 있었다.

1층에 들어서자 투표소부터 보인다. 선거 당일 투표만 하는 우리와 달리 스웨덴은 투표기간이 20여 일이나 된다. 투표율이 높은 이유는 역시 따로 있었다. 우리로 치면 서울역에 해당하는 그 지역 역사는 물론 공공도서관 등에도 예외 없이 투표소가 마련되어 있었고 민중의 집도 그중 하나다.

방금 전 열차에서 내린 후 거리 안내판에 민중의 집이 적혀 있던 것을 가지고 "아, 이게 바로 스웨덴 민중의 집의 위상이구나"라고 감탄했었는데 투표소를 보자 그 감탄의 농도가 더욱 짙어졌다. 나중에 알고 보니 우리가 방문한 모든 스웨덴 민중의 집이 선거 시기에는 투표소로 이용되고 있었다.

문득 2008년 마포에서 민중의 집을 열고 1년 뒤에 공무원이 찾아왔던 장면이 떠올랐다. 그 공무원은 우리의 정체를 모르고, 2010년 지방선거에서 민중의 집을 투표소로 쓸 수 있겠냐고 물었다. 투표소로 사용하면 장소비 명목으로 30만 원을 준다는 말도 덧붙였다. 우리는 흔쾌히 좋다고 했다. 당시는 교회를 투표소로 이용하지 말라는 지침이 나와서 새로운 공간을 찾고 있는 중이었다. 그래서 민중의 집을 눈여겨 봐둔 동사무소 담당자가 찾아온 것. 물론 그 이후에는 연락이 없었다. 아마 우리의 정체를 알았기 때문일 것이다. 초창기 마포 민중의 집의 웃지 못할 에피소드였다.

우리는 니나삼 민중의 집 1층 카운터에서 전화를 걸었다. 올라오라고 한다. 범상치 않은 모습을 한 한 남성이 2층에서 우리를 맞이했다. 그는 이곳 민중의 집 대표인 도날드Donald Högberg.

도날드 대표는 놀랍게도 전직 영화배우 출신이다. 그는 사무실에서 자신이 출연한 영화 프로필 등이 있는 홈페이지를 우리에게 자랑스럽게 보여줬다. 그는 무려 20년이 넘게 각종 영화와 드라마, 뮤지컬 등에 출연했던 '프로배우'다. 스웨덴의 유명한 소설가 스티그 라르손의 '밀레니엄 3부작' 중 두 번째 작품인 <불을 가지고 노는 소녀The Girl Who Played with Fire>가 2009년 영화화됐을 때도 출연했다고 한다. 그 작품은 바로 이곳 민중의 집 극장에서도 상영됐다. 도날드 대표는 배우를 하면서 호텔 경영 일을 했었고, 그 경력으로 민중의 집에서 일종의 전문 경영인으로 일하게 됐다. 문화적인 감성과 경영 능력을 모두 갖춘 인재를 민중의 집이 영입한 케이스라고 할 수 있다.

도날드는 영어를 자유롭게 구사할 줄 알았기 때문에 통역 없이 우리를 대

▲니나삼역 앞 이정표에 표시된 민중의 집(Folkets hus), 그리고 각 정당에서 마련한 선거 홍보 부스.

▼민중의 집에는 예외없이 투표소가 설치되어 있다.
▶▼니나삼 미니중의 집 전경, 민중의 집에 설치된 니나삼 지방정부 홍보관을 설명하는 도날도 대표.

동하고 민중의 집 구석구석을 안내해줬다.

먼저 민중의 집 입구에는 니나삼 코뮌의 정책 홍보관이 비치되어 있었다. 새로 짓는 항구에 관한 것이라고 하는데, 니나삼 민중의 집은 이렇게 코뮌에 홍보 공간을 대여하고 비용을 받는다고 한다.

"1960~70년대까지는 사민당이 많은 재정적 지원을 하며 주도적으로 운영을 했던 정치적인 공간이었다. 그러나 90년 이후에는 임대료나 공연 수익금, 지방정부 지원금 등으로 펀딩을 해서 운영하고 있다."

규모가 꽤 커서 일하는 사람도 많이 필요한 것처럼 보였다.

"이곳에서 일하는 사람은 모두 6명이다. 회원은 4천 명 정도며 회비는 처음 가입할 때만 100크로나(우리 돈 16,000원)를 받는다."

이곳 인구가 2만 5천 명인데 회원이 4천 명이란다. 그렇다면 도시 인구의 20퍼센트가 민중의 집 회원이라는 얘기다.

1층에는 대규모 도서관이 마련되어 있다.

시설과 규모 모든 면이 완벽하다고 할만 했다. 성인뿐 아니라 아이들이 와서 책을 읽을 수 있도록 설계되어 있었다.

2층에는 레스토랑과 연회장이 나란히 있었다. 이곳에서는 주로 파티가 열리는데 300명 정도 수용 가능하고 안에는 작은 미팅룸도 2개 더 있다. 레스토랑은 지역에서 요리를 배우는 기술학교 학생들과 교사들이 직접 음식을 만들고 운영한다. 국내에 있는 하자센터* 와 비슷한 프로그램

하자센터

1999년 연세대학교가 서울시에 위탁받아 운영하는 서울시립청소년 직업교육센터. 청소년들을 위한 창의적인 직업 체험 프로젝트를 추진하고 있다.

이 있는 것 같다.

레스토랑의 반대편에는 각종 단체의 사무실이 있었다.

교직원 노동조합과 스웨덴 노총의 지역 사무실, 사민당 지역 사무실 등이 있었다. 이탈리아와 마찬가지로 이곳 스웨덴 민중의 집 역시 지역 노동조합과 정당의 사무실이 민중의 집에 함께 입주해 있었다.

우리의 경우 지역에서 진보정당과 민주노총 지역 조직이 일상적으로 만날 수 없는데, 스웨덴은 일상적으로 진보진영 단체가 한 공간에서 교류할 수 있는 원초적인 조건을 갖추고 있었다. 매번 느끼는 것이지만, 우리도 지역에서 이런 수준의 통합적인 공간 전략은 있어야 하는 게 아닐까. 그 옛날 스웨덴에서 노동조합의 지역 조직과 정당의 지역 조직이 통합의 결단을 내렸던 것처럼 획기적인 기획과 결단이 필요해 보인다.

이곳 민중의 집 복도 역시 이탈리아 민중의 집과 닮아 있었다. 길게 뻗은 복도는 일종의 전시공간으로 활용되고 있었다. 우리가 방문한 다음 주에는 베트남 호치민에서 온 사진들이 전시될 예정이라고 한다.

니나삼 민중의 집에는 600명을 수용할 수 있는 대형 극장도 있다. 도시에서 열리는 오페라 공연을 실시간으로 볼 수 있는 프로그램도 마련되어 있고, 동네의 각종 대규모 회의도 이곳에서 개최한다.

지하로 내려가 보니 한쪽에는 체육관이 있고 나머지 공간에는 여러 단체의 사무실이 입주해 있었다. 이곳은 지역에서 창업을 준비하는 주민들이 비교적 저렴한 임대료를 내고 사무실로 사용하고 있다고 한다.

▲1층의 넓은 도서관.
▼지하의 각종 단체 사무실과 600명 규모의 극장.

그중에서 눈에 띄는 것은 중고 아기용품 판매점. 스웨덴은 유럽에서 물가가 비싼 나라에 속한다. 시중의 아기 용품이 워낙 비싸기 때문에 이 가게는 특히 주민들에게 인기가 많다고 한다. 그 외에도 노총의 회의실이 있었고, 배우들의 대기실과 학생들이 사용하는 미팅 룸이 있었다. 체육관에는 이곳 사람들이 즐겨하는 스포츠인 볼Boule이라는 공굴리기 게임 경기장이 마련되어 있었다.

너무 깨끗해서 들어가기 미안했던 주방, 공사 중이었던 2층 연회장, 모든 게 부러움 속에 질투를 불러일으켰다. 또한 도날드 대표가 그렇게 자랑하는 고급스러운 화장실까지.

"화장실도 깨끗해야 한다. 그래야 주민들이 오려고 한다. 우린 청결을 가장 중요시 한다. 최근 화장실과 레스토랑을 개보수하는데 큰 비용이 들었다."

그는 그렇게 화장실 자랑을 했다. 나 역시 이번 유럽 탐방 중에서 처음으로 화장실을 자랑하는 대표를 본 것. 어쩌면 그가 맞을 수도 있겠다. 화장실조차 이렇게 관리를 하는데 다른 곳은 오죽 하겠는가.

사소한 차이가 격을 나뉘게 하는 법. 화장실에 놓인 꽃과 화장대가 이곳의 격을 한층 높여주었다. 문득 연애할 때가 떠오른다. 진솔한 대화를 위해서건 무엇을 위해서건 일단 술을 많이 마시며 얘기하는 것을 제일의 원칙으로 삼았던 때가 있었다. 사전 답사를 통해 술집을 알아볼 때 가장 중요시 여기는 것 중에 하나는 술집의 분위기와 더불어 쾌적한 화장실이다. 화장실이 깨끗해야 상대방이 좋아한다고 믿었기 때문이다. 니나삼 민중의 집의 정돈된 화장실을 보며 그 시절의 추억 한 가닥이 두둥실 떠올랐다.

이곳 민중의 집은 1900년대 초에 만들어졌으니, 벌써 100년이 넘은 곳이다. 세월의 깊이로 볼 때는 아주 오래된 니나삼 민중의 집이지만 전체적으로 세련된 분위기를 연출하고 있었다.

아무리 복지국가인 스웨덴이라고는 하지만 인구가 많지 않은 동네에서 이 정도 수준의 문화예술 공간을 찾아보기란 쉽지 않을 것이다. 이것은 하나의 유혹일 수도 있다. 쾌적하고 세련된 공간 배치와 프로그램 운영, 게다가 문화예술 전문가를 대표로 초빙했다. 니나삼 민중의 집은 일상에서 벗어나고 싶은 혹은 반대로 일상을 향유하고 싶은 지역 주민들의 욕구를 충족시키고 있었다.

▲레스트랑 주방과 지하의 중고 아기용품 가게.
▼공사 중인 2층 연회장과 대표가 자랑하는 깨끗하고 세련된 화장실.

락스베드 : 2007, 새로운 민중의 집

락스베드Rägsveds 는 전통적으로 노동자계급이 밀집한 스톡홀름 남부 외곽의 작은 동네다. 현재 인구는 1만 명 안팎. 1950년대 중반 이후 밀집된 도시 인구를 수용하기 위해 계획적으로 만들어진 주거 지역으로 당시에는 스톡홀름 도심에서 이주해온 노동자들은 주로 고임금 노동자들이었다고 한다.

하지만 이러한 인구 구성은 1990년대 초반 보스니아에서 많은 사람이 이주해오면서부터 바뀌기 시작했다. 현재 락스베드는 다양한 국가에서 이주해온 이주민들이 다수를 차지하는 지역 중에 하나다.

우리가 락스베드 민중의 집을 방문하려는 이유는 바로 여기에 있었다. 이탈리아에서도 그랬던 것처럼 현재 스웨덴 민중의 집은 이주노동자에 대한 사업을 활발하게 진행하고 있었다. 스웨덴 민중의 집은 새로운 시대에 지역에서 반드시 필요한 사업의 대상으로, 스웨덴 사회에서 상대적 약자인 이주노동자와 그의 가족을 상정해 놓고 있었다. 락스베드는 특히 이주민이 많은 지역이기 때문에 이곳 민중의 집에서 과연 어떠한 프로그램을 통해서 기존 지역 주민과 이주민들을 상호 융화시키는지 보고 싶었다.

지하철역에서 나오자마자 큰 상가 건물이 있었고, 그 한쪽에 민중의 집 표지판이 보였다. 이 건물은 지역을 새롭게 개발할 당시 세워진 말발굽 모양의 센터로 락스베드에서는 일종의 랜드마크 역할을 하고 있다.

이곳은 사전에 연락 없이 방문했다.

민중의 집 안으로 들어가 보니 중년의 남성이 공연장처럼 생긴 곳을 수리하고 있었다. 사람들이 놀란 눈으로 우리를 보았고, 이 중년 남성도 예외는 아니었다.

의사소통이 쉽지만은 않았지만 그럭저럭 서로 얘기를 주고받을 수 있을 정도는 됐다.

락스베드 민중의 집 대표는 지역 사민당의 대표이기도 하다. 우리가 방문했을 당시는 총선기간이라 외부활동이 많다고 했다. 우리를 안내해준 중년 남성은 크리스토퍼Cristoper Bocâneală. 그는 락스베드 민중의 집에서 8년 동안 일했고, 이곳은 크리스토퍼 외에 2명이 더 일을 하고 있다.

크리스토퍼는 식품제조공장에서 관리자로 근무하다가 공장이 이전하면서 민중의 집에서 일을 하게 됐다고 한다. 얘기를 하고 있는 도중에 크리스토퍼의 아내가 민중의 집에 놀러왔다. 우리는 반갑게 인사를 나눴다. 그의 아내는 동유럽 출신의 여성이고 전직 간호사다.

그녀가 커피와 과자를 내주었다.

“여기 민중의 집 앞에는 ‘새로운’이 붙어 있다. 새로운 민중의 집이라고 명명하는 이유는 2007년에 다시 만들어졌기 때문이다. 1965년에 처음 세워졌을 당시에는 이 지역에서 유행했던 젊은이들의 펑크 운동 공간이었다. 그러다가 1981년에 락스베드 민중의 집 협회가 만들어졌고, 2007년 새롭게 민중의 집을 세웠다.”

크리스토퍼는 자신이 방금 수리하고 있었던 공연장에서 에바 그론Ebba Grön이라는 아티스트가 공연을 했었다고 자랑스럽게 말했다. 크리스토퍼가 자랑하는 에바 그론은 락스베드 출신 젊은이들이 1977년에 결성한 스웨덴의 유명 록밴드다. 락스베드는 1970년대 경제위기에 따른 실업, 범죄, 마약 남용 등의 문제를 겪고 있었고, 이러한 상황에서 젊은 펑크 록밴드들이 대거 등장했다고 한다. 1970년대 후반 스웨덴 펑크 운동은 오아시스라는 클럽을 거점으로 형성됐는데, 락스베드 민중의 집이 바로 과거 오아시스 클럽의 자리라고 한다. 1970년대 말 지방정부는 오아시스 클럽을 폐쇄했고 많은 젊은이가 이에 대항하여 싸웠다고 한다.

저항의 공간이라는 상징성을 가진 이곳 민중의 집. 30년 전 펑크를 통해 탈출구를 찾았던 젊은 사람들은 이제 오십 줄을 바라보고 있을 것이다. 그들은 또 이 지역에서 어떻게 살아가고 있고, 어떤 것에 열광하고 있을까.

"현재 이곳 공연장에서는 공연, 컨퍼런스, 파티가 열리고 주말에는 결혼식도 한다. 락스베드 홀이라는 이 공연장은 200명 정도 수용 가능하고, 지역 단체에는 시간당 400크로나(우리 돈으로 약 64,000원), 그 외 단체에는 시간당 850크로나(약 140,000원)에 대여한다."

다른 민중의 집 공연장에 비해서 넓지는 않았지만 충분히 매력적인 시설인 것만은 분명해 보였다. 그보다 작은 행사장에는 피아노와 큰 거울이 있어 주로 음악이나 춤 관련 모임이 열린다고 한다. 그 외 10명 정도 회의를 할 수 있는 크고 작은 방들이 몇 개 더 있었다.

락스베드 민중의 집은 스웨덴 노총, 사민당과 좌파당, 노동자교육협회 지역 조직, 스포츠 · 레크리에이션 관련 조직의 지부, 그리고 소말리아 여성모임, 아프리카 이민자 네트워크와 같은 이주민 단체 등 약 25개의 지역 조직이 참여하고 있다.

이곳은 상가 건물 한쪽을 단층으로 빌려 쓰고 있었고, 우리가 갔던 민중의 집 중에서 가장 작은 규모였다. 하지만 그 안에도 미니 도서관이 있었고, 도서관 한쪽에는 중고 옷과 생활소품, 장난감들이 진열되어 있었다. 일종의 지역 벼룩시장의 모습이다. 중고장터와 벼룩시장은 일상적으로 운영되는 프로그램이며, 요즘 국내에서도 유행하듯 지역 주민들이 쓰지 않는 물품을 기부 받아 판매한다. 이렇게 마련된 기금은 집이 없는 아프리카, 아시아 아이들에게 보내고 있다.

아이들의 장난감이 진열된 것도 보인다. 마포 민중의 집에서도 아이들 장난감 장터를 시도해 보려고 구상했던 적이 있었다. 아이들의 장난감은 가격이 만만치 않다. 게다가 아이들은 그 만만치 않은 가격의 장난감에 금방 싫증을 낸다. 부모가 당해낼 재주가 없을 것이다.

아이들 책도 마찬가지다. 그걸 서로 물물 교환하는 기획을 했었지만 끈질기게 밀어붙이질 못했다. 무엇보다 인력이 부족했고, 이 사업이 가지는 의미가 충분히 공감되지 못했던 탓으로 회상된다. 하나의 사업이 회원들과 어떤 공감대 속에서 일어나고, 그것이 마포 민중의 집이 추구하는 지향과 어떻게 연결되고 어떤 발전을 이룰 수 있는지, 당시에는 고민이 부족했다.

어쨌든 이곳 민중의 집에서는 아주 적은 규모지만 아이들 장난감 물물교환이 이뤄지고 있었다.

한쪽에 컴퓨터들이 놓여 있다. 이곳에서는 실업자들을 위한 컴퓨터 강좌가 열리고 있다. 또 다른 한쪽에는 아프리카 이민자들을 위한 방이 따로 있다. 아프리카 이민자들만이 이용할 수 있는 그들만의 공간이다. 이런 배려는 좋다.

락스베드 민중의 집에 오는 아프리카인들의 국적은 우간다, 말리, 콩고 등 다양하다. 그들은 바로 이 방에 모여서 텔레비전도 보고 컴퓨터 작업도 하고 게임도 즐긴다.

"락스베드는 흑인과 터키 출신 이민자가 많이 사는 지역이다. 민중의 집에는 이민자들이 많이 온다. 그런데 여성은 자주 오지 않고 남성들이 많이 온다. 아마 종교적인 이유 때문인 것 같다."

외출이 자유롭지 못한 무슬림 여성들의 얘기인 것 같다.

어쨌든 아프리카에서 온 이민자들이 많이 오는 건 분명해 보인다. 우리가 얘기를 나누는 도중에도 이민자로 보이는 사람들이 커피를 마시려고 오는 것이 심심치 않게 보였다.

아프리카 이민자의 방에는 아프리카 관련 뉴스들이 스크랩되어 있었던 게 인상적이다.

▲락스베드 내부 모습. 미니 도서관과 소규모 벼룩 시장.
▼저항의 공간이라는 상징성을 가진 이곳 락스베드 민중의 집은 노동자 계급이 밀집한 지역에 위치해 있으며, 이주 노동자가 많아 이주 노동자 관련 사업이 활발하다. 사진은 아프리카 이민자의 방 내부 모습과 그곳을 찾은 이민자의 모습.

▲노동자교육협회 ABF 교육 안내문.
▲▶락스베드 민중의 집에서는 지역 사회 공동체의 여러 행사나 사업에 주도적으로 참여한다. 2011년 크리스마스이브에 열린 락스베드의 날 행사. 470여 명이 참석했다고 한다.
▼그밖에 락스베드 민중의 집 내부 모습

우리는 여기서 처음으로 노동자교육협회의 안내지를 보았다. 이곳 민중의 집에서 열리는 언어 강좌, 영화 모임, 피아노 교실, 수학교실, 기공 체조와 요가, 컴퓨터 교실 등이 바로 노동자교육협회가 주관하는 교육프로그램이었다.

"락스베드 민중의 집은 여러 지역 단체들이 함께 운영하고 있다. 민중의 집은 지역 단체에 장소를 대여하는 것 이상으로 지역사회 공동체의 여러 행사나 사업에 주도적으로 참여하고 있다. 가장 큰 행사는 크리스마스 때 열리는 '락스베드의 날'과 'UN의 날 기념행사'다."

UN의 날 기념행사는 매년 UN 창립일인 10월 24일에 열리는 연례행사다. 2010년 주제는 숲이라고 한다. 숲 보존과 지역 개발 관련 현안을 이슈화하는 것이 목적이다. 2009년의 주제는 장애였다고 한다. 이 행사는 매해 인권 관련 특정 이슈를 부각시키면서 전반적인 지역사회의 안전과 외국인 혐오, 인종차별주의에 반대하는 행동을 기획한다. 영화 상영, 전시, 강연 등 다양한 행사를 개최하고 각 정당 초청 토론회도 개최한다.

지역운동을 해 본 사람이라면 이 같은 기획이 쉽지 않다는 걸 알 수 있다.

단순히 우리가 잘 어울리고 좋은 관계를 가지며 재밌게 사는 것을 넘어서, 진보의 의제 그것도 전 지구적인 의제를 얘기하면서 동시에 그 주제에 해당하는 지역정책을 함께 제시할 수 있다는 것. 게다가 문화적 감성이 접목된 영화 상영과 전시 등이 동시에 이뤄질 수 있다는 것은 정말 쉽지 않다.

락스베드 민중의 집은 스웨덴 노총, 사민당과 좌파당, 노동자교육협회 지역 조직, 스포츠 · 레크리에이션 관련 조직의 지부, 그리고 소말리아 여성모임, 아프리카 이민자 네트워크와 같은 이주민 단체 등 약 25개의 지역 조직이 참여하고 있다. 여기에는 락스베드뿐 아니라 인근 지역의 단체들까지도 포함되어 있다고 한다. 이들 조직은 250크로나(약 40,000원)를 납부하면 락스베드 민중의 집 총회에서 주주로서의 권리를 행사할 수 있다고 한다.

크리스토퍼와 그의 아내는 우리의 갑작스러운 방문에도 불구하고 끝까지 락스베드 민중의 집에 대해서 성의를 다해 설명했다. 우리는 락스베드 민중의 집이 이주민이 많이 찾는 민중의 집이란 걸 눈으로 확인할 수 있었다. 또한 아프리카 방을 보며 공간이 가지는 중요성을 다시 한 번 깨닫게 됐다. 아예 방 하나를 그렇게 명명하기가 어디 쉬웠겠는가. 이는 그들을 사업의 대상으로 보는 것이 아니라 그들 스스로 지역사회의 주체로 설 수 있게 돕는다는 관점에 가깝다. 이주민들은 그들만의 모임을 이곳 민중의 집에서 가질 수 있고 또한 민중의 집에서 기획하는 행사에 참여함으로써 지역 현안을 해결해가는 과정에 주민으로서 자연스럽게 통합될 것이다. 언제든 자신들만의 자율적인 모임을 하면서 동시에 그곳을 이용하는 다른 주민들과 일상적으로 마주치고 대화하게 되는 곳, 이것이 민중의 집이 구현하고 있는 하나의 공간 전략인 셈이다.

크리스토퍼와 그의 아내는 다정하게 손을 잡고 우리를 배웅했다. 스웨덴의 작은 도시에 온기가 넘치는 밤이 깊어갔다.

린케비 : 이주민의 집

린케비Rinkeby는 스톡홀름 북서쪽의 작은 동네로 순비베리Sundbyberg라는 코뮌에 위치하고 있다. 역시 1만 5천 명 정도가 거주하는 크지 않은 동네다. 이곳은 1960~70년대 도시 지역 주택 부족 문제 해소를 위해 추진된 백만 호 프로그램Miljonprogrammet에 따라 개발된 주거 지역 중 하나인데, 현재는 락스베드와 마찬가지로 이주민 비율이 대단히 높은 지역이다. 린케비 사람들 중 90퍼센트는 이주 배경을 가진 사람들이며 동네 중심부 광장에서는 120개 언어가 사용된다고 하니 놀라울 따름이다.

역시나 전철역에서 내렸을 때부터 완전 다른 나라에 온 것 같은 느낌이다. 우리에게는 어차피 스웨덴도 타국이지만 린케비는 그와 또 다른 이국적인 풍경이었다. 마을 전체가 마치 액자소설처럼 느껴졌다.

지하철역에 내리면 바로 광장이 나오고 주위에 여러 상점과 노점이 있다. 린케비 민중의 집은 바로 그 틈에 있었다. 그 주변은 임대 아파트들이 빽빽하게 둘러싸고 있었다.

민중의 집 입구부터 2층에 올라가는 벽면 전체에 76개 언어로 "권력을 가진 이들에게 무엇을 요구하고 싶은가"라는 말이 스티커로 붙어 있었다.

2층 사무실에 들어가 업무에 열중인 부대표 쉘Kjell Hedqvist에게 인사를 하고 민중의 집 소개를 부탁했다. 그는 흔쾌히 우리를 안내해줬다.

그럼 먼저 린케비 민중의 집 2층부터 살펴보자.

2층에는 50명 정도가 수용 가능한 교육장 하나와 20~50명 정도 수용 가능한 회의실이 다섯 개 정도 있었는데, 크기에 따라 시간당 200~300크로나(약 32,000~48,000원)에 대여한다. 민중의 집 회원 단체는 더 적은 비용으로 대여가 가능하다.

아래층으로 내려가는 곳곳에 자동문, 리프트, 화장실 등 장애인을 위한 편의시설도 잘 갖추어져 있다.

1층에는 노동자교육협회 사무실이 있었고 시민학교Medbogarskolan라는 유사한 시민교육기관 사무실도 있었다. 그 외 린케비 민중의 집 협회 소속 단체들의 회의실, 아이들의 공부방 등이 정연하게 들어서 있다. 뮤지션들과 영화 제작자들을 위한 스튜디오도 다른 곳에 비해 잘 갖춰져 있었다.

지하에는 200명 정도 수용 가능한 큰 홀이 있다. 콘서트, 댄스 공연, 전시, 영화 상영회 등이 열리는 곳인데, 지역의 인종적 다양성을 반영하듯 금요일에는 무슬림 예배가, 일요일에는 기독교 예배가 열린다고 한다. 린케비 민중의 집이 이주민들을 위해 민감할 수 있는 종교적 문제까지도 포괄하고 있다는 게 인상적이었다. 큰 홀은 또한 토요일에는 결혼식, 파티장소로 대여하며, 시간당 450크로나(약 72,000원), 회원 조직에는 315크로나(약 50,000원)를 지불하면 누구든 이용가능하다.

쉘 부대표는 지하의 이 공간이 린케비 지역의 역사에서 굉장히 의미 있는 곳이라고 설명했다.

린케비 거리 풍경과 민중의 집 모습. 린케비 사람들 중 90퍼센트 가량이 이주 배경을 가진 사람들이다. 때문에 이곳에서는 120개 언어가 사용된다.

1991년 스톡홀름에서 1명이 숨지고 10명이 총상을 입은 사건이 일어났는데, 당시 희생자들은 모두 유색인종이어서 스웨덴 사회를 충격에 빠뜨렸다.(12) 이 인종혐오 범죄로 당시 이민청 장관이던 빌기트 프리게보Birgit Friggebo는 1992년 2월 5일 이주민 밀집 지역인 린케비를 방문해 바로 이 강당에서 "인종차별을 함께 극복하자"며 "We shall overcome"을 함께 부르자고 했다. 하지만 분노에 찬 이민자들을 비롯한 주민들은 야유를 보냈다고 한다. 안전을 위협받는 사람들을 위한 대책을 내 놓는 것이 아니라 "함께 극복하자"는 노래로 이들의 공포를 달래려 했으니 기가 막힐 노릇이었을 것이다.

이 얘기에서 중요한 지점은 이 사건 자체가 아니라 그걸 기억하는 이곳 사람들의 태도다. 누구 하나 세심하게 의미를 부여하지 않으면 스쳐지나가는, 하나의 비극적 사건으로 기록될 것을 기억하고 복원하는 태도. 이 사건을 인종차별의 상징적 사건으로 상정하고 그 기억을 다른 세대로 전파하려는 노력으로 읽혔다.

린케비 민중의 집은 스웨덴의 다른 민중의 집처럼 강하게 연결된 지역 단체들의 네트워크로 구성되어 있다.

"린케비 민중의 집은 1986년에 만들어졌는데, 이 건물은 코뮌에서 지은 것이다. 린케비 민중의 집 협회는 현재 170여 개의 비영리 단체들로 이루어졌다. 참여하는 비영리 조직들은 30퍼센트 할인된 가격으로 장소를 대여할 수 있다. 1년에 한 번씩 총회를 열어 이사회를 구성하고 각 조직들이 사전에 이사를 추천하여 선거를 통해 선출하고 대표도 뽑는다."

스웨덴 민중의 집은 통상 이런 식으로 구성되어 있다.

지역 단체들이 있고, 그 지역 단체들은 해당 지역 민중의 집의 회원 단체로 가입해 있다. 가입된 지역 단체들로 구성된 총회에서 이사를 추천해 민중의 집 이사회를 구성한다. 민중의 집 이사회에서는 선거를 통해 대표를 선출하고, 선출된 민중의 집 대표는 전국 민중의 집 연합회에 참석해서 권리를 행사한다.

현재 린케비 민중의 집 대표는 비욘이다. 비욘은 민중의 집 연합회 이사를 겸임하고 있다.

"개인 회원의 경우 회비는 가입할 때 100크로나(약 16,000원)를 낸다. 단 한 번만 내면 되는데, 그런데 10년 전에 가입한 사람들도 있어서 현재 연간 회비로 바꾸는 것을 검토 중이다. 재원을 마련하기 위해 사업지원 담당자도 따로 두고 있다. 사실 민중의 집 운영에서 재정적 어려움이 가장 큰 문제다."

세계 어느 나라 지역운동 단체를 가더라도 '재정 문제'는 공통적으로 머리를 아프게 하는 것 같다.

린케비는 사민당의 지지가 굉장히 높은 지역이라서 민중의 집 역시 사민당과 밀착된 관계가 있을 것으로 예상했지만 실상은 그렇지 않았다.

"보수 · 진보 등 모든 정당으로부터 지원을 받아야 하기 때문에 정당과 독립적인 관계를 유지한다. 현재 이곳 이사장은 공화당 소속이다. 대체로 다른 민중의 집은 사민당과 가깝지만 여기는 조금 특별한 경우로, 사민당뿐 아니라 다양한 정당들도 참여하고 있다."

그러면서 그가 타블로이드판으로 된 신문을 보여주었다. 신문 1면에는 이번 총선의 사민당 정책이 대문짝만 하게 실려 있다.

"일상적인 민중의 집 사업 중 하나가 뉴스레터 발간이다. 이 신문은 지역 청소년들이 기자 교육을 받고 스스로 만든 신문이다. 각 호당 20명의 청소년이 참여해서 두 번째 신문까지 만들었다."

쉘 부대표는 "향후에 민중의 집은 젊은이들에게 호응을 얻을 수 있는 인터넷 카페나 멀티미디어 워크숍, 초보자를 위한 IT 교육 코스 등을 중점적으로 진행할 예정"이라고 덧붙였다.

청소년들이 만드는 신문은 어딘지 신선해 보인다. 우리도 충분히 따라해 볼 수 있을 것 같다고 생각하던 찰라 대형 사고가 터졌다.

민중의 집에 마련된 투표소에서 이주노동자들이 투표를 하고 있다.

우리와 얘기를 나누는 와중에 부대표가 자신의 노트북이 없어진 것을 발견했다. 방금 전 우리에게 민중의 집 공간을 소개시켜주기 위해 잠시 사무실을 비운 사이에 노트북을 도난당한 것이다. 그는 곧바로 혼수상태에 빠진 사람처럼 넋을 잃었다. 쉘 부대표는 더 이상 인터뷰를 진행하기 어렵겠다며 우리에게 연신 죄송하다는 말을 했다. 아쉽지만 이쯤에서 그쳐야 했다. 미안함 반, 아쉬움 반, 씁쓸하게 민중의 집을 나섰다.

도심 광장을 지나는데 여기도 다른 곳과 마찬가지로 선거 부스가 즐비하게 늘어서 있다. 린케비 주민의 대다수인 이주민들도 2년 이상 거주하면 투표가 가능하다고 한다. 그러나 보수당은 거의 지지표가 안 나오는 곳이기에 보수연합 쪽 당에서는 아예 부스를 차리지도 않았다. 사민당 부스에는 다양한 언어로 된 정책 자료들이 있어 우리도 여기서 영어로 된 공약집을 얻을 수 있었다. 이민자들에게 선거권을 주는 것으로 모든 인종차별 문제를 해소할 수 있는 건 아니지만, 정치적 권리를 행사할 수 있게 만드는 것이 아주 중요한 문제일 수 있기에, 우리의 경우는 어떠한지 뒤돌아보게 됐다.

스웨덴 총선 한가운데에서

우리는 스웨덴 총선을 현장에서 목격했다.

우리가 스웨덴에 체류했던 2주일은 총선의 정점이었고 결국 개표결과까지 보게 되는 행운(?)을 누렸다. 특히 각 당의 주요 정치 지도자를 눈앞에서 목격하며 연설을 듣기도 했다. 물론 무슨 말인지 알아들을 수는 없었지만 그들의 목소리 톤과 여유로운 몸짓 등은 충분히 기억에 남았다.

비록 지난 얘기지만 스웨덴 총선의 풍경을 소개하는 것도 분명히 의미가 있을 것 같다. 그들이 어떻게 선거를 치르고 어떻게 정치연합을 하고 어떤 성적표를 받았는지. 그럼 잠시 민중의 집을 찾아가는 길에서 벗어나 스웨덴 총선의 방으로 들어가 보자.

차분한 선거운동, 어디에나 있는 투표소

시간을 잡아당겨 스웨덴에 도착했던 9월 12일로 가보자.

스웨덴 스톡홀름 공항에 고맙게도 이유진 씨가 마중을 나왔다. 앞서 말했지만 이유진 씨는 스웨덴에서 문학을 공부하고 있는 유학생. 스웨덴 어에 능통한 그가 있어서 한층 마음이 놓였다. 우리는 스웨덴 체류기간 중 적지 않은 기간을 그의 기숙사에서 보낼 예정이다.

그의 안내에 따라 공항에서 버스를 타고 스톡홀름 시내로 들어갔다. 중간에 버스에서 내려 지하철로 갈아탔는데 지하철 내부는 물론 지하철 역사 안에는 선거 광고가 곳곳에 붙어 있었다.

사민당 대표인 모나 살린이 여성 복서들과 함께 촬영한 사진은 독특한 느낌을 주었고, 적녹연합을 구성하는 사민당, 좌파당, 녹색당의 대표들이 마치 무협 영화의 포스터처럼 비장미 넘치는 포즈를 한 사진 역시 인상적이었다. 인물들의 배경은 녹색교통의 상징이자 적녹연합의 핵심 공약 중 하나인 도시철도를 의미하는 것이라고 한다.

지하철에서 내려 역사 밖으로 올라가는 엘리베이터 양 옆 벽면에도 선거 포스터가 도배를 하다시피 붙어 있었다. 심지어는 버스의 외부에도 선거 관련 문구와 포스터가 부착되어 있었다. 물론 스톡홀름만 그런 건 아니다. 우리가 다녔던 스웨덴 곳곳에서 이런 풍경은 흔하게 보였다. 버스 정류장에도, 길거리에도 우리 같으면 상업 광고가 붙어 있을 자리에 어김없이 각 정당의

▲도심 이곳저곳에 붙어 있는 선거 관련 포스터.
▼적녹연합을 상징하는 사민당, 좌파당, 녹색당 대표의 선거 포스터.

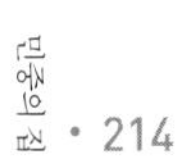

홍보 포스터가 붙어 있었다.

선거를 여러 번 치러본 입장에서 가장 먼저 든 생각은 '이 광고비를 어떻게 다 감당하나' 였다. 천문학적인 비용이 소요되었을 것이다. 그런데 만약 이 비용이 선거공영제 원칙에 따라 국고에서 지원된다면 문제는 단순해진다. 후보자와 그들의 정책 공약이 많이 노출될수록 투표에 대한 관심도 올라가기 마련이다. 물론 정당의 마케팅을 둘러싼 경쟁도 만만치 않겠지만 우리 같은 이방인도 총선 분위기에 푹 젖을 정도면 이건 축제나 다름없다.

스웨덴 총선 풍경에서 또 하나 빼놓을 수 없는 것은 바로 선거 부스. 거리 곳곳에 각 정당들의 부스가 설치되어 있고, 당원들은 그곳에서 지나가는 시민들을 대상으로 자신들의 정책을 알린다. 아무리 작은 지역에 가더라도 이 같은 풍경은 동일했다. 가끔 연설이 진행되기도 하고 사람들이 모여 운동원들과 이야기를 나누거나 정책 자료를 읽을 때 커피를 주는 곳도 있었다. 금품살포(?)는 여기서 그치지 않는다. 좀 규모가 큰 부스에는 사과, 사탕, 과자 등 간식거리도 비치되어 있고 각 정당의 마크나 핵심 슬로건이 새겨진 볼펜, 버튼, 티셔츠, 기념품들도 누구나 가져갈 수 있다. 이런 부스형 선거운동은 적극적인 유권자들을 설득하여 지지자로 만들고, 그 지지자들을 선거운동에 동참시키기 위한 방식인 것 같다. 선거에 크게 관심 없는 유권자라면 이미 여러 광고나 매체를 통해 얻은 정보에 만족하겠지만, 능동적인 유권자들은 그 정당을 더 깊이 알기 위해 일부러 부스를 방문할 것이기 때문이다. 유권자를 어떻게 능동적인 유권자로 만들 것인가에 대한 차이일 수도 있다. 우

거리 곳곳에 설치된 선거운동 부스. 이런 부스형 선거운동은 적극적으로 유권자를 설득하고 지지자로 만들어 선거운동에 동참시킨다.

리가 기념품이라 생각하고 한줌씩 집어 왔던 것도, 이걸 가져가는 스웨덴 사람들은 누군가에게 나눠주며 지지를 호소할 것이 아닌가.

그런 면에서 아직도 돈 봉투로 표를 사는 우리의 정치 현실은 얼마나 경직되어 있고 저열한지, 주로 불특정 다수를 대상으로 하는 우리의 선거운동은 얼마나 비효율적인지 생각해 보게 된다. 선거 때마다 동네 소음 유발원이 되는 유세 차량이 대표적이다. 외국인들이 가장 이해할 수 없어 하는 우리나라의 선거 풍경이 이 유세차란 얘기를 들은 적이 있다. 물론 나라마다 그 나라의 정치 문화 속에서 선거운동의 방식도 형성되어 온 것이기에 평가는 상대적일 수밖에 없다. 그렇지만 정책과 공약이 중심이 되는 선거운동의 방식이 무엇일지 진보정당이라면 이제 근본적인 전환을 고민해야 하지 않을까 싶다.

한 가지 더 낯설었던 풍경은 앞서 잠시 언급했던 것처럼 투표기간이 매우 길다는 것이다. 투표율이 높은 것과 투표기간이 길다는 것은 서로 떨어질 수 없는 상관관계를 가진다. 앞서 말했듯 스웨덴은 우리처럼 하루에 투표를 몰아서 하는 것이 아니라 약 20여 일 동안 투표를 한다. 투표소 역시 주민들의 접근성을 고려해 곳곳에 마련되어 있다. 대형 도서관, 지역의 가장 큰 기차역과 터미널, 그리고 민중의 집에도 투표소가 마련되어 있고, 이곳에는 어김없이 우리로 치자면 선거관리위원회가 파견되어 있다. 더 재미있는 것은 투표용지가 투표소가 아닌 여러 곳에서 마구 배포되고 있다는 것이다. 선거 부스에 들어가면 각 정당 정책 자료와 함께 투표용지가 널려 있고 그것을 가져다 투표할 수도 있단다. 비례대표 후보들의 리스트를 확인할 수 있는 용지도 있는데, 정당 투표로 당락이 결정되지만 그들 중에 자신이 지지하는 사람들을 체크해서 투표함으로써 각 정당이 후보자에 대한 지지도를 확인할 수 있는 좋은 정보를 얻게 된다.

우리는 밤에는 이유진 씨의 기숙사에서 텔레비전 토론을 보며 그들의 논쟁에 귀를 기울였다. 이유진 씨는 논쟁 하나하나를 우리에게 친절하게 설명해줬다.

우리로 치자면 서울역에 해당하는 스톡홀름 중앙역에서 사민당의 모나 살린 대표를 비롯해 좌파연합을 지원하기 위해서 함께 움직이는 스웨덴 노총의 주요 지도부들을 직접 보기도 했다.

스웨덴의 남쪽 도시들을 방문할 때는 현 수상인 라인하르트를 비롯해 우파연합에 속한 각 정당 대표들도 직접 목격했다. 핸드 마이크를 사용하지 않고 마치 가수처럼 뺨에 살짝 달라붙은 마이크를 사용하는 모습도 꽤 재미있었다. 마이크에서 해방된 손을 자유자제로 움직이며 청중을 설득하는 그들의 모습이 인상적이었다. 뭔가 세련된 느낌을 주면서도 젊은 감성에 어필하기 위한 정치권의 노력으로도 보였다.

여성 정치인, 모나 살린에 반하다

모나 살린.

스웨덴에서 체류하는 기간 내내 이 여성 정치인의 매력에 흠뻑 빠졌다.

모나 살린은 2007년 3월 스웨덴 사민당 118년 역사상 첫 여성 당수로 선출되어 세계의 주목을 받는 인물이었다. 좌파정당인 사민당은 세계 정당 역사상 유례를 찾기 힘들 정도로 선거를 통해 장기집권을 했던 곳이었지만 여성 당수는 모나 살린이 처음이었다.

직전 선거에서 정권을 우파에게 넘겨준 절체절명의 상황에서 사민당이 택한 인물은 바로 모나 살린이었다. 모나 살린은 고등학생 때 이미 사민당 당원으로 가입해 청년 분과위원회에서부터 활동을 시작했다. 고등학교 졸업 후에는 주방보조, 단순 사무직 등 소위 '밑바닥' 생활을 거쳐 1982년 최연소 국회의원으로 정치를 시작했다. 이후 노동부, 평등부, 지속가능발전부 장관 등 주요 요직을 거치며 승승장구했다.

모나 살린은 장관 재직 시절 '인간이 소외되지 않은 노동'이라는 화두를 가지고 점진적으로 우측으로 흘러가는 사민당의 정책을 견제하기도 했다. 그래서 그는 정통 사민주의자라는 말을 들었다고 한다.

그 정통 사민주의자 모나 살린은 1995년 정치인생 최대의 위기를 맞게 된다.

1995년 가을 38살의 모나 살린은 능력과 매력적인 면에서 스웨덴 정치인

중 최고의 주가를 달리고 있었다. 당시 스웨덴 부총리였던 모나 살린이 스웨덴 최초의 여성 총리이자 사민당 최초의 여성 당수가 된다는 것에 이견을 다는 사람은 없었다고 한다. 그런데 사민당 대표 선거를 앞둔 어느 날, 한 언론이 모나 살린이 노동부 장관으로 재직하던 1990~91년 사이 공직자용 정부 신용카드를 여러 차례 사적인 용도로 사용했다는 사실을 폭로했다. 모나 살린은 그 당시 실수로 지출된 것임을 확인하고 월급에서 제하는 방식으로 환불조치했다고 해명했지만, 나라 돈과 개인 돈을 구별 못하는 정치인이라는 비난 여론을 막지 못했다.

이후 공식 조사에서 고의성이 없다는 게 확인되어 15,000크로나(우리 돈 약 240만 원)을 환급하는 것으로 사건은 마무리되었고, 당시 카드 구매 내역에 토블레로네라는 상표의 초콜릿 두 개가 포함되어 있다 하여 일명 "토블레로네 사건Toblerone Affair"이라고 불렸다. 이 스캔들로, 결국 전도유망한 스웨덴의 여성 부총리는 공직에서 물러나게 됐다.

그리고 10년이 좀 지난 2007년, 그녀는 정권을 잃은 사민당의 구원투수로 부활했다.

모나 살린은 요란 페숀 전 수상이 이끌었던 사민당이 정통 사민주의에서 벗어나 국제 경쟁력을 명분으로 신자유주의를 일부 수용한 것, 전통적인 지지 기반인 노동계를 등한시하고 기업의 이익이 우선되는 정책을 펼친 것을 강력히 비판했다. 그녀는 "지금은 어느 때보다 강력한 노동운동이 필요하다"고 역설했다.

좌파연합 vs 우파연합

이번 선거는 모나 살린의 사민당, 녹색당, 좌파당이 연합한 적녹연합과 현 스웨덴 총리인 라인하르트가 이끄는 온건당 등 4개의 우파정당(중도당, 자유당, 기독민주당)이 힘을 모은 우파연합과의 치열한 격돌이었다.

스웨덴에서는 국가기관인 통계청에서 정당지지도를 공식적으로 조사한다.

우리의 경우 주로 언론사에서 여론조사기관에 의뢰해 정당지지도 조사를 하는 것에 비해, 스웨덴은 통계청에서 1972년부터 매년 5월과 11월에 유권자를 대상으로 전화조사를 실시해 발표하고 있다. 정부에서 하는 조사인 만큼 표본샘플이 9천여 명에 이른다. 스웨덴 인구가 9백만 명이니 우리와 비교해 본다면 상당한 신뢰도를 갖춘 조사다.

그런데 비단 샘플 수에서만 신뢰도를 갖춘 것이 아니다.

"오늘 선거가 있다면 어느 정당에 투표하시겠습니까?"라는 질문 외에 성별, 연령, 혼인여부, 자녀 수, 소득, 지역, 사회 · 경제적 배경, 고용상태, 종사분야, 소속 노조, 주거 형태, 거주 도시 인구규모, 교육수준, 이주 배경 등의 변수까지 조사하기 때문에 이 결과는 정치 · 사회 영역을 아우르는 유의미한 조사결과로 사용되고 있다.

2008년 통계청에서 실시한 여론 조사결과가 나오자 스웨덴 사민당의 정권 탈환의 꿈은 무럭무럭 커졌다. 모든 면에서 현 집권당인 온건당을 앞지르고 있었기 때문이다.

만약 사민당이 이번 선거에서 패배한다면 그것은 역사상 일대사건으로 기록될 수 있었다. 사민당 역사상 선거에서 연이어 패배한 적은 한 번도, 단 한 번도 없었기 때문이다. 이번 선거에서 만약 패배한다면 사민당 역사상 최대의 치욕으로 기록될 수 있었다.

좌파연합과 우파연합의 대격돌인 이번 선거의 쟁점 중 하나는 세금문제였다. 우파연합의 선두주자인 온건당은 복지 시스템은 건드리지 않고 세금은 낮추겠다고 했다. 대신 일을 하지 않는 사람에게는 복지혜택을 줄이겠다고 공표했다. 반면 사민당은 증세를 주장했다. 세금을 더 걷어서 이주민과 실업자에게 복지혜택을 더 주겠다는 것이다. 이는 스웨덴 사민당의 전통적인 정체성에 부합하는 것이다.

여기서 한 가지 주목할 만한 사실은 한 여론조사에서 사민당의 전통적인 텃밭이라고 여겼던 스웨덴 노총의 조합원들이 사민당이 아닌 온건당을 더 지지하고 있다는 결과가 나온 것이다. 노총 소속의 노동자들은 당연히 일하는 사람들이다. 일하는 사람들에게는 더 많은 복지를 준다는 온건당의 정책이 노동자들에게 호응을 얻고 있는 것이다. 온건당은 한술 더 떠서 아예 자신들의 이번 선거 슬로건을 "스웨덴의 유일한 노동자 정당the only workers Party in Sweden"이라고 할 정도였다.

이런 보수연합의 주장, 무기력하게 실업자로 살지 말고 노동을 하며 살아라, 일자리는 제공해주겠다는 그들의 말을 과연 어떻게 받아들여야 할까. 일단은 여론조사 결과만 가지고 볼 때, 사민당의 최대 지지층이었던 노총 조합원들의 상당수가 보수연합에 손을 들어주고 있었다. 그것은 어쩌면 스웨덴 사민당이 이룬 세계 최고의 복지정책의 결과물일 수도 있다. 보수연합 역시 복지예산을 건드리지 못한다. 또한 스웨덴 노총의 지지를 얻기 위해서 '노동자 정당' 이란 표현을 쓴다. 스웨덴 사회에서 복지와 노동에 대한 감수성이 없는 세력은 집권할 수 없다. 진보가 이뤄놓은 결과물 위에서 진보는 또 다른 시험대에 직면해 있다. 자신이 이룩한 것을 자신이 극복해야 하는 경우는 많다. 세계에서 가장 빠른 기록을 가진 운동선수들도 자신의 기록을 극복하기 위해 달린다.

스웨덴 총선은 좌파연합의 승리를 기원하는 우리의 바람과는 다르게 흘러가고 있었다.

우리의 스웨덴 취재에 여러모로 도움을 주었던 쉐데르턴 대학 최연혁 교수를 만났을 때 총선 결과를 어떻게 예측하는지 물었다. 최연혁 교수는 사민당의 패배를 예측하면서 그 이유로 "현 수상인 온건당 대표 라인하르트가 사민당 대표 모나 살린보다 개인 지지율이 높다"는 것, "국제적인 경제위기 상황에서 사민당의 정책이 통하겠느냐는 국민적 의구심이 있다"는 것을 주요하게 들었다. 최연혁 교수는 또 "2009년 하반기 유럽의 경제위기 상황에서 사민당이 정부와 공조하는 모습을 보여주지 못했는데 이것이 사민당 지지율을 하락시킨 요인인 것 같다"고 분석했다. 최연혁 교수의 말처럼 2008년만 하더라도 사민당의 지지율이 고공행진을 했으나 최근 들어 급속히 낮아

지고 있었다. 최연혁 교수는 이번 선거의 관전 포인트로 "누가 경제위기에 잘 대처할 수 있느냐"가 관건이라며 "세금을 낮추고 복지 퀄리티는 동일하게 하겠다는 온건당과 세금을 올리고 복지 퀄리티도 높이겠다는 사민당의 주장 사이에서 과연 스웨덴 국민들이 누구의 편에 설 것인가라는 문제"라고 말했다.

사민당의 역사적 패배

우리가 귀국하기 닷새 전인 2010년 9월 19일. 스웨덴 총선은 우파연합의 승리로 막을 내렸다. 머나먼 타지까지 와서 마치 내가 선거에서 진 것 마냥 안타까웠다. 진보정당 10년을 하면서 이런 패배의 감정이 오히려 익숙하긴 했지만. 라인하르트 총리가 이끄는 우파연합은 49퍼센트를 득표했고, 모나 살린이 이끄는 좌파연합은 46퍼센트에 그쳤다. 결국 사민당은 역사상 처음으로 연거푸 선거에 패배하는 치욕을 맛보게 됐다. 사민당은 전체 정당 득표에서는 가까스로 제1당을 유지했지만, 그것이 위안이 될 것이라고 생각하는 사람은 아무도 없었다. 1920년 선거에서 사민당이 29.6퍼센트를 득표한 것을 제외하고는 역대 최악의 득표율이 바로 이번 총선이었기 때문이다.[15]

사민당의 충격적인 패배에 대해서는 해석이 분분하다.

펠드만Feldman이란 스웨덴 학자는 미디어 환경에서 원인을 찾았다. 1980년

> 사민당의 충격적인 패배에 대해서는 해석이 분분하다. 사민당과 스웨덴 노총은 그들이 소유하고 있던 미디어를 매각했다. 그 결과 광고에 의존하는 보수성향의 언론만 남게 됐다.

에서 1995년 사이 사민당과 스웨덴 노총은 그들이 소유하고 있던 미디어를 매각했다. 표면적인 이유는 경쟁력이 없다는 것이었지만, 종종 실린 노조 지도부 비판 기사를 거슬려했다는 것이 숨겨진 중요한 이유였다고 한다.

그 결과 광고에 의존하는 보수성향의 언론만 남게 됐다. 이번 총선에서 온건당이 내세운 "스웨덴의 유일한 노동자 정당"이라는 주장이 비판이나 여과 없이 유권자에 전해질 수 있었던 것도 이 때문이라는 분석이다. 또한 총선 기간 스웨덴 언론은 사회 양극화에 대한 문제제기보다는 경제위기에 초점을 두고 우파연합에 유리한 프레임을 조성했다. 펠드만에 의하면 그 결과 사민당은 여러 논쟁에서 불리한 위치에 처할 수밖에 없었다는 것이다.

사민당의 정책이 우경화된 것을 패배의 원인으로 볼 수 있다. 우리에게 숙소를 내어준 스웨덴 유학생 이유진 씨도 같은 생각이었다. 사민당은 우파와 차별되지 않는 정책을 가지고 있었고, 특히 지난 집권 시기에 신자유주의 정책을 펼친 것이 지지층을 외면하게 만들었다는 것이다. 또한 우파는 경제성장과 작은 국가를 지향하면서 일자리, 혁신, 감세 등 구체적인 계획과 정책을 제시한데 반해 사민당은 구체적인 대안 제시 없이 복지와 복지국가의 방어에만 급급했던 것도 패배의 원인으로 지목된다. 같은 좌파블럭에 속해 있으면서 고속철도 건설 등 혁신적인 녹색 성장을 주장한 녹색당의 득표율이 이전 선거에 비해 증가했다는 점이 이 주장에 힘을 실어주고 있다.

사민당 총리 후보였던 모나 살린의 책임이 가장 크다는 견해도 있다. 여론조사 결과 적녹연합은 2008년까지만 해도 집권세력을 20퍼센트 포인트까지 앞섰으며, 그 기세는 2010년 초까지 이어지고 있었다. 하지만 좌파연합의 리더 모나 살린과 우파연합의 리더 라인하르트가 총리를 놓고 경쟁하는 본 선거에 들어가면서 지지율은 역전됐다. 또한 총선과 동시에 실시된 기초의회 선거에서는 사민당이 온건당을 8~9퍼센트 포인트 앞섰다는 점에서 이번 선거가 사민당의 패배가 아니라 모나 살린이란 인물의 패배라는 주장이다.[16]

이번 스웨덴 총선에서는 사민당의 선거 패배만큼 충격적인 사건이 있었다. 이주민을 인정하지 않는 극우정당인 스웨덴 민주당이 5.7퍼센트를 득표하면서 원내 진출에 성공한 것이다. 민주당 선거 포스터 중에는 "만약 당신이 약탈자 혹은 이주민들의 세금강탈로부터 돈을 절약하기를 원한다면, 당신은 그것을 선택할 수 있다"고 되어 있다.

즉, 민주당을 선택하면 이주민들에게 세금을 '강탈' 당하지 않아도 된다는 것이다.

민주당은 보수연합에서조차 연대의 대상에서 제외될 정도였다. 라인하르트 총리가 선거 전 텔레비전 토론에서 "(극우정당인)민주당과는 집게로도 접촉하지 않겠다"고 공언했을 정도다. 하지만 결국 민주당은 원내에 진출했다.

보수정당조차도 함께 하지 않았던 극우정당이 원내에 진출한 사건은 연일 스웨덴 언론을 장식했다.

민주당의 원내진출에 대해 민중의 집 관계자들이 느끼는 좌절의 정서는 정말 대단했다. 민중의 집을 취재하기 위해서 스웨덴 남부 도시를 방문했을 때도, 민중의 집 활동가들은 사민당의 패배보다는 이민자에 대한 적대적인 정책을 가지고 있는 민주당의 원내진출에 분통을 터뜨리고 있었다.

스웨덴의 좌파들의 상실감과 분노, 공허함 속에서 스웨덴 총선은 막을 내렸다. 나 역시 어느덧 스웨덴의 좌파들과 감정이 동화되어 씁쓸한 기분을 맛볼 수밖에 없었다.

스터디 서클 민주주의와 노동자교육협회

스웨덴에 올 당시에는 노동자교육협회를 방문할 계획이 없었다. 하지만 스웨덴에 온 이후 모든 민중의 집마다 노동자교육협회에서 진행하는 프로그램 유인물을 비치하고 있어 강렬한 호기심이 발동했다. 스웨덴 취재에 대한 자문을 구하기 위해 만났던 쉐데르튼 대학 최연혁 교수에게서 스웨덴 사회의 놀라운 시스템 중 하나는 보편적인 시민교육이고, 이것이 스웨덴 민주주의의 밑거름이라는 이야기를 듣고 궁금증은 더 커졌다.

급히 찾아보니 노동자교육협회는 스웨덴의 9개 시민교육기관 중 가장 크고 오래된 조직으로, 1912년 사민당과 노총, 협동조합 조직들에 의해 만들어졌다. 당시에는 노동자를 위한 교육기관으로 시작했지만 현재는 모든 종류의 시민교육을 지원하는 사업으로 확장되었다. 현재는 연간 75만 명의 스웨덴 사람들이 협회가 운영하는 약 3만 5천 개의 스터디 서클과 교육과정에 참여하며, 연간 200만 명 이상이 협회가 주최하는 강연회나 음악회, 영화 상영 프로그램 등에 참여한다니 놀라운 규모다. 교육 프로그램은 가지 수를 셀 수 없을 만큼 다양하다. "배우고 싶은 모든 것을 배울 수 있는 곳"이라는 이 협회의 수식어가 과장이 아닌 듯하다.

대중들의 교육기관으로 성장했음에도 노동자교육협회는 노동운동의 가치를 공유하고 이념적 운동임을 명확히 표방하고 있다. 대중의 눈높이에 맞추려고 이념을 숨기거나 수정하는 우리와 비교가 된다.

노동자교육협회의 목적은 사회 모든 영역에서 민주주의의 강화, 모든 사람의 개인적·집단적 해방이다. 민주주의, 다양성, 정의, 평등은 노동자교육협회가 기반으로 삼는 운영 원리이며, 협회의 10대 과제는 이들의 뚜렷한 지향을 잘 보여준다.

노동자교육협회 전경.

노동자교육협회의 10가지 과제

1. 계급사회 폐지

2. 민주주의의 발전

3. 모든 사람들의 차이에 기반한 평등

4. 대중운동 강화

5. 비영리 부문의 발전

6. 모두를 위한 문화

7. 페다고지 차원의 과제 : 교수법 개발을 위한 끊임없는 노력, 대중운동과 리더들의 성장, 일상생활에서 접근하기 쉬운 교육방법 개발 등

8. 평생교육

9. 건강과 만족스러운 일터

10. 전 지구적 과제 : 시장 주도의 지구화 반대, 글로벌 민주주의와 지구화의 민주적 전환, 노동운동의 발전, 국제연대 및 정의로운 운동을 창출하는 새로운 저항에 참여하고 배우기

–ABF 웹사이트 (http://www.abf.se)

국민 70퍼센트, 스터디 서클 참여

예테보리와 말뫼를 다녀오며 스웨덴 일정이 거의 끝나갈 무렵, 비욘 이사의 소개로 스웨덴 노동자교육협회 중앙조직을 방문할 수 있었다.

옴부즈맨이라고 자신을 소개하는 안네Anne Stringberg는 민중의 집 연합회에서 연락을 받고 우리를 기다리고 있었다. 정돈된 노동자교육협회의 사무실로 우리를 안내한 뒤 따뜻한 커피를 건네며 이야기를 시작했다. 먼저 이 큰 규모의 기관이 도대체 어떻게 굴러가는지부터 이해해야 할 것 같다.

노동자교육협회 조직은 코뮌 단위까지 조직되어 있는 지역별 체계와 협회의 회원조직들과 연계하여 사업을 진행하는 체계로 나뉜다. 지역 조직은 지역, 광역, 연합 조직의 3개 층위로 나뉘고, 회원조직은 노동자교육협회의 이념과 가치를 공유하며 교육 · 문화 사업을 함께 꾸려나가는 진보적인 시민 단체, 정당, 노동조합 등으로, 이 중 회원 수가 3천 명 이상인 전국 조직은 노동자교육협회의 이사회를 구성하여 의사결정과정에 직접 참여한다. ABF 재원은 중앙정부, 주정부, 기초자치 단체 보조금 그리고 참여자와 회원 조직(조직연합 참여 단체)의 회비로 마련된다고 한다. ABF 중앙이 정부 지원을 받아서 활동 정도에 따라 지역 조직에 배분하는데 2008년 한 해 동안 평생교육에 대한 지원으로 받는 중앙정부 보조금만 우리 돈으로 무려 8백억이라고 하니 그 규모가 실감이 나질 않는다.

"노동자교육협회는 크게 2개의 라인으로 운영되는데 하나는 '조직연합',

다른 하나는 모든 시민을 대상으로 한 '오픈 파트' 다. 먼저 조직연합은 노조, 이민자, 장애인 조직 등 120여 개 단체가 참여하고 있다. 협회는 이들이 각 조직 회원을 대상으로 하는 교육계획을 세우는 것을 지원한다. 조직의 교육 요구를 파악해서 교재와 가이드북을 만들고 프로그램을 직접 운영하기도 한다. 정당조직 구성원을 위한 교육 기획사업도 한다. 당의 의뢰를 받아 당원들이나 간부들이 건강보험 이슈 등 다양한 사안에 대해 학습을 할 수 있도록 정당에 기획안과 실행 안을 제출한다. 이것 외에도 이념 교육, 역사 및 정치 상황에 대한 교육, 정치인 평전 읽기, 국제 정치 상황에 대한 이해 등 다양한 프로그램이 준비되어 있다. 초기에는 노동운동 조직과 연계가 강했지만, 요즘은 이주민 조직, 장애인 조직, 세입자(임차인)운동 조직 등 다양한 조직들이 우리와 협력하고 회원조직으로 가입해 있다. 예를 들어 장애인 조직의 회원이 자신의 건강과 질병 문제에 대해 알고 좀 더 나은 삶을 살고자 한다면, 같은 질병을 앓고 있는 다른 사람들과 어떻게 생활을 해야 할지, 어떤 음식을 먹어야 할지 등을 함께 배울 수 있다."

이 '조직연합' 에는 사민당, 스웨덴 노총 등도 포함되어 있다. 우리의 경우 진보정당이나 노동조합 중앙조직에는 각각 교육담당 부서가 있다. 그러나 인력의 한계, 전문성 부족의 문제점이 드러났으며 지역 조직까지 교육 프로그램이 전달되지는 못하고 있는 실정이다. 몇 명 되지 않는 전문 강사에게 전국의 모든 교육을 의존해야 했던 경험을 누구나 갖고 있듯이 말이다. 스웨덴의 경우 이미 100년 전에 진보정당과 노총, 협동조합 등이 함께 교육전략을 마련하여 꾸준히 전문교육기관을 발전시켜왔다는 사실이 일단 놀랍고 부러웠다. 노동자교육협회를 통하지 않고 노조와 정당의 자체 교육도 있다고 하는데, 전국의 모든 지역에서 시행 가능한 전문적인 교육체계를 갖춘 협회가 없다면 대규모 교육을 기획하기는 어려울 것이다.

그 다음으로 가장 궁금했던 질문, 노동자교육협회를 통해 공부하는 사람들이 어떻게 이리 많을 수 있나. 안네는 이 질문이 좀 당황스러운 것 같았다. 너무 당연하게 여긴 스웨덴 사회의 '문화'라니 그럴 법도 하다. 스웨덴에서 시민교육이나 강의에 참여하는 것은 매우 일상적이라 국민의 70퍼센트는 언제나 하나 이상의 스터디 서클에 참여한다. 스터디 서클. 여기에 보편적 시민교육의 또 다른 비법이 있는 것 같았다.

"스터디 서클은 함께 배우는 작은 규모의 그룹이다. 보통 8명~12명 단위로 꾸려지며 누구나 자유롭게 자신이 원하는 스터디 서클을 만들거나 기존 서클에 들어갈 수 있다. 누구도 어떤 스터디 서클에 들어가라고 강요하지 않는다. 스터디 서클은 정말 많은 이슈를 다룬다. 노래, 악기, 언어를 배우는 서클은 기본이며, 문학 작품을 함께 읽을 수도 있고 컴퓨터 사용법을 배우기도 한다. 노인들은 휴대전화 사용법을 배울 수도 있다. 젊은이들을 위한 록 서클도 있어 같이 연주하고 작곡도 한다. 무궁무진한 여러 가지 서클이 있다."

올로프 팔메는 스웨덴 민주주의를 일컬어 "스터디 서클 민주주의"라 하며, "학습을 통해 각 세대들은 스스로 비판적 분석을 훈련해왔고, 그 결과 자신의 이상을 포기하지 않으면서 서로 함께 일함으로써 합리적인 판단에 이를 수 있었다"고 말했다. 협회 스스로도 스터디 서클은 "민주주의 실천적 훈련장"으로서 스웨덴 대중운동을 발전시켜온 핵심적인 원동력이라고 평가하고 있다.

사실 스터디 서클이 그리 낯선 교육 방식은 아니다. 그러나 우리 사회에서 누군가 무엇을 배우겠다고 할 때, 어떤 틀 안에 들어가게 되는지 생각해 보면 차이는 뚜렷해진다. 보통 우리에게 중요한 질문은 '누구에게' 배울 것인가다. 어떻게 배울 것인가 혹은 '누구와' 배울 것인가는 배움을 결심할 때 반드시 던지는 질문은 아니다. 몇 년 전부터는 시민들을 위한 인문학 강좌, 기획 정치 강좌 등도 자주 접할 수 있게 되었지만 우리가 자주 목격하는 것은 유명 인사들의 '명강의'를 찾아다니는 사람들이다. 좀 더 특화된 분야를 배우려는 사람들은 사립 학원에 등록하거나 인터넷 강좌를 신청한다. 이런 장면에서 가르치는 자와 배우는 자, 배우는 자들 간에 활발한 의사소통은 기대하기 어렵다. 따지고 보면 애초 내가 배우고 싶은 것도 내가 접근할 수 있는 범위 안에서 이미 정해져버리는 셈이다. 고로 배움은 참으로 고독한 과업이 된다.

다시 조금만 편하게 생각해 보자. 나 역시 누구에게 배우는 것도 중요하지만 사실은 누구와 함께 배우는 것이냐가 더 중요하다. 뜻이 통하는 사람, 호감이 있는 사람, 친밀한 관계를 맺고 싶은 사람과 그룹을 이뤄서 함께 토론하고 학습하는 것이 명강사에게 한 번 강의를 듣는 것보다 훨씬 더 유익할 것만 같다.

단과 학원 수강생처럼 이리저리 명강의만 좇아다니는 게 아니라, 조금은 부족하더라도 호감 있는 이들과 학습 프로그램을 만들고 읽고 토론하는 것이라면 훨씬 윤택한 학습이 되지 않겠는가.

온라인 교육도 많이 진행되는지 물어보자 안네는 이렇게 대답했다.

"온라인 스터디 서클이 있기는 하지만 별로 인기가 없다. 온라인 교육은 테이블에 둘러 앉아 하는 교육과는 근본적으로 다르기 때문이다. 온라인 교육은 특정한 분야에 강한 욕구가 있는 사람들의 경우엔 가능하지만, 이러한 교육방식에 익숙하지 않은 사람들에게는 여전히 힘들다. 일부 사람들에게는 편리한 방법이 될 수 있지만, 사람들과 얘기를 나누고 남의 얘기를 듣는 것은 교육과정에서 반드시 필요한 부분이다. 교육에는 스킨십이 중요하다. 말과 글은 엄연히 다르다."

스터디 서클의 고유한 장점은 참여자들이 서클 내에서 공부할 내용, 운영방식, 진도를 스스로 결정하고 사람들과의 관계 속에서 새로운 지식과 기술, 관점을 모색한다는 것이다. 이 서클에는 '가르치는' 교사가 아니라 '이끌어가는' 리더가 있다. 전문적인 지식을 배우는 서클에서 당연히 리더는 해당 주제의 전문가지만, 서클을 민주적으로 이끌 수 있는 역량을 반드시 갖춰야 한다. 이런 리더들을 위한 훈련과정을 운영하고, 배우고 싶은 주제가 있는 사람이 스터디 서클을 만들어 운영할 수 있도록 지원하는 것이 바로 노동자교육협회의 역할이다.

공동체라면 적어도 이런 교육 철학과 방법을 도입해야 할 것 같다. 이렇게 익힌 지식과 기술, 관계는 한번 듣고 잊어버리는 강의 내용처럼 쉽게 증발해

버리지 않는다. 지역사회 안에서 어떤 것도 배움의 주제가 되고 누구나 배우면서 또한 가르치는 사람이 될 수 있는 하나의 장이 필요하다. 여기서 사람들이 함께 만들어내는 성과는 다시 지역사회로 되돌아오는 선순환의 장 말이다. 마포 민중의 집의 교육에 이런 아이디어를 적용한다면 어떤 모습일지 상상해 보았다.

모든 것이 교육 주제

이야기를 나누면서 노동자를 위한 교육은 어떤 내용으로, 어떤 방식으로 이루어지는지 궁금해 졌다.

한국의 노동조합 조합원들은 과거에 비해 정치 문제나 사회 문제에 별로 관심을 갖지 않고, 그 관심은 주택, 금융 투자 등으로 옮겨갔다는 얘기를 심심찮게 들어 왔다. 이것이 노동운동의 조직력 약화를 초래하고 있는 만큼 몇몇 뜻 있는 인사들이 노동자 교육 기관을 만들어 돌파구를 만들어 보자고 노력 중이다. 단병호 전 국회의원이 이사장을 맡고 있는 평등사회노동교육원도 그런 시도 중 하나라고 볼 수 있다.

이런 한국의 상황을 설명하며 스웨덴은 어떤지 물었다.

"스웨덴도 비슷한 문제가 있다. 많은 사람이 예전처럼 정치적 이슈를 다루는 스터디 서클에 모이지 않는다. 대신 강연이 더 인기가 있다. 가끔씩 사

> 이전까지 노동조합은 과연 노동자이면서 부모이고 한 가족의 구성원이고 지역사회에서 일상을 살아가는 주민인. 그런 노동자를 교육의 대상으로 상정해왔는지 생각해 볼 문제다.

람들은 저녁에 몇 시간을 내어 유명인들의 강연을 들으러 간다. 사람들은 경제 문제에 대한 관심이 높고 배우려 한다. 협회가 마련한 관련 분야 전문가 강좌에 밤마다 많은 사람이 참여한다. 그러나 협회는 사람들이 관심 있어 하는 경제 관련 주제에 대한 프로그램을 개발하려 한다. 사람들이 경제 문제, 자산 문제에 대해 관심을 가지고 있다면 그런 사람들이 모여서 도움을 받을 수 있게 하는 것이 중요하다고 생각한다. 좋은 경제, 좋은 상품, 좋은 먹을거리 등 사람들의 일상생활과 밀접한 이슈에서 국가 전반의 경제 문제로 연결할 수 있다. 자신들이 처한 위치, 가족구성원으로서, 부모로서 관심을 갖는 문제가 많을 것이다. 이런 것들이 출발점이 될 수 있다. 사람들이 사적인 문제라 생각하는 주제도 노조가 포괄할 수 있어야 한다."

무엇이든 노동자 교육의 주제가 될 수 있고 그 모든 것에는 정치의 문제가 얽혀 있다는 것, 노동자들의 변화하는 관심을 외면하지 말고 거기서부터 새로운 교육 프로그램을 고민해야 한다는 것, 다 공감할 만한 얘기다. 그러나 가장 인상적이었던 건 마지막 문장이다. 이전까지 노동조합은 과연 노동자이면서 부모이고 한 가족의 구성원이고 지역사회에서 일상을 살아가는 주민인, 그런 노동자를 교육의 대상으로 상정해왔는지 생각해 볼 문제다.

어느덧 1시간 반이 넘었다.

우리는 며칠 전 끝난 스웨덴 총선 선거 결과에 우려를 표하며, 좀 난처한 질문을 이어갔다. 안네는 스웨덴 민주당의 원내진출에 대해 "너무나 부끄러운 일"이라며 얼굴을 붉혔다. 이러한 정치 상황에서 노동자교육협회가 어떤 활동을 해야 할지, 자연스럽게 이야기가 옮겨갔다.

"이민자 문제에 대해 노동자교육협회가 더 많은 관심을 기울여야 할 것 같다. 그동안 반인종주의 교재 개발 등 사업을 해왔지만 앞으로 더 많이 해야 할 것 같다. 나는 사람들이 자신이 한 투표 행위의 의미를 잘 이해하지 못하고 있다고 생각한다. 사람들은 이미 스웨덴에 이주민이 넘쳐난다고 생각하고 그로 인해 실업, 건강보험 문제가 발생한다고 생각한다. 그것이 그 사람들이 보수 정당에 투표한 이유일 것이다. 그 이면에는 또한 이민자들에 대한 증오, 특히 무슬림에 대한 적대감이 있다. 이를 해소하려면 다문화 사회에 대해 다른 방식의 이해가 필요하다. 이민자들은 새로운 것을 가져온다. 새로운 음식, 새로운 아이디어, 새로운 문화 등. 이러한 것이 스웨덴 사회의 발전에 기여한다는 것을 잊어서는 안 된다. 반인종주의 교육을 위해서는 서로 다른 문화 간에 다리를 놓고 여러 인종의 사람들이 만나 이야기를 나눌 수 있는 기회를 만드는 게 필요하다고 본다. 서로 이야기를 하게 되면 상대방에 대해 가진 두려움이 사라지게 마련이다. 사람들은 보통 이주민에 대해 잘 알지 못하기 때문에 두려움을 갖는 것이다. 이들을 위한 만남의 장소가 필요하다."

이민자들을 시혜적인 관점에서 바라보지 않고, 이민자들이 가지고 오는 새로운 것들이 스웨덴 사회의 발전에 기여한다는 것. 이런 것이 바로 이민자 문제에 대한 진보의 철학이라고 할 수 있다.

그 만남의 장소, 소통의 장소, 교육의 장소는 바로 민중의 집이기도 하다. 비슷한 시기 노동운동에 기반을 두어 출발하여 지역사회의 교육 · 문화의 장을 함께 만들어온 노동자교육협회와 민중의 집은 설립 당시부터 지금까지 긴밀한 협력 관계를 유지하고 있다고 안네는 말한다. 민중의 집과 노동자교육협회가 하나의 공간을 공유하는지는 지역마다 다르다고 한다. 그러나 중요한 문제는 그들이 지향하는 가치로부터 노동자교육협회와 민중의 집은 한 쌍을 이루고 있는 게 분명해 보였다.

노동자교육협회는 2012년 창립 100주년을 맞이하여 갖가지 기념행사를 준비하고 있다고 했다. 100년이란 시간이 어디 짧은가. 그동안 수많은 스웨덴의 사람은 노동자교육협회가 만든 스터디 서클에 참여해 서로를 고양시켰다. 그 힘은 스웨덴 민중의 집이란 공간을 경유하며 형성되었고, 거꾸로 민중의 집은 그 힘을 통해 성장했을 것이다.

인터뷰 마칠 때 쯤 안네는 우리에게 한국의 인구가 얼마인지 묻는다.

아내는 "50,000,000"이라고 숫자로 적어서 보여줬다. 그는 깜짝 놀라며 "오 쉿"이라고 하더니 "사람 진짜 많다"고 말했다. 내가 활동하는 서울 마포 인구는 40만 정도라고 하니 "앞으로 스터디 서클에 참여할 사람이 정말 많겠다"며 부러움인지 격려인지 모를 웃음을 짓는다.

예테보리 : 대형화된 민중의 집

9월 16일. 민중의 집 연합회를 방문한 후 밤 10시 막차를 타고 예테보리 Göteborg로 출발했다. 인구 50만 명의 예테보리는 스웨덴 제2의 도시며 제1의 항구도시다. 우리로 치자면 영락없이 부산이다. 볼보자동차 본사가 있는 곳으로 유명한 예테보리는 스톡홀름에서 고속버스를 타고 일곱 시간이 걸리는데, 중간에 고속버스를 갈아타야 했기 때문에 마음을 놓고 잠을 잘 수가 없었다. 만약 중간에 갈아타는 곳에서 잠이 든다면 끔찍한 일이 벌어질게 뻔했다.

잠을 자면 안 된다고 생각하니 잠이 더 쏟아졌지만, 초인적인 인내를 가지고 중간에 차를 갈아탄 이후에야 마음 편히 잠을 청했다. 하지만 사람 심리가 참 묘하다. 조금 전까지만 해도 천근만근으로 내려앉던 눈꺼풀에 바짝 군기가 들어서 눈이 감겨지지도 않았다.

이미 새벽이다. 차 안에서 날이 밝아오는 것을 보는 건 유럽에 와서 처음이었다. 차창 밖 북유럽의 풍경을 바라보며 오랫동안 떨어져서 보고 싶은 지인들 생각을 했다. 그 사람들의 얼굴을 하나씩 떠올려 보기도 했다. 유럽에 오기 전에 많은 분의 격려를 받았다.

동터 오는 북유럽의 시린 풍경, 사람들이 잠을 자며 내는 숨소리 소리로 따뜻한 실내, 그리고 서울에 두고 온 사람 생각.

오전 6시에 예테보리 터미널에 도착했지만 할 일이 없다. 민중의 집 연합회에서 소개해준 민중의 집 예테보리 지부 간사인 거트Gert Karlsson는 오전 10시에 만나기로 되어 있었다. 그때까지 아무런 할 일이 없다. 일단 터미널에서 쪽잠을 자면서 체력을 비축하기로 했다.

거트는 오십 대 중반 정도 되어 보이는 아저씨였다. 그는 우리를 매우 신기해하며, 연신 싱글벙글 우리가 귀여워 죽겠다는 표정을 지었다. 거트는 실로 존경스러운 사람이었다. 1979년부터 무려 30년이 넘는 동안 예테보리 지역에서 오직 민중의 집 운동을 해왔다. 그를 민중의 집의 산증인이라고 불러도 손색이 없었다.

거트가 차를 가지고 왔기 때문에 편하게 이동할 수 있었다. 우리는 그에게 사민당 당원이냐고 물었다. 그는 열일곱 살에 가입했다고 대수롭지 않게 대답했다. 그런데 요즘 사민당이 너무 우경화되어 좌파당으로 옮길까 고민 중이라고 한다. 웃으며 얘기하는 폼이 반은 농담인 것 같았지만, 사민당의 우경화에 확실히 실망하고 있는 것 같았다.

그는 우리를 예테보리 외곽의 함마쿨렌 민중의 집Hammarkullen Folkets Hus으로 데리고 갔다. 민중의 집 연합회 비욘 이사가 함마쿨렌 민중의 집이야말로 민중의 집의 초창기 정신을 가장 잘 구현하고 있는 곳이라며 우리에게 방문을 추천해준 곳이다.

이제 다 왔다.

여기가 바로 그곳이다.

함마쿨렌 : 가난한 사람들의 공동체

1960~70년대 예테보리에 산업 인구가 늘어나면서 이들을 수용하기 위해 교외에 지은 신도시가 바로 우리가 온 함마쿨렌이다. 우리로 치자면 부산 인근에 있는 중소도시가 바로 함마쿨렌이다. 우리가 방문했던 스톡홀름 린케비처럼, 예테보리 함마쿨렌, 뒤에서 소개할 말뫼 루센고드도 백만 호 프로그램의 일환으로 만들어진 곳이다. 그러나 현재 이곳은 모두 이민자를 포함해 가난한 사람들이 거주하는 공간이 되어 있다. 작은 마당을 갖춘 1~2층의 가장 일반적인 스웨덴 사람들의 주택에 비해 작은 임대 아파트가 밀집한 이곳은 거의 슬럼화된 듯 보였다. 함마쿨렌에서는 1990년대 이전에 만들어진 낡

은 아파트 철거와 재건축이 이뤄졌지만 많은 사람이 여전히 당시 임대 아파트에 거주하고 있다.

인구 50만 명의 예테보리에 비해 함마쿨렌의 인구는 1만 명 정도다. 함마쿨렌의 중심 지역에는 약 8천여 명이 거주하는데 이 중 절반 이상이 이민자다. 84개 국적을 가진 사람들이 115개의 언어를 사용하고 있고, 실업률은 20~25퍼센트를 육박하는 곳이다. 그러다 보니 예테보리 도심에 사는 스웨덴 사람들은 이곳에 오지 않으려 한다. 이곳 이주민들은 예테보리에 있는 볼보 자동차에서 일하거나, 청소 일을 하거나 혹은 작은 가게를 운영하며 생계를 유지하고 있다. 그리고 놀랍게도 80~90퍼센트는 이전에 한 번도 직장을 가져본 적이 없는 사람들이라고 한다.

우리를 안내하는 거트는 이들이 주로 언어를 배우기 위해 민중의 집에 찾아오고, 찾아온 이민자들이 각 나라별 모임을 갖기도 하는 장소가 바로 민중의 집이고, 이것이 오늘날 이곳 민중의 집의 커다란 의미라고 귀띔했다.

함마쿨렌 민중의 집은 지은 지 40년이 된 주상복합 아파트 2층에 자리 잡고 있었다. 이곳 민중의 집은 25년 전인 1986년에 만들어졌고, 민중의 집을 만들기 위해 지역 단체들은 약 10년 정도 지방정부와 싸움을 했던 역사를 가지고 있었다.

아담하면서 아늑한 느낌이 드는 민중의 집에 들어가서 조그만 사무실에서 일하고 있던 상근자 셜스틴Kerstin Wennergren을 만났다. 그는 이곳 민중의 집에서 10년 동안 일했고 현재 전국 민중의 집 연합회의 이사이기도 하다. 거트, 셜스틴 그리고 나와 아내는 민중의 집 곳곳을 돌면서 얘기를 나눴다.

이곳 민중의 집은 작은 공간 공간마다 함마홀Hammarsalen: 함마살렌, 알폰스Alfons, 아스트리드Astrid 등 재미있는 이름이 붙여져 있었다. 먼저 함마홀은 대규모 공연장으로, 이곳은 평일 오후부터 늦은 밤까지 발레, 브레이크 댄스 등 다양한 댄스 연습실이 되고 때로는 대규모 회의실이 되기도 한다. 어느 때는 전시장, 극장, 축제, 콘서트 등을 진행하는 공간이기도 하고, 토요일에는 결혼식이 열리기도 한다.

"곧 상하이 사진 전시회가 열릴 예정이다. 도시화와 개발로 인한 폐해를 담은 사진들이다. 이런 전시회를 수시로 기획하고 홍보한다."

통상 국내에서 단체 사무실의 복도 벽면은 그냥 벽면일 뿐이다. 스페인이나 이탈리아의 사회운동 단체 사무실에서 본 것처럼 스웨덴 역시 벽면을 전시장으로 활용하고 있었다. 벽면은 문화적 감수성이 표현되는 공간으로 재탄생 되어 있었다. 게다가 민중의 집 정신에 맞게 재개발 문제라든가 이주노동자들의 인권 문제 등의 주제를 담은 전시를 하고 있으니 어찌 보면 일석이조의 효과인 셈이다.

함마쿨렌 민중의 집은 이주민을 위한 영화를 상영하는 행사도 정기적으로 개최한다. 이주민들은 자신들 나라의 언어로 된 영화를 보며 향수를 달래고 문화생활도 즐긴다. 또한 영화를 보기 위해 민중의 집에 모이면서 서로를 알게 되며 의지하게 된다. 우리가 방문했을 때 볼리비아 영화를 상영하고 있었는데 영화가 끝난 후에 항상 토론을 진행한다고 한다.

한 달에 일주일씩은 스웨덴에 처음 온 이민자들에게 지역 생활을 소개하는 모임이 열린다. 일주일에 한 번도 아니고, 한 달에 한 번도 아니다. 이민자가 많다는 지역적 특성을 고려하더라도 한 달 중 일주일씩 이민자들을 위한 프로그램을 진행한다는 것이 놀라웠다.

또 다른 공간인 알폰스는 30개국 언어로 번역된 스웨덴의 유명한 어린이 작가의 이름을 딴 방이다. 아스트리드는 국내에도 잘 알려진 말괄량이 삐삐의 작가다. 그의 이름을 딴 공간에서 아이들이 3~4명씩 그룹으로 나뉘어 영어, 수학 등을 공부한다. 이 방에서 저녁에는 학부모들을 위한 부모교육도 진행된다.

벽에 붙어 있는 청소년들의 사진이 눈에 띄었다.

"예테보리 중심가에 사는 청소년들과 외곽 지역에 사는 청소년들이 만나서 연극 공연을 하는 프로젝트를 몇 년 전에 진행했다. 일종의 계층 간 격차로 인해 만나기 어려운 청소년들 간에 이해의 폭을 넓히기 위한 프로그램이라고 할 수 있다. 청소년들이 꾸민 연극은 매일 30~40명의 주민들이 관람했다."

다른 복도에는 아이들이 만든 만화가 액자로 제작돼 전시되어 있었다. 이 사업은 2010년부터 시작된, UN 아동권리협약의 주요 원칙을 알리는 프로젝트다. 아이들이 영상 제작하는 것을 배워서 직접 영화를 만들고 사진을 촬영하고 만화도 그려서 만든 작품들이다. 크리스틴이 벽에 걸린 만화의 내용을 하나씩 설명해주었는데, '전쟁 반대'에서 '왕따 문제', 그리고 학교에서 벌어지는 소소한 친구관계에 대한 내용까지 매우 다양한 주제가 표현되어 있

▲민중의 집 앞 광장에서 이야기를 나누고 있는 이주여성들과 함마쿨렌 민중의 집이 있는 주상복합 아파트.
▼민중의 집으로 올라가는 입구, 아이들이 직접 그린 만화가 전시되어 있는 복도와 여러 개로 나눠진 회의실. 함마홀.

었다. 모두 7세에서 17세까지의 아동·청소년들이 직접 만들었다고 한다. 크리스틴은 더 자랑하고 싶은 욕구가 들었던지 복도를 한 바퀴 돌고 나서 아이들이 제작한 영상까지 보여주었다.

그중에는 아홉 살 아이가 만든 영화도 있었다. 이 영화가 아이의 인생에서 어떤 극적인 영향을 미치게 될지는 아무도 모른다. 그 아이가 영화감독이 되고 안 되고는 전혀 중요하지 않은 문제다. 성인이 된 이후에 어릴 때의 흔적, 초등학교 때 쓴 일기장만 남아 있어도 숨이 차오를 정도로 감격스러울 때가 있지 않는가.

함마쿨렌 민중의 집은 다양한 배경을 가진 아동·청소년들이 서로를 이해하고 공감할 수 있는 프로그램에 상당히 집중하고 있었다. 셜스틴은 "함마쿨렌 민중의 집은 특히 이민자 자녀들의 자존감을 키우는 것을 주요한 목표로 삼고 있다"고 말했다.

함마쿨렌 민중의 집의 목표가 상징적이면서도 분명하게 반영되고 있는 곳이 바로 아이들을 위한 스튜디오다. 이곳에서 어른들은 아동의 권리에 관한 지식과 가이드라인을 배우고, 아이들은 카메라, 컴퓨터, 편집기 등 다양한 장비를 활용할 수 있다. 여기서 아이들은 '아동의 권리와 나'라는 주제로 자신들의 생각을 담은 영화를 만들거나 사진을 찍거나 그림을 그리며, 4~5명으로 구성된 4개의 그룹별로 나뉘어 공동 작업을 진행한다.

셜스틴은 "2년 동안 한 그룹씩 늘려서 3년 후에 60명의 아이들이 참여하는 것이 목표"라고 말했다.

아이들을 위한 스튜디오는 내가 활동하는 마포 지역에서도 한번 만들어 보고 싶은 욕심이 났다. 부모의 소득수준에 따라 편차가 가장 심한 것이 바로 문화교육이다. 지역에서 이 정도 수준의 스튜디오를 운영한다면 그게 바로 꿈의 스튜디오가 아닐까.

방금 크리스틴은 3년 동안 60명을 만드는 것이 목표라고 했다. 이건 일종의 중기 프로젝트인 셈이다. 일 년 사업을 하기에 급급한 우리네 현실과 대비가 되면서, 또한 우리의 지역 단체들 중에 아이들을 위한 이런 중기 프로젝트를 세우고 집행하는 곳이 있는지 떠올려 보았지만, 쉽게 떠오르지 않았다..

아이들이 직접 '대사ambassador가 되기' 란 프로그램도 독특했다. 앞에서 소개한 그룹에 참여하는 아이들은 다른 아이들과 어른들의 인권 대사가 되어, 아이들의 생각이 후세에 유용하게 활용될 수 있도록 타임캡슐을 공동으로 제작한다. 그래서 이 프로젝트의 최종 결과물은 아이들이 직접 컨퍼런스를 개최하고, 그 결과를 담은 타임캡슐을 상징적으로 묻는 것이다. 기승전결이 또렷한 사업이다.

사무실 한편에는 "댄스 댄스Dansa Dansa" 는 제목의 포스터가 있었다.

댄스 댄스는 매년 5월 열리는 지역 축제로 3~4천 명 정도가 모인다고 한다. 30년이나 된 전통 있는 축제로 자체 위원회도 있다. 함마쿨렌 민중의 집 프로그램에 참여하는 청소년들은 이 축제에서 자원봉사를 한다고 한다.

함마쿨렌 민중의 집도 다른 스웨덴 민중의 집과 마찬가지로 지역 내 50~60개의 단체들이 참여하고 있다. 여기도 역시 민중의 집이 지역 단체들 간

소통의 중심이 되고 있다. 민중의 집 총회는 참여 단체에 5표, 개인 회원에게 1표씩으로 차등 부여하고 있으며, 회비는 조직별로 1,000크로나(약 160,000원)씩 받고, 개인 회원은 가입 시 최소 100크로나(약 16,000원)의 회비를 낸다.

1층에는 지자체에서 운영하는 도서관이 있는데 이곳은 처음에는 스웨덴 노총의 지역본부에서 운영하기 시작했다가 이후 코뮌에서 운영하게 됐다.

"이 도서관 방문 인원이 1년에 무려 10만 명이다. 지난해에 지방정부에서 지역 내 3개 도서관을 통폐합하려고 해 지역 단체들과 민중의 집이 함께 막아내고 향후 3년간 더 지원을 받기로 했다."

셜스틴은 "그것은 싸움It was a fight이었다"며 당시 상황을 설명했다. 현재 함마쿨렌 지방정부가 사민당이라서 거트와 셜스틴은 매우 씁쓸하고 더 분노도 컸던 것 같다.

거트도 이마를 찡그리며 한마디 보탰다.

"지방정부 관료들은 민중의 집과 같은 지역 조직 활동을 경계하는 경향이 있다."

1층에는 코뮌에서 운영하는 도서관이 있다. 이 도서관은 1년에 10만여 명이 방문한다.

실제 민중의 집 운영에서도 스웨덴 노총이나 사민당은 다른 풀뿌리 조직에 비해 역할이 적다고 한다. 한때는 사민당 당원들과 노총의 조합원들이 주축이 되어 지역 공동체를 꿈꾸며 설립했던 스웨덴 민중의 집의 현주소를 보는 것 같았다. 또한 총선 막판에는 힘에 부쳐하는 사민당의 모습도 겹쳐졌다. 아래로부터의 민주주의를 꽃피웠던 스웨덴 좌파들의 현장이었던 민중의 집에서 사민당과 노총은 지역 내 좌파들과 더 이상 마음을 터놓고 사업을 함께 도모할 파트너는 아닌 것으로 보인다. 얇지만 명확히 구분되는 막이 그들 사이에 놓여 있는 것 같았다.

우리 4명은 각자 자신의 영어 실력을 탓하면서도 긴 시간 대화를 나눴다. 얘기를 듣다 보니 초창기 민중의 집의 정신이 잘 구현된 것으로 보였다. 아마도 거트를 비롯해 이곳에서 일하는 사람들이 자기 인생의 역사를 민중의 집을 통해 써내려가고 있어서 그랬던 것은 아닐까. 또한 지역적인 특성상 늘 소외받는 이들과 함께 사업을 해야 하는 풍토가 작용한 것으로 보인다. 그들은 계속 우리와 더 얘기하고 싶은 눈치였다. 아시아에서 온 우리에게 애틋한 마음을 가졌던 것 같다. 인터뷰가 끝나자 거트는 예테보리 시내에 있는 대형 민중의 집을 방문해 보겠느냐고 물었다. 예테보리 민중의 집은 스톡홀름에 있는 민중의 집과 마찬가지로 대형화되어 컨벤션센터로 운영되고 있는 곳이다. 우리 역시 스톡홀름에 온 이후 시내 중심가에 있는 민중의 집을 방문하고는 그 규모에 주눅들었던 기억이 생생하다. 서로 시간이 많지 않았기 때문에 짧게 둘러보기로 했다.

다시 승용차를 타고 예테보리로 이동했다.

예테보리 : 노총 수익사업의 공간?

거대한 규모의 예테보리 민중의 집Göteborg Folkets Hus에 도착했다. 예테보리 민중의 집은 1957년에 처음 만들어진 후 몇 년에 걸쳐 조금씩 증축되어 지금의 모습을 갖추었다고 한다. 이 건물은 스웨덴 노총과 몇몇 다른 기관이 공동소유하고 있다고 하는데, 그 기관들이 어떤 곳인지는 잘 알아듣지 못했다.

마침 점심식사 시간이라서 우리 4명은 먼저 식당에서 점심을 먹기로 했다. 식당 입구에서 우연히 함마쿨렌 민중의 집 대표를 만나 인사를 나눴다. 함마쿨렌 민중의 집 대표는 사민당 선거운동을 위해 도심에 나와 있다가 선거운동원들과 함께 식사를 하러 왔다. 지역에서 사민당에 대한 비판 여론이 있기는 하지만, 역시 어쩔 수 없이 '비판적 지지'를 할 수밖에 없는 상황이라는 느낌도 들었다.

예테보리 민중의 집 식당은 민중의 집 건물 안에 있지만 직접 운영하는 것은 아니라고 한다. 그래서 다른 식당에 비해 음식 값이 그리 싸지도 않다고 한다. 식당이 워낙 큰 규모라서 민중의 집 인력으로는 감당이 되질 않으니 외주를 준 것 같다. 식당 규모는 얼핏 보아도 200석 규모는 충분히 되어 보였다.

점심을 먹는 동안에서 거트와 셜스틴은 지역 정치의 중요성을 여러 번 강조했다. 지역에서 사람들을 직접 대면하는 운동이 중요하고, 현재 좌파정당들이 그러한 정치에 소홀한 것에 대해 불만을 토로했다. 2006년 사민당과 좌파연합이 총선에서 패배한 것도 여기에 원인이 있다고 진단했다. 정치 얘기, 각 나라의 음식 얘기 등 환담을 나누며 식사를 마친 후 아래층 예테보리 민중의 집으로 이동했다.

건물 앞에는 스웨덴에서 이미 전설이 되어 버린 정치인이자 전 수상 올로프 팔매 동상이 있었고, 독일에서 사회주의 사상을 접한 후 처음으로 스웨덴에 전파했다는 어거스트 팜August Palm의 조각도 함께 있었다. 민중의 집 안에는 2개의 대형 컨퍼런스 룸이 있고 6~7개 정도의 교육장이 있다. 그중 한 곳은 700명 정도 수용 가능한 극장을 겸하고 있다. 복도에 전시되어 있는 예테보리 산업의 역사, 노동자들의 모습을 담은 벽화들이 없었다면 민중의 집이 아니라 관공서로 착각할 수도 있었을 것 같다. 사실 이 커다란 민중의 집은 그리 눈길을 끌 만한 것이 없었다. 예테보리 민중의 집의 규모는 오늘날 사민당과 노총의 영향력을 보여주는 듯했지만, 여느 민중의 집과는 다른 공간이다. 노동자와 주민들이 앞마당처럼 드나들 수 있는 그들만의 공간이라기보다 손님을 맞이하기 위해 깔끔히 정돈된 시설에 가까웠다. 곳곳에 스웨덴 사민주의와 노동의 역사를 상징하는 것들이 배치되어 있지만, 지금 노총에게 이 공간은 하나의 수익사업 아이템에 불과한 것 같다.

▲거대한 규모의 예테보리 민중의 집 전경.
▶선거 운동에 한창인 함마쿨렌 민중의 집 대표를 식당에서 우연히 마주쳤다.
▼예테보리 민중의 집 내부의 교육장, 대형회의실, 극장 등과 예테보리 민중의 집 앞뜰에 있는 동상. 임신한 여성을 형상화한 것이 눈에 띈다.

거트는 우리를 호텔 앞까지 데려다주었다. 너무 인상이 좋고, 친절하고 고마운 아저씨였다. 전국 민중의 집 연합회 예테보리 지부 상근자인 그는 우리에게 그랬던 것처럼 아마 이곳 민중의 집 사람들에게 즐거운 기운을 불어넣으며 동네 곳곳을 누빌 것이다. 놀라웠던 사실은 유럽 체류기간 동안 우리의 수수께끼에 대한 해답을 그에게서 얻었다는 것이다. 우리는 가는 곳마다 유럽 민중의 집의 기원에 대해 질문을 던졌지만 아무도 대답하지 못했다. 스웨덴 민중의 집 연합회에서도 이 답은 얻지 못했다.

"벨기에에서 시작한 걸로 알고 있다. 그리고 덴마크로 퍼져나갔다. 덴마크하고 스웨덴은 다리 하나를 건너면 되는 가까운 거리다. 그렇게 전파된 걸로 알고 있다."

한국에 돌아온 후 여러 자료를 조사하던 끝에 결국 그의 말이 사실임을 알게 됐다.

말뫼 : 다시 만드는 미래

예테보리를 방문한 요일은 금요일.

주말은 어차피 취재를 할 수 없기 때문에 토요일까지 휴식다운 휴식을 가질 수 있었다. 우리는 일요일을 이용해 예테보리에서 말뫼로 행선지를 옮겼다. 말뫼는 예테보리에서 고속버스로 4시간을 달려야 하는 곳이다. 말뫼 역시 예테보리처럼 항구도시다.

"말뫼의 눈물"이란 말이 있다. 이 말은 우리와 밀접한 관련이 있다.

말뫼는 우리로 치자면 거대한 조선소가 있는 거제도 같은 곳이다.

실제로 말뫼는 전 세계 조선업계의 중심지였다. 유럽에서 가장 큰 크레인도 바로 말뫼에 있었다. 조선 강국 스웨덴은 그러나 한국과 일본의 맹추격을 이겨내지 못하고 쇠락의 길을 걷게 된다. 1980년대 중반 말뫼의 조선업계는 부도의 위기에 직면하게 되자, 각종 설비를 팔아서 은행부채를 상환해야 하는 처지까지 몰렸다. 문제는 말뫼의 자랑이며 상징이자 명물이었던 유럽 최대의 크레인. 이 크레인은 이제 더 이상 말뫼의 상징, 노동자들의 자부심이 아니다. 다른 설비들은 비록 싼값에라도 팔려나갔지만 이 크레인만큼은 해체작업에 너무 큰 비용이 들어 아무도 눈길을 주지 않은 천덕꾸러기가 되어 버렸다.

크레인은 15년 동안 홀로 버텼다. 그리고 바로 한국에 있는 현대중공업에서 이 천덕꾸러기를 인수했다. 크레인 해체와 재설치에 들어가는 천문학적 비용을 따로 들였지만, 어찌됐던 크레인 자체의 가격은 단돈 1달러였다. 10달러도

터닝 토르소 사진. 크레인이 가고 없는 자리를 매운 에너지 절약형 주상복합 건물. 중공업 도시에서 저탄소 친환경 도시로 탈바꿈한 오늘날 말뫼의 새로운 상징이라고 한다.

말뫼 중앙역.

아니고 단 1달러.

2003년 단돈 1달러에 말뫼의 노동자들과 그 가족의 수많은 애환을 지켜보았던 크레인이 팔려가는 날, 스웨덴 공영방송은 '말뫼가 울었다'는 특집방송을 내보내기도 했다. 말뫼의 수많은 노동자와 시민이 크레인 주위에 모여 눈물을 흘리는 장면, 그게 바로 말뫼의 눈물이다. 그리고 팔려나간 크레인, 지금은 현대중공업에 있는 그 크레인을 말뫼의 눈물이라고 칭하기도 한다. 당시 말뫼 노동자들의 뺨을 타고 흘렀던 눈물이 넘실넘실 출렁이는 바다를 타고 '말뫼의 눈물'을 울산 앞바다까지 배웅했을 것만 같다.

말뫼는 조용하다 못해 적막한 도시였다.

내가 서 있는 바닷가 저 멀리 자욱한 안개 속에 말뫼와 덴마크를 잇는 다리가 보였다. 이런 풍경은 애상적이다. '말뫼의 눈물'이란 말을 들어서인지 더욱더 감성이 자극된다. 옛날에는 저 다리가 없었으리라. 저편에 있는 어느 누군가가 배 안에서 민중의 집이란 아이디어를 가슴에 간직하고 왔으리라.

내일은 비욘 이사가 소개해준 민중의 집 연합회 말뫼 지부 간사 막달레나 Magdalena Hasselquist를 만나기로 했다. 과연 그곳은 어떤 곳일까.

2010년 9월 18일, 스웨덴 총선 투표 마지막 날이다. 바로 다음 날에는 드디어 스웨덴 총선결과가 발표된다. 말뫼에서 눈물을 흘렀던 노동자들은 어느 당을 지지할까. 그들이 지지하는 정당은 내일 또 어떤 성적표를 받게 될까.

공동체 극장과 민중공원

월요일. 민중의 집 연합회 말뫼 지부 사무실.

어제 드디어 스웨덴 총선이 끝났다.

막달레나와 만나자마자 나눈 얘기는 당연히 선거 얘기. 막달레나는 선거 결과가 절망스럽다며 "스웨덴 역사에서 오늘은 매우 슬픈 날"이라고 한숨을 쉬었다. 스웨덴 남부 지방은 원래 보수 성향이 강하지만 인종차별주의가 팽배한 이곳에서 그나마 민중의 집이 중요한 역할을 해왔다고 말한다.

이곳은 말뫼와 인근 지역 133개의 민중의 집, 민중공원을 관장하는 연합회의 광역지부다. 133개의 민중의 집 중 7개가 말뫼 시내에 있다고 한다. 일

말뫼 중심부 광장에 위치한 스페겐 극장. 현재 민중의 집 연합회의 자회사가 운영하는 곳이다.

하는 직원은 모두 3명, 생각보다 인원이 많지는 않았다.

"말뫼 민중의 집 역사는 매우 오래됐다. 19세기 말 스웨덴에서 민중의 집이 가장 번성하고 최초의 민중공원이 생긴 곳도 이곳이다. 500개의 극장과 240개의 민중의 집이 있었다고 한다. 큰 도시뿐 아니라 아주 작은 마을 단위까지 민중의 집과 극장이 있었다."

막달레나는 진지하게 본인이 속한 민중의 집의 역사에 대해 말했다.

사무실 아래층에는 극장이 있다. 민중의 집 연합회의 자회사가 운영하는 4개 극장 중 하나로 이름은 스웨덴어로 거울을 뜻하는 스페겐Spegeln이다. 말뫼 중심부 광장에 위치한 이 극장은 1934년 만들어질 당시 일반 극장이었는데 90년대에 말뫼 지역 단체들이 공동으로 인수한 후 1998년부터 지금의 이름으로 불린다고 한다.

이 극장은 민중의 집과 민중공원이 그런 것처럼 공동체를 기반으로 운영되고 있다. 극장의 영화 클럽에 가입하면 주민들은 저렴하게 영화를 볼 수 있고, 영화뿐 아니라 오페라 상영과 아이들을 위한 프로그램도 함께 이용할 수 있다. 극장 안에는 토론이나 모임을 할 수 있는 장소도 3개 정도 있고, 아이들과 함께 온 부모들이 아이를 맡기고 영화를 볼 수 있는 시설도 갖추어져 있다. 우리가 갔을 때 아이들을 위한 3D 영화가 상영 중이었는데, 이 극장은 스웨덴에서 최초로 3D 기술을 도입한 것으로도 유명하단다. 각각 다른 규모의 3개 상영관이 유명 여성 감독들의 이름을 따온 것도 재미있었다. "제인 캠피온 살롱", "소피아 코폴라 살롱" 이런 식이다.

꿈같은 얘기일 수 있지만 한국의 진보진영이 극장을 지어 운영하는 상상도 해 본다. 우리의 얘기, 우리의 영화가 상영되고, 사람들이 오고 가며 얘기하는 극장. 수익도 창출해서 우리의 영화를 만드는 데 재투자할 수 있다면 더 없이 좋을 것이다.

이제 이야기를 극장에서 민중공원으로 옮겨가 보자.

말뫼 민중공원은 말뫼를 떠나기 직전에 둘러본 곳이다.

민중공원이란 말은 생소하다. 처음 민중공원Folkets park이란 말을 접했을 때도 전혀 개념이 잡히지 않았다. 설마 좌파들이 민중의 집을 만들 듯이 공원을 만들어 소유하고 있다는 말인가라고 스스로에게 질문하고 "설마 그건 아니겠지"라고 답을 내렸다. 그런데 그 설마가 정답이었다.

말뫼 민중공원은 120여 년 전 스웨덴에서 첫 번째로 만들어진 공공 공원이며, 전 세계에서 가장 오래된 공공 공원 중 하나다. 1800년대 초 어느 돈 많은 사람이 개인 용도로 만들었던 공원을 1891년 사민당 말뫼 지부가 매입해서 그 해 노동절에 민중공원으로 개장했다. 이후 사민당 지부는 100년간 이 공원을 소유하면서 지역 활동의 거점으로 삼았다. 이런 건 처음 알게 된 얘기였다. 공원을 매입해서 정치적인 공간으로 만들어 버리다니. 우리로 치자면 서울의 장충단 공원이나 여의도 공원을 진보정당이 매입해서 정치집회의 거점으로 삼은 것이라고 보면 이해가 빠를 것이다.

말뫼는 예전부터 계층화가 뚜렷한 도시여서 이 공원은 말뫼 남부의 노동자 밀집 지역에 지어졌다고 한다. 이 공원이 노동자 계급을 위한 것이라는 점이 분명했고 공원 역사의 초기가 노동자의 정치적 조직화가 이루어지던 때와 맞물려 있다는 점에서 더욱 그랬다. 유명한 일화들도 많다. 1909년 8월 총파업 때 1만 3천 명 이상의 말뫼 노동자들이 파업에 참여하면서 이 공원이 자연스럽게 거점이 되었다고 한다. 이후 민중공원은 줄곧 노동절 행진의 도착지였고 유력 정치 지도자들의 연설을 듣기 위해 수많은 노동자가 이곳에 모였다고 한다.

그러나 이 공원이 정치 활동의 장소로서만 기능한 것은 아니다. 민중공원은 레스토랑, 댄스홀, 공연장 등을 갖추고 있었고, 1926년에는 춤을 즐길 수 있는 공원이라는 콘셉트의 놀이공원으로 변화됐다. 놀이공원의 상징인 롤러코스터, 관람차, 범퍼 카도 설치됐다. 사민당과 노총이 자신들의 정치적 공간을 지역 주민들이 이용할 수 있는 공간으로 탈바꿈하려는 시도라고 볼 수 있다. 이러한 시도는 매우 성공적이어서 1930년대 후반부터 50년대까지 민중공원은 전성기를 맞이했다. 소유는 사민당이지만 누구나 이용할 수 있는 공간이었기 때문에, 이 시기 여름 시즌에는 방문객 수가 매일 4~5천 명에 달했다고 한다. 스웨덴뿐 아니라 세계적으로 유명한 아티스트들의 공연도 꾸준히 열렸다. 우리가 익히 알고 있는 프랭크 시나트라, 루이 암스트롱도 말뫼 민중공원을 방문한 아티스트에 포함된다.

이렇게 성황을 이루던 민중공원의 방문자 수가 줄어들기 시작한 것은 60년대부터다. 한때 70만 명이 넘었던 방문자 수는 1970년대 들어 처음으로 20만 명 이하로 떨어졌다. 결국 70년대 중반에 말뫼 시가 공원 운영의 파트너

말뫼 민중공원은 120여 년 전 만들어진 스웨덴 첫 공공 공원이며 세계에서 가장 오래된 공원이다. 과거 이 공원은 노동자의 조직화가 이루어지던 거점이었다. 아래 사진은 아바의 공연포스터와 사민당 지도자 올로프 팔메 추모비.

로 참여했고 1991년 말뫼 시의회는 사민당으로부터 민중공원을 매입하기로 결정했다. 사민당 말뫼 지부가 민중공원을 매각한 것은 재정적 이유가 가장 컸겠지만, 더 이상 이전과 같은 정치적 의미를 담지한 공원이 절실하지 않았기 때문으로 보인다.

그렇게 지금은 지방정부가 소유 · 운영하고 있는 스웨덴 최초의 민중공원에 우리는 아주 짧은 시간 머물렀다. 가늘게 비가 내리고 있었지만 아이들은 춤 연습도 하고 당나귀도 타며 즐거운 한때를 보내고 있었다. 예전만큼은 아니지만 여전히 이 공원은 많은 주민에게 편안한 휴식처가 되고 있다고 한다.

한 바퀴 둘러보니 세계적인 그룹 아바ABBA가 이곳에서 공연한 포스터가 아직도 전시되어 있었다. 올로프 팔메 전 수상의 추모비도 있고, 곳곳에 사민당의 상징인 장미가 심어져 있어, 이곳이 바로 과거 사민당의 정치적 근거지라는 것을 일러줬다. 과거 이곳에서 정치집회를 열고 집권의 꿈을 키워갔던 사민당 당원과 노총의 조합원들의 함성을 머금은 나무들이 이슬비를 맞으며 무심하게 서 있었다. 좌파연합이 선거에서 패배한 탓에 민중공원의 분위기까지 스산하게 느껴졌다. 하지만 100여 년 동안 사민당이 노동자와 그 가족을 위한 문화 공간으로 이 민중공원을 유지하고 계속 발전시켜온 것은 분명 놀라운 일이다. 그 정신을 되살릴 때 스웨덴 좌파들의 권토중래가 이루어질 거라는 막연한 바람 하나를 공원에 묻고 와야 마음이 편할 것만 같았다.

소피엘룬드 : 지역사업의 박람회

막달레나는 민중의 집 연합회로부터 우리가 방문할 것이란 연락을 받고, 우리에게 보여주고 싶은 민중의 집을 미리 섭외해 두었다. 차 안에서도 그는 선거 얘기를 진지하게 하다가도 분위기가 좀 무거워지면 가벼운 주제로 대화를 이어갔다. 그는 진지하면서도 유쾌함을 동시에 갖춘 사람처럼 보였다.

막달레나와 함께 택시를 타고 이동한 곳은 낡고 허름해 보이는 민중의 집. 지하 1층 지상 2층의 건물 앞, 이곳은 소피엘룬드 민중의 집Sofielund Folkets Hus이다.

입구에 들어설 때부터 아이들이 마당이나 건물 곳곳에서 뛰어 놀고 공부하고 있었다. 이곳은 1902년부터 민중학교로 운영되어 왔다. 민중학교가 복합적인 기능을 갖춘 민중의 집으로 만들어진 것은 비교적 최근인 1995년이

소피엘룬드 민중의 집 전경, 이곳은 1902년부터 민중학교로 운영되다가 1995년 민중의 집으로 바뀌었다.

었다.

사무실로 들어가니 우리를 기다리는 사람들이 있었다.

소피엘룬드 민중의 집 대표 카를로스, 홍보사업을 담당하는 모니카, 회계 담당 롯다 그리고 인근 동네 루센고드에서 민중의 집을 만들기 위해 일하고 있는 이란 출신 여성 쉴라.

이 정도 대규모(?) 인원이 우리를 만나려고 기다리는 경우는 처음이었다. 이 사람들 외에도 이곳에서 일하는 사람들은 19명이나 된다. 민중의 집 연합회를 방문했을 때 비욘은 각 민중의 집의 재원 규모를 판단하는 기준이 '상근자를 채용할 수 있는가, 자원봉사로만 운영해야 하는가' 라고 했는데, 그 기준으로 치면 이곳은 대규모 민중의 집인 셈이다.

우리를 만나기 위해 모인 사람들이 기대에 찬 눈으로 우리를 쳐다보았다. 우리가 취재를 할 입장인데 오히려 저쪽에서 카메라를 들고 취재를 하기 시작했다. 마포 민중의 집 이야기를 들려주자 모두 눈과 귀를 쫑긋 세우고 우리 얘기를 들었다. 스웨덴과 이탈리아 민중의 집 사례를 보고 몇 년간 세미나를 한 끝에 마포 민중의 집을 만들었다고 하니 모두 놀란다. 하기야 입장을 바꿔 놓고 생각해 보면 그럴 수도 있다. 외국의 어떤 사람이 한국의 민중의 집을 모델로 세미나를 하고 실제로 그것을 만들고, 또 직접 마포 민중의 집의 모습을 보기 위해 비행기로 10시간이 넘게 걸리는 곳에 왔다면 우리라도 그럴 것이니까. 마포 민중의 집이 어떻게 생겼는지 궁금해해서 한글로 되어 있지만 홈페이지를 열어 사진도 몇 장 보여주었다. 그리고 나니 드디어

> 노인 합창단, 축구 단체 관람, 여러 나라의 전통 악기들을 함께 연주하는 합주 모임, 기공 체조 등 문화 활동부터 실업자들을 위한 재교육까지 다채로운 프로그램이 있었다.

우리에게 질문의 기회가 돌아왔다.

카를로스 대표는 1995년부터 민중의 집에서 일해왔다. 처음 만들었을 때 두 달 동안은 거의 혼자 일했다고 한다. 당시 실업자들 몇 명과 함께 오래된 건물을 손수 개보수 했다고 한다.

"40여 개 지역 단체들이 연합해서 소피엘룬드 민중의 집을 만들었다. 그들은 이곳을 '생활의 집House of Life' 이라고 표현했고, 어린 아이들부터 노인들까지 정말로 많은 사람이 이곳에 왔다."

생활의 집이란 말은 아마도 집과 민중의 집에 동시에 적을 두고 생활의 일부처럼 오고 가고 있다는 의미인 것 같았다. 그도 그럴 것이 소피엘룬드 민중의 집에서 진행되는 사업은 우리가 방문했던 어떤 곳보다 다양했다. 노인 합창단, 축구 단체 관람, 여러 나라의 전통 악기들을 함께 연주하는 합주 모임, 기공 체조 등 문화 활동부터 실업자들을 위한 재교육까지 다채로운 프로그램이 있었다. 약 70여 개의 다른 국적을 가진 사람들이 소피엘룬드 민중의 집을 방문한다고 한다. 우리는 주로 낮 시간에 민중의 집을 방문했는데 여기처럼 사람이 북적거린 곳은 없었다.

"오전 8시나 9시부터 문을 열어 밤 10시까지 운영한다. 물론 주말에도 문을 연다. 낮 시간에는 주로 아이들의 방과 후 학교가 진행되고 저녁에는 크고 작은 단체들과 춤과 노래를 배우고 각종 모임을 갖는다."

마포 민중의 집도 이와 비슷하다. 오전에는 학부모들이, 낮 시간에는 아이들 무료 공부방이, 저녁에는 직장인들과 지역 단체가 이용한다.

카페가 있는 홀을 시작으로 소피엘룬드 민중의 집 이곳저곳을 둘러보기 시작했다. 마릴루Marilu라고 불리는 이곳 카페는 음료와 샌드위치, 빵, 과일 등 간단한 먹을거리를 판매하고 있는데, 식재료는 모두 유기농 방식으로 생산된 로컬 푸드라고 한다. 양질의 먹을거리를 저렴한 가격에 판매하니 아침부터 사람들이 붐빌 것 같다.

홀의 벽면에는 다양한 피부색의 어른과 아이들이 휴가를 즐기고 있는 사진이 전시되어 있었다. 지난여름에 휴가를 떠나지 못하던 가난한 가족들이 단체로 여행을 다녀왔을 때의 사진이라고 한다. 아이들은 책가방과 겉옷을 복도 옷걸이에 쭉 걸어두고 각 방마다 들어 앉아 놀거나 수업을 받고 있었다. 이 아이들의 방과 후 교실과 취학 전 아동을 위한 교육 프로그램은 부모의 소득에 따라 참가비가 다르게 책정된다.

실업자 교육을 진행하는 공간도 있었다. 최근 소피엘룬드 민중의 집은 18~24세 청년실업자를 위한 3개월 단위 직업훈련 프로그램을 운영 중에 있다. 현재 12명 정도 참여하고 있는데, 작년에는 26명이 이 프로그램에 참여해서 14명이 수료하고 그중 7명이 취업했다고 한다.

소피엘룬드 민중의 집은 다른 민중의 집에 비해 다채로운 프로그램이 있었다. 특히 낮 시간에는 아이들을 위한 방과 후 학교를 진행 중이다.

소피엘룬드 민중의 집에서는 각종 특강도 정기적으로 연다. 우리가 떠난 후인 10월 12일에는 사민당 정부에서 교육부 장관을 지냈던 벵트 요란손Bengt Göransson을 초정해 민주주의를 주제로 강좌를 열 예정이라고 한다. 한쪽 방에서는 아이들 2명이 따로 선생님과 수업을 하고 있었다. 이 아이들은 일곱 살이고 스페인어를 배우고 있었다. 스웨덴어가 아닌 스페인어를 배우는 게 특이했는데, 그 이유는 남미나 스페인에서 이주해온 부모의 자녀들이 모국어를 잊어버리지 않도록 하기 위해서란다. 이 정도로 세심하다면 다른 것은 볼 것도 없다.

소피엘룬드 민중의 집은 광범위한 문화 · 교육활동을 진행하고 있는 만큼 젊은이들의 참여도 활발했다. 그중 인상적이었던 프로그램은 지역 라디오 방송이다. 지하에 있는 스튜디오는 좁은 공간을 차지하고 있었지만, 카를로스 대표는 이 방송에 대한 자부심이 남다른 것 같았다.

"13~15세 사이의 청소년들이 1주일에 30분씩 지역 방송을 하고 나머지 시간에는 라디오 방송에 필요한 워크숍을 진행한다. 워크숍에서는 기사 쓰는 법, 인터뷰하는 법을 배우고, 젊은 뮤지션들이 초대 손님으로 나와 공연도 하고 이야기도 나눈다."

라디오 소피엘룬드라는 지역 채널이 있고, 프로그램별로 몇 개의 팀이 구성되어 있다. 위에 카를로스가 설명한 청소년 제작 프로그램은 '라디오 리얼Radio Real' 이다. 6명이 함께 만드는 이 프로그램은 노숙인 단체를 방문하여 인터뷰한 내용을 방송한다거나 부모가 이혼한 자녀들의 문제를 살피는 것 등등 매우 다양한 주제를 다룬다고 한다. 민중의 집에서 어떤 일이 벌어지고 있는지 소개하는 프로그램도 있었다. '다함께Tillsammans' 란 제목의 프로그램은 민중의 집을 드나드는 사람들의 인터뷰를 통해 이를 소개하기도 하고 지역 뮤지션들이 만든 음악도 소개한다. '라틴의 거리La Calle Latina' 는 라틴 아메리카 이주민을 위한 방송이다. 스페인어로 방송되는 이 프로그램에는 5명 정도의 패널이 매회 다양한 게스트들과 함께 사회 현안에 대해 대화를 나누고 라틴 아메리카 음악을 틀어주기도 한다. 스페인어로 진행되는 방송은 이 프로그램 외에 몇 개 더 있다.

소피엘룬드 민중의 집 지하에서 나와서 한두 블록 떨어진 곳으로 이동하니, 이곳은 또 하나의 민중의 집을 증축하기 위한 공사가 한창이었다. 댄스홀, 카페, 회의실 등 총 12개 정도의 방을 만들고 있었다. 40개가 넘는 지역 단체들의 사업이 원활하게 돌아가기에는 집 한 채가 모자란 모양이다. 공사비는 일부 말뫼 지방정부에서 지원하고 나머지는 모금과 기부를 통해 마련하고 있다고 한다.

공사 자재가 널려 있는 곳 사이사이 미술 수업에 참여하는 학생들이 만든 조각 마네킹들이 있었는데 굉장히 인상적이었다. 예술가들이 와서 2주간 세미나 수업을 한 결과물이라고 하는데, 짧은 세미나의 결과로 이런 작품이 나온다는 게 믿기지 않았다.

아직 공사가 채 끝나지 않은 건물 한쪽 방에 20대 청년 3명이 모임을 하고 있었다. 이들은 15~20세 청소년들과 함께 '민주주의를 위한 프로젝트' 를

▲소피엘룬드 민중의 집에서 운영하는 라디오 스튜디오.
▼소피엘룬드 민중의 집에서 한 블록 떨어진 곳에서 공사 중인 새로운 민중의 집.

운영하고 있는 청년들이다. 이 프로젝트는 말뫼의 오피니언 지도를 만드는 작업인데, 청소년들의 시각으로 이 도시에서 무엇을 바꾸고 싶은지 토론하여 그 결과물을 정리하여 공공장소에 게시하는 것을 목표로 하고 있다. 지금은 그들의 요구를 "말뫼가 어떤 모습이었으면 좋겠나"라고 쓰인 지도로 그려 넣는 밑 작업을 진행 중이었다. 이 역시 독특한 프로젝트다. 새로운 세대가 원하는 것을 읽고 그것을 통한 도시를 재구성한다. 또 그들의 요구를 공공장소에 게시함으로써 지방정부와 주민들에게 자극을 주는 참신한 프로젝트였다.

소피엘룬드 민중의 집에서 벌어지는 수많은 사업중 일부만 볼 수 있었지만, 과장을 조금 보태면 이곳은 민중의 집이 담아낼 수 있는 주민사업의 모든 것을 보여주는 박람회 같았다. 역사도 그리 오래되지 않은 민중의 집에서 이 역량은 과연 어디에서 나오는 걸까. 자세히 물어볼 기회는 없었지만 아마도 그 힘은 다양성인 것 같다. 그곳에 머문 잠깐의 시간에도 우리는 여러 인종의 사람들, 모든 연령대의 남성과 여성, 아이들과 마주칠 수 있었다.

결국 민중의 집이란 공간은 누구나 올라와 원하는 것을 펼칠 수 있는 열린 무대 같은 곳이다. 참여한 사람들이 서로 눈을 마주치고 한 자리에 앉아 이야기를 나누면 시작되는 무대. 민중의 집에서 이런 경험을 반복하면서 사람들은 성별, 세대, 인종, 계층 간에 간극을 넘어 서로 연결된 깊은 관계망 속에서 자신을 발견하게 된다.

이곳은 100년 전 흑백 사진 속의 민중의 집이 아니었다. 이곳에 느낀 건 과거와 소통하는 새로운 민중의 집이 지어지고 있다는 것이었다.

루센고드 : "생각을 변화시킬 수 있는 곳"

말뫼에서도 조금 떨어진 한적한 마을 루센고드Rosengård.

루센고드 역시 백만 호 주택 건설 사업으로 대규모 아파트 단지가 들어선 지역이다. 그러나 이곳은 사실상 게토화되어서 빈집도 많았다. 인구 3만 명이 안 되는 작은 도시고 이곳 역시 주민의 80퍼센트 이상이 이주 배경을 가진 사람들과 그 자녀로 구성되어 있다.

스웨덴의 날씨는 술을 마시기에 더없이 적당하다. 우울한 기운이 가득 찬 비 오는 거리. 안개 낀 풍경. 9월 말임에도 겨울옷을 입어야 할 정도로 스산한 날씨. 루센고드는 술 마시고 싶게 만드는 풍경을 지닌 동네다. 좋은 느낌이 아닌 어떤 묘한 우울함이 공존하는 그런 풍경이다.

이곳에도 민중의 집이 있다. 그러나 눈앞에 건물은 보이지 않는다. 물리적 공간을 가진 민중의 집은 아직 없지만 지역 단체들이 연합하여 만든 네트워크로서 민중의 집은 이미 10여 년 전에 생겼고 문화 교실이나 스터디 그룹, 다문화 영화제 같은 행사도 진행해 오고 있다. 그래서 분명히 이곳에는 민중의 집이 있는 것이다.

우리가 방문한 곳은 3개 지역 단체가 함께 쓰고 있는 가건물로 된 사무실이다. 몇 시간 전에 다녀온 소피엘룬드 민중의 집에서처럼 이곳에서도 우리를 기다리는 사람들이 있었다. 여러 이주민 여성들은 소피엘룬드 민중의 집에서 만났던 쉴라와 함께 음식을 준비해놓고 수줍지만 반갑게 우리를 맞이했다. 조촐하지만 한없이 정성스럽게 만든 아랍 지역 음식이 탁자에 놓여 있다. 여긴 또 다른 풋풋함이 있다.

이들 여성들은 2006년에 만들어진 루센고드 지역 여성회Herrgårds Kvinnoförening라는 모임의 회원들이다. 이 모임은 루센고드 민중의 집을 짓기 위해 노력하고 있는 22개 지역 단체 중 한곳이다. 스웨덴에는 많은 민중의 집이 있지만 여전히 지역에서는 또 누군가가 그것을 건설하기 위해서 의지와 감정을 모아가고 있다. 마치 그 옛날에 그랬던 것처럼 말이다.

먼저 지역 여성회 활동에 대한 이야기를 나눴다.

이곳 여성 이주민들은 거의 80퍼센트 정도가 글을 모른다. 때문에 모여서 대화를 나누고 무언가를 함께 하는 것이 중요하다고 생각하여 이 모임을 만들었다고 한다.

"그들에게 이 사회에서 자신들의 권리에 대해 알게끔 하는 것이 중요하다. 모여서 각 나라의 사진을 보고 책을 읽고 서로 얘기를 나누는 것부터 시작해서 여성들이 처한 현실, 그들이 속한 가족과 지역 공동체를 연결하고 돕는 역할을 하고 있다."

5년 전 8명으로 시작한 모임이 놀랍게도 현재는 회원 400명을 넘겼다. 8명에서 400명 사이의 시간을 생각해 본다. 이주해온 여성들이 늘어나고, 만나고, 소통하고, 다투고, 화해하고, 울고, 웃고. 바람이라도 불면 그들의 시간이 불려나올 것만 같다.

이 여성들이 어떻게 처음 이 모임을 찾아오는지 궁금했다.

"이웃이나 학부모들끼리 얘기를 나누면서 자연스럽게 모임을 알게 되어 오게 된 경우가 많다. 이들 여성들은 대체로 자신들 만의 소득원을 갖고 싶어 한다. 이런 요구를 충족하기 위해 모임에서는 함께 파티 음식을 만들어 수익 사업을 하기도 했다. 그뿐 아니라 함께 운동도 하고 수영도 하는데, 수영장을 일주일에 1~2일 정도 빌려서 여성들만 들어갈 수 있게 했다."

이 공간에서 여성들은 모여 뭔가를 만들고, 그림을 그리고, 자신들만의 지식을 생산해낸다. 모국어를 배우기도 하고 반대로 스웨덴어를 배우며 스웨덴 사회에 대한 정보를 얻는다. 최근에는 이번 총선에서 처음 투표를 하는 사람이 많기 때문에 선거 관련 정보를 나누는 시간도 가졌다고 한다. 이 모임은 특히 스웨덴으로 이주한 지 1~2년차 되는 여성들의 역량을 강화하는데 주력하고 있다. 이주민 여성들은 가족과도 협상을 해야 이곳에 올 수 있는데, 점점 더 방문하는 인원이 늘어난다고 자랑스럽게 말했다. 쉴라는 이 모임이 다른 여러 문화권에서 온 사람들 간에 다리가 될 수 있다고 생각하고 있었다.

모임에 참여한 한 여성 회원은 스웨덴에 온 지 4년이 됐는데, 모임에 나와서 바느질도 하고 요리도 하면서 스웨덴어를 배운 덕에 현재는 다른 사람들과 대화를 할 수 있는 수준의 실력을 갖췄다고 한다. 이 모임 사람들이 친절

> 모여서 대화하고 생각을 변화시킬 수 있는 곳이 필요하다. 민중의 집이 아닌 다른 공간들은 그런 사회적 네트워크의 기능을 할 수 없다고 본다.

하고 잘 돌봐주어서 집에 혼자 있는 것보다 여기 나오는 것이 좋다고 한다.

역시 이주민인 쉴라는 자원봉사로 10년 동안 이 지역에서 활동을 해온 여성이다.

그녀는 특히 여성과 아이들, 청년, 노인들이 서로 만날 수 있는 공간이 절실하다는 것을 여러 차례 강조했다.

"바로 그런 점에서 민중의 집이 꼭 필요하다. 루센고드에는 3만 명 정도가 살고 있는데 절반이 20대 이하다. 이주민 가족은 평균적으로 아이가 5명 정도인 대가족이 많다. 그러다 보니 방 2개 있는 집에 10명씩 사는 경우도 있다. 여성 주민들은 특히 종교적 이유로 집 밖으로 외출하는 것도 자유롭지 못하다. 그래서 더욱 밖에서 만날 수 있는 물리적 공간이 필요하다. 모여서 대화하고 생각을 변화시킬 수 있는 곳이 필요하다. 민중의 집이 아닌 다른 공간들은 그런 사회적 네트워크의 기능을 할 수 없다고 본다."

'생각을 변화시킬 수 있는 곳' 이란 그의 말이 참 인상적이었다.

이곳에 모인 사람들은 우리의 대화를 눈으로 듣고 있었다. 난 이상한 기분이 들었다. 중년의 여성들에게 우리는 무엇을 얘기해줘야 하는지. 괜히 그들에게 희망이 묻는 단어를 선사해야 할 것만 같은 강박관념까지 들었다. '그들은 무슨 생각을 하며 음식을 준비 했을까' 라는 데까지 마음이 미치자 더 욱더 그랬다. 왜 그런 감정이 들었는지는 모르겠다. 시간이 좀 지난 다음에야 국내에서도 비슷한 모양새를 가진 사람들이 있었다는 걸 떠올리게 됐다. 자신이 약자라고, 그래서 '감히' 손님들 앞에서 나서면 안 된다고 여기는 사람들의 모습과 닮았다. 이를 테면 힘든 일과를 마치고 옷을 갈아입은 청소 아주머니들의 모습이 그럴 수도 있겠다. 한 꺼풀 벗기고 나면 단아한 무게감이 있는 사람들. 한숨 섞인 자발적 복종을 감내하면서 누군가를 부양해야 하는, 그러나 그 부양의 힘이야 말로 현실의 고통을 이겨내는 원천인 사람들이 스웨덴에 있는 이들의 모습과 겹쳐진다.

쉴라와 함께 조용히 우리를 맞이했던 그 사람들은 스웨덴에 오기 전에는

루센고드에서 민중의 집을 만들기 위해 고군분투하는 이주 여성들과 함께한 아내.

무슨 일을 했고, 이곳에 와서는 무슨 일을 하고 있고, 또 무슨 일을 하려고 마음먹고 있을까.

우리는 끝내 대화를 나누지 못한 채 헤어졌다. 다만, 민중의 집이 빨리 만들어지길 바란다는 인사를 마지막으로 건넸을 뿐이다. 그리고 지금쯤 그들에게 새로운 민중의 집이 생겼고, 그 안에서 더 새로운 관계들이 자라나 있길 뒤늦게 기원해 본다.

스웨덴의 일정은 그렇게 모두 끝이 났다. 우린 숙제를 잔뜩 짊어지고 집으로 돌아가는 학생이 되어 있었다.

열흘 남짓 머물렀던 스웨덴.

전국적으로 짜인 하나의 시스템 안에 있는 민중의 집과 민중공원. 이미 많은 사업들은 전문화되었고 세련된 지역사회 공동체 센터로 자리 잡고 있는 곳들도 많은 듯했다.

현재 스웨덴 사회에서 민중의 집은 과거 민중의 집이 만들어지던 당시만큼 급진적인 공간은 아니었다. 가령 이탈리아처럼 '여기는 좌파의 집이다'라고 생각하는 사람도 많지 않았고 민중의 집과 관련된 정당과 노총의 움직임은 중앙에서든 지역에서든 거의 포착되지 않았다.

민중의 집이라는 이름으로 공존하는 크고 작은 공간들은 우리에게 스웨덴 민중의 집 100년사를 그대로 보여주고 있었다. 노동조합운동과 사민주의 정치의 터전이었던 민중의 집은 오늘날 대도시에서는 거대한 규모의 컨벤션센터와 같은 느낌을 주었다. 이 또한 스웨덴 사민당과 노총의 영향력이라고 말할 수도 있다. 그리고 또 한편에서 초기의 정신을 간직하며 소외된 이들의 사회적 공간으로서 민중의 집을 만들고자 하루하루 더 절실히 움직이고 있는 사람들도 있었다.

연이은 총선 패배가 상징하는 사민당과 노총의 위기. 그 돌파구를 다시 지역에서 찾아야 한다는 어느 민중의 집 활동가의 얘기는 틀린 얘기가 아니다. 아래로부터 민주주의와 진보를 새로 일구려는 노력은 분명 필요하다. 여전히 많은 스웨덴 사람들이 민중의 집에서 만나고 소통하고 서로를 이해하며 만들어가고 있는 아래로부터의 민주주의와 문화의 기운은 우리에게 큰 감흥을 주기에 충분했다.

국내의 수많은 인사가 스웨덴을 다녀갔다. 많은 사람이 스웨덴 연수를 통해 교육제도와 노동운동, 정치조직, 복지제도를 학습했다. 난 민중의 집을 중심으로 한 지역운동, 지역공동체를 바라보았다. 내 시각에 의하면 스웨덴 민주주의, 스웨덴 복지제도의 가장 밑바탕은 민중의 집과 노동자교육협회였다. 그렇다면 우리도 그것부터 시작해야 한다. 그 밑바탕이 되는 것부터.

3장 스페인

스페인 일정

8월 10일 (화) • 서울 출발. 핀란드 헬싱키 공항을 경유하여 스페인 마드리드 도착.

8월 11일 (수) • 스페인 노총(UGT) 본부 방문했으나 담당자 휴가, 사회노동당 중앙당을 방문했으나 담당자 휴가.

8월 12일 (목) • 라르고 카바예로 재단 방문해 민중의 집 자료 구입. 스페인 노총 마드리드 본부 방문.

8월 13일 (금) • 파블로 재단을 방문했으나 모두 휴가. 마드리드 공항에서 한 달간 렌트한 차량을 인수받아 마드리드에서 한 시간 거리인 아란후에스 캠핑장에서 1박.

8월 14일 (토) • 세비아로 출발. 중간에 코르도바 경유. 도난사건 발생. 급히 세비아 민박집으로 이동.

8월 15일 (일) • 세비아 성당, 황금의 탑 등 세비아 관광.

8월 16일 (월) • 차량을 수리하기 위해 푸조 공장에 방문했으나 스페인 공휴일이라 문이 닫혀 있었음. 민박집에서 나와 근처 예약한 호텔 잡고 낮술 마심.

8월 17일 (화) • 차량 수리 후 내비게이션과 카메라 등 구입. 세비야에 있는 스페인 노총 안달루시아 지부에 방문했으나 모두 퇴근. 세비야 주변 캠핑장 숙박.

8월 18일 (수) • 스페인 노총 안달루시아 지부 다시 방문. 마리날레다로 이동.

8월 19일 (목) • 마리날레다 시장 인터뷰 후 그라나다로 이동.

8월 20일 (금) • 스페인 노총 그라나다 지부 방문. 집행위원장 등과 인터뷰.

8월 21일 (토) • 휴식, 알함브라 궁전 관람.

8월 22일 (일) • 그라나다에서 마드리드 부근 톨레도로 출발. 톨레도 인근 캠핑장에서 숙박.

8월 23일 (월) • 다시 마드리드 도착. 호스텔에 짐을 풀고 다시 라르고 카바예로 재단 방문.

8월 24일 (화) • 스페인 노총 마드리드 본부 방문. 사회노동당 방문 후 국제담당자와 인터뷰. 스페인 취재 일정을 마치고 프랑스를 거쳐 이탈리아로 가기 위해 출발.

8월 25일 (수) • 바르셀로나 도착.

8월 26일 (목) • 바르셀로나에서 지인 만나 휴식.

8월 27일 (금) • 스페인 국경을 넘어 프랑스 남부 라테아 캠핑장에서 숙박.

8월 28일 (토) • 니스를 거쳐 이탈리아 도착. 국경 부근 캠핑장에서 숙박.

그 많던 민중의 집은 어디로 갔을까?

부끄러운 고백이지만 한국에서 민중의 집을 만들었던 2008년부터 유럽에 가기 직전까지, 나는 스페인 민중의 집에 대해서 알지 못했다. 이탈리아, 스웨덴 민중의 집에 대한 문서 몇 개를 제외하고는 유럽 민중의 집을 소개하는 자료는 국내에 다섯 손가락 안에 꼽을 정도로 빈약했기 때문이다.

이탈리아와 스웨덴 민중의 집을 중심으로 책을 내려고 준비하던 중에 지인으로부터 스페인 민중의 집에 대해 들었다. 스페인 여행 도중 민중의 집을 봤다는 일종의 제보였다. 이탈리아와 스웨덴 외에는 민중의 집이 존재하지 않는 줄 알고 있었기에 조금은 충격이었다.

부랴부랴 인터넷을 검색해 보고 스페인에 민중의 집이 존재했다는 사실을 파악하게 됐다. 그러나 현재도 있는 것인지, 아니면 이미 없어진 것인지는 알쏭달쏭했다.

유럽으로 출발하기 전 파악된 스페인 민중의 집에 대한 정보는 많지 않았다.

스페인 민중의 집Casa del Pueblo, 카사 델 푸에블로은 2010년 방문 당시 집권당이었던 스페인 사회노동당Partido Socialista Obrero Español, PSOE과 스페인 노총Unión General de Trabajadores, UGT의 조직화 전략에서 19세기 후반부터 시작됐으며, 마드리드 민중의 집이 문을 연 것은 1908년이다. 이 민중의 집은 당시 사회노동당과 노총이 이전에 귀족의 땅이었던 곳에 마드리드 노동자들의 공동소유로 세웠으며, 사회주의 운동의 본부와 같은 기능을 수행했다.

당시 민중의 집에서는 다양한 기관의 사무실은 물론, 극장, 회의 장소, 도서관 등을 운영했으며, 사회 안전망이 생기기 이전 노동자와 그 가족을 보호할 수 있는 자체 의료보험도 실시했다고 한다. 이러한 마드리드 민중의 집 사례는 스페인 전역에 퍼져나가 특히 스페인 북부 아스투리아스와 바스카 지방에서 노동자들의 모임, 학습, 사회화의 장소가 됐다.

그러나 오늘날 스페인 민중의 집이 어떤 모습으로 있는지는 확실하지가 않았다. 인터넷으로 위키피디아 등을 검색해 보니, 사회노동당이 민중의 집을 공식적으로 설치·운영하는지 정확히 파악되지 않으며, 일반적으로 정당 지역 사무실로 활용하거나 일부 스페인 북부 지방에만 보존되고 있다고 했다.

무엇 하나 확실치 않은 상황에서 2010년 8월 10일 나와 아내는 한국을 떠나 스페인 마드리드에 도착했다. 이때부터 우리는 탐정소설의 주인공처럼 민중의 집의 실체를 찾아다녔다. 사회노동당과 스페인 노총이 미스터리의 열쇠를 쥐고 있을 것 같아 두 조직을 집중적으로 공략했다.

결론적으로 말하자면, 과거와 같은 스페인 민중의 집은 이미 없어졌다고 봐도 무방했다.

한때 9백여 개에 달했던 스페인 민중의 집이 어디로 사라진 걸까. 그 답은 귀국한 이후 스페인 민중의 집에 대한 논문과 자료들(17)을 번역하고 나서야 찾게 됐다.

스페인 방문 당시에 만난 이들은 민중의 집에 대해서는 알고 있었지만, 정확한 기원과 소멸과정을 설명해주진 못했다. 나중에서야 알게 됐지만, 스페인에서 민중의 집을 복원하려는 시도는 비교적 최근의 일이기 때문이었다.

스페인 민중의 집은 1936년 스페인 내전과 이후 프랑코 독재정권이 들어서기 전까지 노동운동사에서 중요한 역할을 담당했다고 한다. 초기 설립자들이 '노동계급의 사원' 이자 '프롤레타리아트 공동의 집' 이라 부를 만큼 민중의 집은 노동자들이 일상생활부터 정치 활동까지 많은 일을 함께 하며 집단적인 정체성을 형성하는 장소였다고 한다.

스페인에서 민중의 집을 주도한 것은 사회주의 정당과 노동운동이었다. 오늘날까지 이어져오는 스페인 사회노동당과 노총은 각각 1879년과 1888

년에 설립되었고, 이들은 19세기 말부터 20세기 초반까지 민중의 집을 통해 사회주의 노동운동을 조직된 노동자들의 생활, 문화와 연결하기 위해 노력했다.

그 이전부터 스페인 사회주의자들은 민중의 집의 전신이라 할 수 있는 노동자 센터Centros Obreros를 지어 노동자를 위한 특화된 교육 네트워크를 만들기 위해 노력해왔다고 한다. 그러던 중 벨기에 사례가 스페인에 소개되면서 민중의 집이라는 이름의 공간이 확산되기 시작했다. 후안-루이스 갸레냐Jean-Louis Guereña 교수에 따르면, 스페인 사회주의 지도자였던 안토니오 가르시아 퀘히도Antonio García Quejido가 1897년 노총 대표로 선출된 후 몇 차례 국제 사회주의 회의에 참석하면서 알게 된 벨기에 브뤼셀 민중의 집 모델을 본격적으로 도입하기 시작했다고 한다. 이렇게 해서 사회주의자들의 첫 번째 민중의 집은 1897년에 마드리드에 만들어졌다. 초기에는 협동조합의 성격이 강했다가 문화·교육 영역까지 포함한 다기능적인 공간으로 마드리드 민중의 집이 재탄생한 것은 1908년이다.(18) 이후 약 30여 년간 전국으로 확대된 민중의 집

1908년 마드리드 민중의 집 개소식에 모인 군중들.

은 900개가 넘었던 것으로 추정된다.

당시 민중의 집의 목적과 기능은 정말로 다양하다. 가장 1차적인 목적은 노동자들의 생활 여건을 개선하고 이를 위해 노력하는 노동자 조직과 정치 · 사회 조직들을 포괄한다는 것이다. 이 안에서 노동자들은 일상적인 토론이나 각종 정치 토론회, 강연, 집회 등에 참석하면서 정치적으로 각성되고 훈련될 수 있었다. 더 나아가 노동자와 자녀들을 위한 학교를 설립하여 읽고 쓰는 것부터 사회주의 이념까지 다양한 교육 프로그램을 운영하는 곳도 있었다. 여러 민중의 집에 있었던 도서관 역시 노동자 교육에 대한 관심을 반영한다.

스페인 민중의 집은 또한 노동자들의 문화 · 예술 활동의 중심에 있었다. 대체로 민중의 집은 회의실 겸 행사장으로 사용하는 큰 홀을 갖추고 영화 연극 공연이나 연주회를 개최했다. 스포츠클럽을 만들어 노동자와 가족을 위한 운동 프로그램을 제공하는 곳도 있었다. 민중의 집 안에 갖춰진 카페나 술집은 노동자들의 일상적인 사교 공간이자 유흥 공간이었다.

더불어 민중의 집은 상점이나 병원 같은 사회적 기능도 담당했는데, 일종의 상호부조조합 형식으로 아픈 노동자들을 지원하거나 죽은 사람들의 장례를 돕는 곳도 있었고, 협동조합 방식으로 운영하는 상점을 두는 곳들도 있었다.

이러한 프로그램들은 다달이 회원들이 납부하는 회비나 기부금 모금, 복권 판매 등을 통해 재정을 마련하며 펼쳐졌다.

가톨릭 세력, 아나키스트 세력이 만든 민중의 집도 있었다고 하나, 스페인 민중의 집 운동의 중심은 사회주의였다. 노동자들은 이곳에서 사회주의적 사고와 행동 방식을 익히고, 예컨대 노동절 기념행사처럼 지배세력에 맞서는 대안적인 의례들에 참여함으로써 자본주의 사회가 만들어낸 사회화 방식과는 다른 방식으로 사회적 주체가 되었다. 민중의 집은 하나의 '소우주'로, 외부와는 다른 대안적인 삶의 양식을 실현하는 공간이자 그것이 언젠가는 더 큰 외부 사회의 원리가 될 수 있을 것이라는 믿음을 키워가는 공간이었던 셈이다.

이렇듯 소중한 의미를 지닌 공간이었던 민중의 집이 거의 하루아침에 사라져버린 이유는 스페인 내전 이후의 정치 변화에 있다. 1936년 스페인 내전이 발발한 후 군부세력이었던 프랑코는 공화파와 사회주의 세력을 제압하고 정권을 장악했다. 내전에서 승리한 프랑코에게 민중의 집은 존재해서는 안 될 곳이었다. 민중의 집은 사회주의 노동자 투쟁을 지원·조직하는 핵심적인 지역 기반이었기 때문이다.

정권을 잡은 프랑코는 눈엣가시 같은 민중의 집을 파괴하기 시작했다. 그 방법은 1차적으로 사회주의 정당과 노조가 가진 자산을 몰수하는 것이었다. 내전 후 정부 수립에 앞서 설치된 국방위원회Junta de Defensa Nacional때부터 군부세력에 저항했던 인민전선과 관련된 모든 사람, 단체, 기관의 자산을 해체하기 위한 법적 근거들이 마련되었다. 이에 따라 민중의 집은 대부분 몰수되거나 아예 철거되었고, 관제 노총 건물로 탈바꿈되는 경우도 있었다고 한

> 민중의 집은 하나의 '소우주'로, 외부와는 다른 대안적인 삶의 양식을 실현하는 공간이자 그것이 언젠가는 더 큰 외부 사회의 원리가 될 수 있을 것이라는 믿음을 키워가는 공간이었던 셈이다.

다. 이러한 탄압은 물리적 자산으로서 민중의 집의 파괴뿐 아니라 그 안에서 사회주의 혁명과 해방을 꿈꿔온 노동자들의 문화적 자원이 상실되는 것을 의미했다.

사회주의 정당과 노총이 합법화된 것은 그로부터 40년 뒤, 프랑코 사후의 일이다. 이들 조직이 다시 자산을 회복하고 축적할 수 있었던 것도 이 때부터다. 그렇다면 민중의 집은 어떻게 되었을까. 다시 만들어졌을까. 그랬다면 누가 주도했을까.

우리는 스페인을 취재하면서 민중의 집에 대한 다른 복원의 방식들과 마주쳤다. 그 옛날 마드리드 민중의 집에 있었던 책과 문서들을 보관하는 기구를 만들고 자신의 건물에 '민중의 집'이라는 이름을 붙여 과거의 공간을 상징적으로 복원하려 했던 조직은 스페인 노총이었다. 스페인 노총의 간부들 중에는 노동조합 건물을 자연스럽게 민중의 집이라고 부르는 경우도 있었지만, 모두가 그런 것은 또 아니었다. 또 다른 노총 사람들에게 민중의 집은 아주 오래 전 사라진 역사적인 사건으로 기억되고 있었다. 초창기 민중의 집 설립을 주도했던 오늘날의 사회노동당도 마찬가지였다.

상황이 이렇다 보니 '지금도 스페인에 민중의 집이 있는 것인가,' '사회노동당과 스페인 노총에게 민중의 집은 어떤 의미인가' – 이 질문은 취재 중 계속 풀리지 않았고 누구 하나 시원하게 설명해주는 사람도 없었다. 나중에 알게 되었지만 스페인에서 과거 민중의 집의 기억을 복원하고 기념하는 사업이 이루어지고 있는 것도 최근이었다. 지난 2008년 스페인 노총 마드리드 지역본부가 마드리드 민중의 집 100년사를 발간하고 전시회와 토론회 등 기념행사를 개최한 것이 그 대표적인 사례다.

유럽 여정의 첫 번째 행선지였던 스페인에서 우리는 가장 오랜 기간 머물렀고 발품도 많이 팔았지만, 도착한 지 나흘 만에 짐의 3분의 2를 도둑맞는 대형사고까지 당해서 그렇지 않아도 사전 정보가 부족했던 스페인 일정은 꼬일 대로 꼬여버렸다. 그래서 이어질 스페인 편은 민중의 집을 찾아 떠나는 좌충우돌 모험기가 되어 버렸다.

어디서부터 출발할까. 사건 사고가 많았지만 지금 생각해 보면 가장 아름다웠던 여행지로 기억되는 스페인 남부 안달루시아 지방에서 시작해 보자.

안달루시아 : 치명적 절도의 추억

한국을 출발해 스페인 마드리드에 도착하면서 유럽의 일정이 시작됐다. 다음 날 용감하게 사회노동당 중앙당사와 스페인 노총 중앙본부에 가서 방문 목적을 알리고 인터뷰를 부탁했지만 담당자는 모두 휴가 중이었다. 일단 우리와 인터뷰를 하기 위해서는 영어가 가능해야 하고, 민중의 집에 대해서 설명해줄 수 있어야 했다. 한국에서부터 수차례 연락을 시도했지만 휴가철인 8월의 스페인은 모든 것이 정지한 것처럼 답이 없었기 때문에 직접 부딪칠 수밖에 없었다.

결국 마드리드에 도착해서 3일 간 스페인 노총 중앙본부와 마드리드 지역본부, 사회노동당 등을 방문했고, 몇 가지 중요한 자료들은 얻었지만 휴가철이라 인터뷰 섭외가 잘 되지 않아 대부분 부탁만 해놓고 돌아나왔다. 그 사이 만남이 성사되면 이탈리아로 가기 전 마드리드에 다시 들를 생각이었다. 그래서 휴가철이 끝나길 기다리며 슬슬 관광도 할 겸, 도착한 지 4일째 되던 날인 8월 14일, 한 달 동안 렌트한 차량을 받자마자 남쪽으로 내려가기 시작했다. 마드리드 남쪽의 아란후에스Aranjuez 라는 작은 도시에서 첫 캠핑을 했고, 다음 날 다소 무리한 주행이었지만 안달루시아 지방에서도 아름답기로 소문난 코르도바까지 신나게 내달렸다.

안달루시아 기행은 사고 얘기에서 시작하지 않을 수 없다.

스페인 남부 안달루시아 지방에 첫 발을 내딛었던 도시 코르도바에 도착하자마자 차를 주차해두고 잠시 대형마트에 들어간 사이 누군가 차 앞 유리를 깨고 불쌍한 이방인의 거의 모든 짐을 강탈해 갔다. 텐트와 전기밥솥 그리고 몇 벌의 속옷만 남기고 중요한 물품을 모조리 도난당했던 끔찍한 순간이었다. 솔직히 그냥 귀국을 할까 고민까지 했었다. 내비게이션도, 노트북도, 카메라도 모조리 도둑맞았는데 어떻게 남은 40일을 버틸 수 있을까.

도난사건으로 평생 기억에 남을 아름다운 도시 코르도바에서 차에 구멍이 뚫린 채로 간 곳이 바로 세비야. 한 시간 동안 세비야를 향해 달리는데 깨진 유리가 바람에 날렸다. 아내는 뒷좌석 한쪽 끝에서 유리파편을 피해 웅크리고 있었다.

세비야에 있는 한국인 민박집에서 하루를 묵었다. 다음 날, 일요일이라 딱히 할 일이 없는 우리는 머리를 식히려고 세비야 대성당에 갔다. 그리고 그곳에서 콜럼버스의 묘를 봤다. 온몸에 전율이 올랐다. 리들리 스콧 감독의 영화 <콜럼버스>에 나오는 장엄한 음악이 귓전에 들리는 듯한 착각까지 들었다. "어떤 것이든 처음이 힘든 것이지 두 번째는 쉽다"고 콜럼버스는 말했다고 한다. 그래서 첫 번째 도전은 그만큼의 의미가 더해질 수 있다.

당시 사람들에게 지구는 평평하다고 인식됐기 때문에 서쪽으로 항해를 한다는 건 죽음을 의미했지만, 콜럼버스는 서쪽으로 항해를 했다. 그것이 황금을 찾아서건, 명예를 찾아서건, 종교적 이유에서건, 그 뭐든 간에.

적자 폭이 눈덩이처럼 불어나겠지만 용기를 내어 카메라와 내비게이션을 구입했다. 노트북까지는 엄두가 나지 않았다.

체 게바라가 볼리비아의 밀림에서 죽기 전에 쓴 마지막 일기는 짧은 문장이었다.

"아주 조그만 달 아래에 있는 우리는 17명이다. 행진이 어렵다."

그래, 난 밀림에 있는 것도 아니니까 좀 더 행진해 보기로 했다.

노조 사무실을 민중의 집으로 불러

사실 우리는 세계적으로 유명한 관광지가 많은 안달루시아가 앞으로 남은 이탈리아, 스웨덴 취재를 준비하면서 잠시 짬을 내 여행다운 여행도 맛볼 수 있는 코스라고 생각했었다. 그러나 이제 마음이 조급해졌다. 게다가 생각

지도 못했던 스페인 공휴일이 겹쳐 화요일이 되어서야 차를 고치고 움직일 수 있었다.

다시 심기일전하고 나선 첫 번째 취재 대상은 세비야에서 '민중의 집'을 검색해서 찾아낸 곳이었다. 그런데 도착해 보니 여기는 스페인 노총의 안달루시아 지역본부 사무실이었다. 사전에 연락을 하지 않은 채 무작정 찾아온 우리를 보고 상대방은 당황했다. 우리 역시 내비게이션에 주소를 찍고 몇 번의 경로 이탈을 겪고 난 후에야 꾸역꾸역 찾아오느라 혼이 다 빠져나갈 지경이었다.

동양인이 이곳에 오는 경우가 극히 드물뿐더러, 우리는 스페인어도 할 줄 몰랐다. 그들은 영어 통역이 가능한 직원을 찾느라 모두 분주히 움직였다. 옷이 없어서 거지 몰골로 온 두 사람이 조용한 건물을 발칵 뒤집어 놓았다.

좁은 골목 안에 있는 스페인 노총 안달루시아 지부.

조금 시간이 흐른 뒤, 안달루시아 노총의 총무위원장 격인 필라르Pilar MarÍn Carrillo란 이름의 여성이 영어가 가능한 직원을 대동하고 왔다. 옷차림이 아무래도 신경 쓰여서 도둑을 맞았다는 얘기부터 했다. 무슨 말인지는 못 알아들었지만, 일단 대단히 안타까운 기운이 느껴지는 표정으로 우리를 바라봤다.

그들은 "여기가 민중의 집이다"라고 얘기했지만, 이 건물 안에서 우리가 생각하던 '민중의 집'의 풍경을 찾아보기는 어려웠다. 작은 길을 사이에 두고 마주보고 있는 두 개의 건물은 대부분 노조 간부들의 사무 공간이었고, 1층과 2층에 크고 작은 회의실이 있는 정도였다.

우린 이곳에 와서야 비로소 이곳 사람들이 스페인 노총의 각 지부 사무실, 그러니까 우리로 치자면 민주노총의 지역본부와 지구협의회 사무실을 민중의 집이라고 부른다는 걸 알았다. 하지만 그게 이곳만 그런 건지 다른 곳의 민중의 집도 그런 건지는 알 수 없었다. 프랑코 정권 시절 민중의 집이 파괴되고 이후 이런 방식으로 복원이 시도되고 있다는 것을 당시에는 알지 못했기 때문이다.

"민중의 집에 대해서는 코르도바에 있는 아카이브에 가면 자료가 있다. 거길 가서 책을 빌려서 읽어보는 게 어떤가."

코르도바라면 도난사건으로 인해 우리에게 이미 트라우마가 있는 도시다. 물론 그렇다고 못갈 것도 아니지만, 도서관에 간들 스페인어로 되어 있는 책에서 우리가 알아낼 것이 있을까란 회의가 들었다.

한국에 돌아온 후에야 그들이 추천했던 곳이 안달루시아 지역 발전 재단 Fundación para el Desarrollo de los Pueblos de Andalucía, FUDEPA이라는 단체로, 안달루시아 노총의 역사아카이브를 디지털화하는 작업을 진행한 곳임을 알

스페인 노총 안달루시아 지부 내부 모습. 강의실과 회의실,
사무실이 깔끔하게 정돈된 모습이다.

게 되었다. 2011년 이 재단이 발행한 <UGT 안달루시아 민중의 집 1900~1939>[19]라는 책자도 나중에 인터넷을 통해 볼 수 있었다. 안달루시아 민중의 집에 대한 각종 기록들을 정리한 이 책 작업이 우리가 스페인에 있던 당시 한창 진행되고 있었을 테니, 뭉개고 찾아갔으면 뭐라도 얻어올 수 있었을 것이다. 아쉽지만 그때 코르도바로 되돌아간다는 걸 우리는 상상할 수 없었다.

어쨌든 나중에 찾아본 이 책을 통해 안달루시아 지방의 민중의 집을 간략히 소개한다.

프랑코 정권과 민중의 집 파괴

안달루시아 지역 발전 재단이 발행한 <UGT 안달루시아 민중의 집 1900~1939>은 대단히 흥미로운 자료다. 이 책은 노총이 가지고 있던 자료, 지방정부 문서, 법원 기록, 언론 기사, 당시 어린이였던 지역 인물들의 구술 자료 등을 토대로 1900년에서 1939년 사이 안달루시아 각 지역에 있었던 민중의 집에 관한 기록들을 모아 정리한 책이다.

이 책은 먼저 20세기 초 안달루시아 지방의 정치・경제 상황을 개괄하는 데서 시작한다. 이때 스페인은 왕정복고와 1차 세계대전, 제2공화국 출범과 스페인 내전으로 이어지는 정치적 격변기였다. 당시 안달루시아 지방은 농업을 기반으로 한 정치 · 경제적 토대가 점차 쇠퇴하고 자본주의 산업화가 확산되던 시기여서 소작농들의 시위와 파업이 매우 격렬했고, 이들은 대체로 아나키 – 생디칼리즘 세력으로 조직화되었다고 한다. 반면 당시 1888년 설립된 스페인 노총은 도시 지역 노동자들을 조직하기 시작하며 성장하였으나 농업 노동자 중심의 급진 세력과 상대할 수 있는 세력으로 성장한 것은 1930년대였다고 한다. 노총은 사회노동당과 긴밀한 관계를 유지하며 도시에서 농촌 지역으로 조직을 확장해나갔는데, 민중의 집은 이 과정에서 중요한 역할을 했다.

안달루시아 지방은 스페인에서 민중의 집이 널리 확산된 지역 중 하나다. 이 책에 따르면 1900~1939년 사이 약 117개의 민중의 집이 있었던 것으로 확인되는데, 이 중 소작농들의 투쟁이 가장 활발했고 스페인 내전 시기까지 집권한 공화주의 세력이 이들의 세력화를 지원했던 하엔Jaén 지방에만 57개의 민중의 집이 있었다고 한다.

안달루시아 민중의 집도 스페인 여느 민중의 집과 유사한 방식으로 지어져 비슷한 기능을 담당했다. 민중의 집이 처음 만들어지던 시기에는 사회노동당이나 노총 조직이 틀을 갖추지 못한 경우가 많아 기존 건물을 인수하거나 새로 건축하는 비용을 지지자들의 모금과 기부, 은행 대출 등을 통해 충당했다고 한다. 민중의 집에서는 일상적인 대화부터 정치토론, 강연회, 집회 등이 이루어졌으며, 도서관, 학교, 카페나 바가 있었고 일부 민중의 집에서는 협동조합식 상점도 운영했다. 자체 신문이나 뉴스레터를 발행하는 민중의 집도 있었는데, 이는 노동자들에게 사회주의 이념을 보급하고 집단적인 계급 정체성을 형성하는데 기여했다고 한다. 이러한 간행물에는 씰이나 로고 같은 상징물도 등장하고 있어 당시 노동자들이 지향하는 미래를 함축적으로 표현한 언어나 이미지들이 어떻게 발전하고 있었는지도 잘 보여준다.

이렇게 번창하던 안달루시아 지방의 민중의 집이 파괴된 시기 역시 프랑코 독재정권이 들어선 후다. 1936~1939년 사이 추진된 자산 몰수의 대상은 주로 노조나 정당이 소유하고 있던 민중의 집. 노조나 정당 소유가 아니었던 민중의 집 건물들은 지역 농업회의소, 지방정부 건물, 시장 등 다양한 용도로 개조되거나 민간인들에게 팔리기도 했지만, 상당수는 폐허가 되거나 공터로 방치되었다고 한다. 40~50년이 흐른 후 과거 민중의 집이었던 몇몇 건물은 복원되어 현재 노총, 사회노동당, 스페인 노동자위원회 Comisiones Obreras, CC.OO (UGT와 다른 공산주의 계열의 노총)의 사무실로 사용되고 있다고 한다.

CASA DEL PUEBLO

BOLETÍN EXTRAORDINARIO

DE LA SOCIEDAD DEL MISMO NOMBRE

Ecija — Mayo de 1921 — Precio del número 10 céntimos

¡ADELANTE!

En los últimos números publicados de esta revista, decía yo "[illegible]", y eso mismo sostengo con aquella insistencia que da de sí la persuasión de la verdad de las cosas. Porque no es tan solo la finalidad económica la que nos guía en nuestras justas aspiraciones: ambicionamos penetrar en el campo de la filosofía, para extirpar en el sentido abstracto los dolores espirituales y borrar las causas que inducen a las ciegas pasiones, sin comprender la significación humana, y el breve tránsito por la vida.

No llorar por los que murieron y hacer más confortable la existencia de los demás. Esto debe de ser el ideal concreto del hombre de sano cerebro, si es que la civilización no declina y arrastra en su caída los atributos más sublimes que separan el bruto de la humana mentalidad; y porque así pensamos sufrimos a diario los improperios de que son víctimas los que tienen el valor de exteriorizar con independencia sus propias opiniones.

No nos arredran tales pequeñeces; que nos llamen republicanos, socialistas, sindicalistas o anarquistas, cuando creemos sincera y honradamente contribuir a la difusión de la verdad.

Estamos en plena batalla universal: no descuidemos en el hogar, en el taller, en el terruño y hasta en las aulas universitarias a nuestros jóvenes camaradas. Esto se hunde, la falsificación de un régimen toca a su fin, y no sirven [illegible] y vulgaridades para que el monstruo del presidio siga engullendo míseros esclavos, sin que haya habido almas piadosas que dulcifiquen sus instintos por una enseñanza racional, que los saquen del estado de una tribu primitiva.

La caridad y la "Gaceta", no cicatrizan las úlceras abiertas en las entrañas de la sociedad; bendita sea la filosofía cristiana, pero la mujer sigue prostituida en el lupanar, el niño explotado por todo el mundo, el trabajo considerado como una esclavitud, el pauperismo en aumento, la tuberculosis haciendo sus estragos, por falta de higiene y alimentación, sin que pueda atenuarlos la fiesta de la flor; todos son remedios ineficaces para [illegible] a las víctimas de la [illegible], mientras los [illegible] invaden al mundo, sin que haya fuerza humana que los pueda detener.

Los privilegiados de la fortuna han tenido la loca pretensión de apoderarse de la tierra, volviendo la espalda a las leyes naturales, dejando en la mayor indigencia al resto de sus hermanos, y estos que todo lo producen para morirse de hambre, levantan su voz de protesta fundamentados en la justa razón y no terminará la lucha hasta que un estado de equidad haga mejor distribución de la riqueza.

La tierra es la única fuente de prosperidad, y esta no puede ser propiedad exclusiva de nadie, ni aun de aquellos que la cultivan o trabajan; que [illegible] los frutos de sus esfuerzos, que paguen la renta al Estado en forma de contribución para atender a los gastos públicos de la comunidad; pero que nadie tenga títulos posesorios, ni exclusiva ni parcelariamente, para decir esto es mío.

Esta es la solución de lo que llaman el complicado problema de la cuestión social, que los Estados y Parlamentos no entienden porque no quieren oír la sentencia de muerte de sus arcaicos privilegios y prefieren sucumbir por la violencia.

No puedo extenderme en consideraciones porque llenaría el número del Boletín, privando a mis compañeros de la expansión del cambio de impresiones con los demás y porque no tengo tiempo.

José M.ª Calero.

Abril 25 de 1921.

COPIA

de la Escritura de adquisición de la casa que habita la Sociedad "Casa del Pueblo"

"Documento número doscientos [illegible] y [illegible]. —En la Ciudad de Écija a catorce de Octubre de mil novecientos veinte ante mí Don Antonio [illegible] Fernández, abogado y notario con residencia en la misma, de los Ilustres Colegios de Sevilla, y testigos, comparecen:

De una parte Doña Carmen Guzmán Cornejo, que [illegible]

안달루시아 지방 에시하(Écija) 민중의 집에서 1921년에 발행한 소식지

노조와 정당의 물리적 공간 자체가 존재할 수 없었던

암흑의 세월이 무려 50년이다. 이탈리아도 파시즘 정권 하에서 민중의 집이 폐쇄되고 탄압을 받았지만 이만큼 긴 시간은 아니었다. 1980년대야 비로소 노동조합 간판을 내걸 수 있는 건물을 되찾았을 때, 집기를 들여놓으며 심기일전했던 당시 활동가들은 대부분 과거의 민중의 집을 경험하지 못한 이들이었을 것이다. 노동자들이 일상적으로 만나서 이야기를 나누는 공간, 노동자와 가족이 무언가를 배우거나 즐길 수 있는 공간의 지형도 50년 전과는 많이 달라졌을 것이다. 아마도 상당 기간 스페인 민중의 집의 역사는 나이 많은 사회주의자들의 입에서 입으로만 전해졌을 것 같다.

그라나다 : 미조직 노동자 사업

세비야를 나서서 사회주의 마을 마리날레다에서 이틀을 보낸 후 우리가 향한 곳은 그라나다.

도심 외곽의 캠핑장이 마음에 쏙 들었다.

캠핑장은 시내에 있으면서도 도심과는 전혀 다른 한적한 분위기를 자아내고 있었다. 며칠간 사고로 지옥 같았던 마음도 살짝 풀어져, 스페인에 온 이후 처음으로 세 가지 반찬을 마련했다. 버섯과 2유로(우리돈 약 3,000원) 짜리 고기. 그리고 피클과 올리브 꼬치. 유럽에 도착한 지 열흘째 되는 날, 열흘 굶은 사자처럼 먹고 사자처럼 늘어지게 잤다.

이곳에서도 우리는 집중 취재 대상인 스페인 노총을 찾아가기로 했다. 새로 구입한 내비게이션 검색 결과, 노총 그라나다 지부는 캠핑장에서 멀지 않은 거리다. 다음 날 아침 빵과 스프를 먹고 출발했다.

그나라다 노총 역시 번듯한 건물이었다. 내부도 훌륭했다.

안내 데스크처럼 보이는 곳에 가서 한 여성에게 영어로 우리의 방문 목적을 설명했다. 그곳에 앉아 있던 여성의 이름은 메리사Merisa. 알고 보니 메리사는 영어에 익숙했다. 다행이다 싶어서 스페인 노총에서 일하는 사람을 잠깐 만날 수 있는지 물어보자, 에밀리오Emilio Del Pino Mazuela라는 교육 · 고용 담당 집행위원장을 섭외해주었다. 물론 섭외가 되기까지는 꽤 긴 시간이 걸렸다. 그런데 에밀리오 집행위원장은 영어를 못 했다. 우린 메리사에게 통역

스페인 노총 그라나다 지부 전경.

을 부탁했고, 그녀는 부끄러운 표정을 몇 번 짓더니 통역을 수락했다.

에밀리오 집행위원장에게 우리가 꼬레아에서 왔다고 하니, 본인은 태권도를 배웠다고 응수한다. 태권도를 배웠다는 하나만으로 그와 가까워지는 느낌이다.

"민중의 집은 시민전쟁 때 프랑코 정권에 맞서서 노동자들을 보호하는데 중요한 역할을 한 걸로 알고 있다. 내전 이후까지 작은 마을마다 민중의 집이 있었다. 당시 민중의 집은 바Bar가 있어 노동자들이 술을 마시며 의견을 교환하고 여러 노동 문제에 대한 학습도 진행했다. 또한 직업훈련도 이뤄졌다."

과거 스페인 민중의 집의 역할은 우리가 어느 정도 짐작하고 있었다. 그런데 그라나다 노총은 자신의 사무실을 민중의 집이라고 부르지 않았다. 안달루시아 지부와는 달랐다.

우리가 기대했던 스페인 민중의 집은 스페인 노총이 주도하면서 노동자와 지역 주민들을 위한 사업을 펼치고 있는 그런 공간이었다. 지역마다 차이는 있을 거라 생각했지만 에밀리오에게 민중의 집은 그저 스페인 역사의 한 페이지로 인식되고 있는 것 같았다.

"현재 그라나다 노총은 지역 주민이나 일반 노동자들을 위한 활동을 많이 하고 있지는 않다. 우리의 주된 활동은 조합원들을 위한 활동, 그리고 미조직 노동자들의 조직화를 위해 일자리 정보를 제공하거나 이용할 수 있는 공공서비스를 안내하는 사업이다. 주요하게는 여성, 장애인, 이주노동자들이 그 대상이다."

지역 사업으로 어떤 것이 있는지 물었지만 우리나라의 노동조합 지역본부들이 하는 사업과 크게 다르지 않다. 다만 미조직 노동자들을 위한 사업은 훨씬 더 대규모로, 적극적으로 이루어지고 있는 것 같았다.

에밀리오와 이야기를 나눈 후 메리사는 여성·평등 부문 집행위원장인 60대 여성 메르세데스Mercedes Martin Torres를 소개해주었다. 그녀는 여성, 장애인, 이주노동자들을 위한 사업을 담당한다. 메르세데스는 환한 얼굴로 우리를 환대했다. 그녀에게 손톱이 예쁘다고 말하니 얼굴 표정이 더 환해진다. 그 말에 효과가 있었던 것일까. 메르세데스는 우리를 자신의 방으로 안내 한 뒤, 방 한쪽 구석에 있는 캐비닛을 열고 뭔가를 찾았다. 그러더니 시계부터 시작해 다양한 선물 보따리를 우리에게 안겨 줬다. 노총에서 제작한 각종 책자와 홍보물도 주었는데, 여러 나라의 언어로 된 노조와 노동행정 안내서도 눈에 띄었다.

사무실 물품을 천천히 살펴보니 모두 노총 로고가 새겨져 있다. 물 컵부터 시작해 달력, 연필 등 거의 모든 사무용품에 로고가 새겨져 있었다. 자부심이 대단한 듯 보였다. 이 모든 게 전국의 모든 조합원들에게 제공되는 물품이다. 조합원들은 일상생활에서 노총과 떨어질 수 없을 것 같다.

분에 넘치는 환대를 받은 덕에 기분이 한결 좋아졌다. 짧은 시간이었지만 서로 의사소통을 하고자 애를 쓰다 보니 나중에는 메리사와 농담도 살짝 주고받을 사이가 됐다. 스페인에 도착해서 우리가 처음 볼을 맞대는 유럽식 인

▲우리를 안내해 준 메리사(오른쪽)와 여성 · 평등 부문 집행위원장인 메르세데스(오른쪽).
▼스페인 노총 그라나다 지부 내부 모습.

사를 하고 헤어진 것도 메리사였다.

뿌듯한 취재를 마쳤지만 오늘, 지금의 스페인 노동운동에서 민중의 집은 무엇인가에 대한 대답은 다시 미궁에 빠졌다. 다시 마드리드로 돌아가서 자료를 챙기고 다른 취재원들을 만나보는 수밖에 없을 것 같다.

잠시 복잡한 생각을 접어두고 유럽에 온 후 처음으로 캠핑장에서 수영도 하고 마트에 가서 장도 봤다. 저녁은 삼겹살 2.5유로. 포도주는 세일해서 1.4유로. 다음 날이 휴일이라 마음이 좀 편안해진 것 같다.

마드리드 : 노총회관이 민중의 집

우리가 그라나다를 떠나 마드리드로 돌아간 날은 8월 23일.

13일 전 우리의 유럽 여정이 시작되었던 곳이다. 잠시 부푼 기대를 안고 스페인에 도착했던 8월 10일부터 3일간 우리의 행적을 더듬어 보겠다.

한국을 떠나 마드리드에 도착한 다음 날부터 시차적응 따위는 문제가 안 됐다. 상상만 했던 환경에 흥분이 되어 거침없이 다녔다. 당시 스페인 집권당인 사회노동당 중앙당사와 스페인 노총 중앙본부 사무실을 연락도 없이 쳐들어가다시피 했었다. 그렇게 방문했던 곳 중 하나가 프란시스코 라르고 카바예로 재단Fundaciön Francisco Largo Caballero이다.

프란시스코 라르고 카바예로 재단

마드리드에 온 지 3일째 되던 날인 8월 12일. 우리는 프란시스코 라르고 카바예로 재단을 방문했었다. 물론 한국에 있을 때는 이런 데가 있는지도 몰랐고, 방문했을 때도 라르고 카바예로라는 인물이 누군지 알지 못했다. 인터넷에서 이것저것 스페인 민중의 집 관련 자료를 찾아보던 와중에 이 재단이 과거 민중의 집에 관한 여러 자료를 소장하고 있다는 것을 알게 돼 무작정 주소를 찍어 찾아간 곳이었다.

마르크스의 《자본론》 1권 초판본이 보관되어 있는 프란시스코 라르고 카바예로 재단.

나중에 알게 된 사실이지만 이 재단은 스페인 노총 산하 기관으로, 100여 년 전 마드리드 민중의 집에 관한 자료부터 과거 지역운동과 노동운동의 기록들을 보관하는 아카이브를 운영하는 곳이었다. 프랑코 독재정권이 들어선 후 사라진 당시 마드리드 민중의 집에는 3만 5천 권이 넘는 책이 있었다고 한다. 상당수는 완전히 소실되고, 그중 일부인 1,140여 개의 장서가 바로 이 재단에 보존되어 있었다. 또한 놀랍게도 이곳에는 1867년 함부르크에서 출간된 마르크스의 《자본론》 1권 초판본도 보관되어 있다.

카바예로 재단이 보관하고 있는 《자본론》을 직접 보지는 못 했지만, 우리가 방문했던 재단 사무실 한쪽에는 아주 오래된 문서와 책이 보관되어 있었고, 사무실 곳곳에 스페인 사회주의의 역사를 보여주는 사진과 포스터들이 걸려 있었다. 당시 우리를 안내해준 에스터Ester Ramos Ruiz는 프란시스코 라르고 카바예로의 사진을 가리키며 매우 '중요한' 인물이라고 소개했었다.

프란시스코 라르로 카바예로 사진.

그때는 그저 고개만 끄덕였지만, 귀국 후 조사를 해 보니 프란시스코 라르고 카바예로는 스페인 사회주의 운동과 노조운동의 초기 지도자로 스페인 노총이 조직적으로 기념사업을 하고 있는 인물이었다.

그는 19세기 말 스페인 노총과 사회노동당을 창립한 파블로 이글레시아스의 가장 영향력 있는 조력자로 스페인 노총과 사회노동당의 부대표를 지냈으며, 1931년 출범한 스페인 제2공화국 초대 정부에서 노동부 장관을, 1936년 마뉴엘 아사냐 정부에서 국무총리를 지낸 인물이었다. 사회주의·공산주의 세력, 온건 로마 가톨릭 세력과의 연정으로 운영되던 당시 공화정에서 그는 8시간 노동, 최저 임금 등에 관한 법률을 제정했다고 한다.

그를 기리는 이 재단은 스페인 노총이 1978년부터 운영하고 있는 기관으로, 스페인 노총의 기록물을 복원하고 보존하여 스페인 노동운동의 역사적 기억을 재구축하는 것을 가장 중요한 목표로 삼고 있다. 재단은 19세기 이래 노동운동과 관련된 단행본만 2만여 권을 소장하고 있으며, 그중 가장 오래된 자료들이 바로 마드리드 민중의 집에 소장되어 있던 것들이라고 한다. 그 외에도 재단은 근현대 노동운동, 노조활동, 노사관계와 관련된 정기간행물, 영상과 오디오 테이프, 사진, 포스터 등을 정리한 아카이브를 운영하고 있으며 재단 설립 후 스페인 노총에서 발간하는 모든 출판물을 최소 하나 이상 보관한다고 한다. 120여 년 스페인 노총의 역사에서 재단이 운영된 것은 35년 정도. 그리 긴 시간이라 할 수는 없지만 과연 한국의 노동운동 역사는 누가 이렇게 기록하고 있는지 생각하지 않을 수 없었다. 과연 우리는 전태일 외에 누구를 한국 노동운동의 선구자로 기리고 있는가라는 물음도.

재단에서 일하는 에스터는 안타깝게도 영어를 거의 할줄 몰랐지만, 우리

1978년부터 스페인 노총이 운영하고 있는 지역운동과 노동운동 아카이브. 재단 설립 후 노총에서 발간하는 모든 출판물을 최소 하나 이상 보관하고 있다.

의 방문 목적을 스페인어로 옮겨 적은 메모를 보여주자 바로 책자 하나를 가져다주었다. 재단이 소장하고 있는 자료들을 비롯해 민중의 집에 관한 주요 문헌들의 목록과 사진이 담긴 책이었다. 드디어 스페인 민중의 집 역사에 대한 실마리가 잡히는 순간이었다.

한국에 돌아가서 이 책만 번역해도 훌륭한 원고가 될 수 있을 것 같았다. 스페인 노총 마드리드 지역본부에 갔을 때 받았던 <마드리드 민중의 집 100년사 *La Casa del Pueblo de Madrid1908 ~2008*>와 함께 너무 소중한 자료였다. 무협영화에서 절세 무공의 비법을 손아귀에 넣은 사람처럼 우린 그 책들을 보며 너무 즐거워 키득키득거렸다. 이제 스페인은 대충 여행하는 기분으로 휘파람 불며 다니면 된다고 생각했다. 스페인의 다른 지역 민중의 집 현장 사진 정도 촬영하고 원고는 책자 번역으로 상당 부분을 대체하고, 대신 스페인 남부의 아름다운 안달루시아 지방을 구경하다 바르셀로나의 해변으로 이동하면 되는 거였다.

그러나 며칠 후 재단에서 10유로(15,000원)을 주고 산 그 책을 비롯하여 짐을 몽땅 도둑맞았으니 '미치고 환장할' 노릇이었다. 결국 우리는 그 귀한 책자를 모두 잃어버린 채로 고개를 푹 숙이고 마드리드에 힘없이 재입성했다. 패잔병도 이런 패잔병이 없었다. 하지만 돌이켜 보면 결국 그로 인해 사회노동당 중앙당과 마드리드 노총에 대한 자세한 취재가 가능했으니 세상의 일이란 참으로 기묘하다.

8월 22일 그라나다를 출발해서 마드리드 남쪽 도시 톨레도를 거쳐 1박 2일 만에 마드리드에 도착했다. 운전만 7시간 정도 한 것 같다. 차를 몰고 낯선 도시 한복판에서 여전히 익숙지 않은 수동기어로 운전을 하자니 식은땀이 흘렀다. 곡예운전 끝에 무사히 숙소에 도착해 짐을 풀고 손쉬운 취재부터 하기로 했다. 시간이 오후 두 시를 넘었으니 서둘러야 했다.

숙소 근처에 있는 프란시스코 라르고 카바예로 재단부터 다시 갔다.

마드리드에 다시 방문하기 전에 에스터에게 사정을 설명하고 한 번 더 방문하겠다는 메일을 보냈었다. 다시 만났을 때 에스터는 안타까운 표정으로 책을 공짜로 주었다. 짧은 여정과 언어의 한계 상 그곳에서 더 많은 민중의 집 관련 자료를 찾아보지 못한 채 돌아나왔지만, 이 재단의 존재와 역할을 한국에 소개하는 것만으로도 우리의 방문은 의의가 있으리라.

숙소에 오니 이탈리아 노총국제담당인 레오폴도에게 연락이 왔다. 우리는 유럽으로 출발 전 한국의 민주노총에 있는 지인을 통해 그에게 우리의 방문 목적을 알리고 방문할 곳들에 대한 소개를 부탁했었다. 레오폴도가 휴가 중이어서 이제야 연락이 된 것 레오폴도는 우리가 이탈리아에 있는 기간 동안 중국에 출장을 가지만, 우리가 취재를 할 수 있도록 이탈리아 노총과 연결시켜주겠다고 했다. 또한 로마에 오는 일정과 방문하고 싶은 다른 곳을 알려 주면 연결을 시켜주겠다고 했다. 한국에 있는 정종권(당시 진보신당 부대표) 선배에게 급히 연락해서 이탈리아에서 만날 단체 명단을 부탁했다. 역시나 바로 답장이 왔다. 그는 항상 부지런히 나에게 주문을 했다.

늦은 밤까지 아내와 함께 이탈리아 일정을 정리했다.

스페인을 취재하면서 다음 취재지인 이탈리아 노총과 진보정당 관계자들과 지속적으로 이메일을 주고받고 있었다. 노트북이 없어서 굉장히 불편했지만, 그나마 스마트폰이 있어서 꾸역꾸역 연락이 가능했다.

일정을 정리하고 인터뷰 질문지를 작성하고 나니 벌써 새벽이다.

민중의 집 사라지다

다음 날인 8월 24일, 우리가 다시 찾아간 곳은 스페인 노총 마드리드 지역본부 사무실이다. 사무실이라 하기에는 너무나 큰 건물인 이곳의 입구에는 "Casa del Pueblo", 즉 민중의 집이라는 붉은 글씨의 간판이 걸려 있다.

한국을 출발해 12시간 비행 끝에 마드리드에 도착하고 하루가 지나서, 우리는 인터넷을 뒤져 여기 도심 한복판에 '민중의 집'이 있다는 사실을 알게 되었다. 대박이었다. 도착하자마자 도심 한가운데에 있는 민중의 집을 볼 수 있다니. 그리고 스페인 민중의 집이 역시 현재에도 존재하고 있었다니. 우리의 기대는 하늘을 찔렀다. 그러나 오늘날 마드리드에서 민중의 집이란 간판을 걸고 있는 곳은 1908년에 만들어진 바로 그 민중의 집이 아니었다.

스페인 노총 마드리드 지역본부 사무실을 민중의 집이라고 칭하고 있는 것이었다. 그곳에서 만난 사람들 역시 자신들의 공간, 즉 노동조합 사무실을 민중의 집이라고 부르고 있었다. 과거 민중의 집과는 다른 모습인데 굳이 민중의 집이란 명칭을 쓰는 이유는 무엇일까. 아마도 노동운동이 민중의 집의 역사를 복원해야 할 절실한 동인이 있었을 것이다. 안달루시아 민중의 집에 대해 기록한 책의 서문에 그것을 짐작하게 해주는 문구가 있다.

> 안달루시아 민중의 집의 역사를 복원하는 작업은 노동조합이 노동자들의 경제적 여건을 개선하고 올바른 정치적 · 윤리적 가치를 확산했으며, 평등권과 보편적 참정권, 보다 나은 사회적 재분배와 복지를 실현하는 데 앞장섰던 당시의 기여를 되새기기 위한 것으로, 이는 오늘날 노동조합의 위기를 넘어서는 데 도움이 될 것이다.(19)

이렇듯 최근 들어 진행된 스페인 민중의 집 역사의 복원 작업은, 규모와 영향력은 커졌지만 노동자 서민들로부터 그만한 지지를 받지 못하고 있는 노동조합의 위상을 변화시키기 위한 노력의 일환이 아닐까 싶다. 노총이 상대적으로 형편이 나은 노동자들만 대변한다고 언론매체들로부터 공격을 받는 것도 우리나라 노동운동의 상황과 크게 다르지 않은 것 같았다. 노동자들의 자발적인 참여와 열정이 꿈틀거렸던 민중의 집, 빵을 사고 술을 마시는 아주 작은 일상부터 사회주의 혁명을 논하는 토론까지 한꺼번에 펼쳐졌던 민중의 집. 그 역사적인 경험을 오늘날 노동운동에 되살리려는 의지의 표현일 수도 있다.

오늘은 두 번째로 방문하는 날.

입구에서 첫 방문 때 만났던 페루아도Feruaudo Navarro를 우연히 다시 만났다. 언론 사업을 담당하는 페루아도는 첫 방문 때 우리가 스페인 민중의 집에 관한 정보를 알 수 있는 곳을 일러주고 장기간 여름휴가를 떠나 연락이 닿지 않았던 스페인 노총 중앙의 국제담당자를 연결해주기 위해 애썼다(그는 결국 우리가 스페인에 머무는 기간에 휴가에서 돌아오지 않았다).

페루아도는 우리를 다시 보자 놀란 표정을 지었고, 자신과 함께 있는 손님을 가리키며 곧 돌아오겠다는 포즈를 취했다. 잠시 후 약속대로 돌아온 페루아도는 우리를 자신의 사무실로 안내했다. 휴가철이라 사무실에는 빈자리가 많았지만 근무 중인 간부들은 모두 앞으로 한 달 남짓 남은 9월 29일로 예정된 총파업을 준비하느라 바빠 보였다. 곳곳에 "Huelga General총파업"이라는 단어가 적힌 홍보물이 비치되어 있었다. 이날 아침에도 본부 대표와 각 산별조직 대표, 간부들이 모여 일종의 결의대회를 했다고 한다.

2010년 9월 29일은 공공지출 축소에 반대하는 전 유럽 좌파들의 공동행동의 날이었다. 스페인 노총은 당시 집권당인 사회노동당 정부가 긴축재정을 위해 추진하는 실업급여 축소, 정년 연장을 통한 연금 지급기간 단축에 반대하는 총파업을 이날에 맞춰 준비하고 있었다.

지난 몇 년간 사회지출 예산은 결코 삭감하지 않겠다던 사회노동당 사파테로 당시 총리는 약속을 어기고 2010년 5월 긴축 재정안을 발표했다. 당시 르몽드지는 그가 임기 6년 만에 결코 건너지 않겠다고 공언했던 "루비콘 강을 건너고 말았다"고 평한 바 있다. 이미 스페인의 실업률은 20퍼센트를 넘어섰지만 공공부문 일자리를 축소하고 복지비용을 감축하려 하니 파업은 불가피했던 것으로 보인다.

19세기 말부터 스페인 사회주의 역사에서 오랜 기간 쌍두마차로 함께 달려온 사회노동당과 스페인 노총의 관계는 이제 예전 같지 않았다. 우리가 만난 스페인 노총 간부들이 사회노동당과의 관계에 대한 질문에 다소 난색을 표한 것도 그 이유 때문일 것이다. 우리는 추리소설의 독자처럼 두 조직의 불화가 과거 스페인 전역으로 확산됐던 민중의 집이 현재 거의 남아 있지 않게 된 이유 중 하나일 거라 추측했다.

과거의 흔적들

1908년 11월 28일.

마드리드 민중의 집은 피에몬트가Calle de Piamont 2번지에 세워졌다. 사회노동당이 창당한 지 30년, 스페인 노총이 출범한 지 21년이 지난 해다. 당시 여러 사회주의 조직들, 특히 사회노동당과 스페인 노총은 민중의 집을 노동계급 조직화 · 의식화의 거점이자, 열악한 노동빈곤층의 생계를 지원하는 곳으로 발전시키고자 했다. 예전에 귀족의 궁전이었던 1천4백 제곱미터의 땅에 벽돌공 25만 페세타, 인쇄공 1만 5천 페세타, 이런 식으로 노동자들의 푼돈을 모아 마련한 공사비로 거대한 건물을 세웠다.

이렇게 마련된 민중의 집이 문을 열던 날, 스페인 사회주의의 창시자라 할 수 있는 파울로 이글레시아스는 "내 생애 최고로 행복한 날"이라고 말했다고 한다.

초기 민중의 집에는 3만 5천 명의 노동자가 가입되어 있었고, 1931년 이후 내전 전까지 10만 명으로 늘어나 당시 마드리드 거주민의 10퍼센트를 포괄할 정도였다고 한다. 1930년대 초반은 사회주의자들도 정부에 참여했던 제2공화국 시절로 민중의 집이 스페인 전역으로 퍼져나간 때이기도 하다. 1930~34년 불과 4년 사이 전체 민중의 집의 35퍼센트가 지어졌다니 거대한 마드리드 민중의 집 회원 규모도 이해가 될 것 같다.

1908년 11월 28~30일 마드리드 민중의 집 개소식에서 군중들에게 연설하고 있는 파블로 이글레시아스. 그는 스페인 사회노동당과 노총의 창립자다.

회의가 열릴 수 있는 방, 넓은 술집과 도서관을 갖추고 있던 민중의 집은 1915년에 4천 명을 수용할 수 있는 큰 극장도 지어 사회노동당과 스페인 노총의 총회를 비롯한 주요 행사들이 이곳에서 개최됐을 뿐 아니라, 영화상영, 콘서트, 연주회 등 각종 문화행사도 열렸다. 1928년에는 초기 민중의 집에는 3만 5천 명의 노동자가 가입되어 있었고, 1931년 이후 내전 전까지 10만 명으로 늘어나 당시 마드리드 거주민의 10퍼센트를 포괄할 정도였다고 한다. 1930년대 초반은 사회주의자들도 정부에 참여했던 제2공화국 시절로 민중의 집이 스페인 전역으로 퍼져나간 때이기도 하다.

대대적인 공사를 통해 민중의 집이 현대식으로 다시 개조되었다.

한 가지 흥미로운 점은 스페인 사회주의자들은 민중의 집을 가급적 도시나 마을 중심부에 세우고자 했다는 것이다. 스페인 민중의 집의 지리적 분포를 연구한 루이스 곤잘레스와 프란시스코 루이스 마틴에 따르면, 사회주의자들에게 민중의 집의 크기와 위치는 스페인 사회에서 사회주의의 힘을 상징하는 것으로 여겨졌다고 한다. 마드리드 민중의 집이 귀족의 궁전을 개조해서 지은 것은 프롤레타리아트의 오랜 적에 대한 '정의로운 복수'의 의미를 담고 있으며, 계속해서 공간을 확장했던 시도 또한 이러한 맥락에서 이해할 수 있다는 것이다. 때문에 이후 프랑코 정권에게 수도 한가운데의 이 거대한 사회주의자 공간이 얼마나 '모욕적인' 존재로 여겨졌을지 상상이 될 만하다.

이 큰 공간에서 이루어진 활동들은 셀 수 없이 많다. 당시 민중의 집에서는 사회주의 노동자 학교Escuela Obrera Socialista 등의 교육기관, 문화 · 예술 단체, 마드리드 사회주의 협동조합Cooperativa Socialista Madrileña, 노동자 의료상

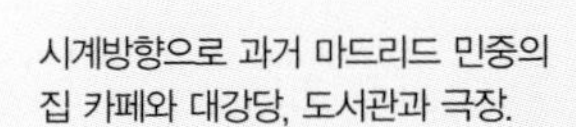

시계방향으로 과거 마드리드 민중의 집 카페와 대강당, 도서관과 극장.

호부조조합Mutualidad Obrera Médico Farmacéutica과 같은 사회서비스 조합이 함께 발전하고 있었고, 노동자들에게 금속, 인쇄기술을 가르치는 직업훈련학교도 있었다고 한다. 특히 사회적 안전망이 거의 전무하던 시기 마드리드 최초로 만들어진 노동자 의료 협동조합은 외과의사, 치과의사, 산부인과의사, 약사를 두었고 장례 지원활동까지 벌였다고 한다. 투쟁하는 노동자들에 대한 지원도 마드리드 민중의 집의 주요 활동 중 하나였다. 모금이나 기부, 복권 판매 등을 통해 기금을 마련하여 정치적인 문제로 투옥된 수감자의 가족에게 생활비를 지원하기도 했단다.

이러한 활동들은 모두 노동자의 해방과 그들의 권리를 옹호한다는 가장 핵심적인 민중의 집의 목표하에 이루어졌다. 민중의 집은 노동자들이 자유, 평등, 정의, 연대 등 민주주의와 사회주의의 가치를 훈련하는 센터로서, 모든 회원과 가입 조직들은 동일한 권리와 의무를 가지고 의사결정에 참여했으며, 임기가 제한된 간부직도 자유로운 경쟁을 통해 선출했다고 한다.

이처럼 마드리드 민중의 집은 노동자계급의 정치의식을 고양하는 유력한

마드리드 민중의 집 잔재들. 민중의 집이 완전히 파괴된 1953년 9월에 촬영된 사진이다.

수단이자 노동자 교육 · 문화의 중심지로서 역사적 의의를 평가받고 있다. 스페인 사회주의 철학자이자 70년대 스페인 하원 부의장을 지내기도 했던 루이스 고메즈 요렌티는 "민중의 집의 목표는 노동자들이 무지와 문맹을 퇴치하고 노동자 계급에 대해 알고 그에 따라 행동하게 하는 것"이었다고 평가했다.

스페인 내전 시기까지 30여 년간 운영되어 오던 마드리드 민중의 집은 1939년 프랑코 독재정권이 들어서면서 쇠퇴하기 시작했다. 공식적으로는 관제 노총으로 시설 운영 권한이 위임되었으나 곧 군대에 의해 점령되어 군법정으로 사용되었다고 하니 당시 민중의 집 구성원들은 '치욕의 한계상황'을 느끼며 비통해했을 것이다.

프랑코 정권에 의해 민중의 집이 완전히 사라진 것은 1953년. 마침 우리가 처음 마드리드에 도착했을 때 묵었던 숙소는 옛 마드리드 민중의 집터와 그리 멀지 않은 곳이었다. 천천히 걸어서 간 마드리드 민중의 집터는 지금은 전혀 과거의 흔적을 찾아 볼 수 없이, 큰 상가와 건물들이 그 자리에 들어서 있었다.

노총회관과 민중의 집

오늘날 마드리드에서 민중의 집이라 불리는 스페인 노총 마드리드 본부의 건물에는 과거 민중의 집과 유사한 기능도 찾아볼 수 있었지만, 전반적으로 '노총회관'에 더 가까운 곳이었다. 두 번째 방문 때 페루아도와 노총에서 환경담당자로 일하고 있는 나탈리아Natalia는 우리에게 건물 곳곳을 구경시켜 줬다. 나탈리아는 대학을 졸업한 지 얼마 되지 않은 젊은 여성인데 호기심이 그대로 전달되는 눈으로 우리를 맞이했다.

마드리드 민중의 집은 가운데를 축으로 양쪽 날개 형식을 한 8층짜리 건물이었는데 한쪽 날개에는 스페인 노총에 속한 산별 · 업종 연맹의 중앙 조

스페인 노총 마드리드 지역본부 입구에는 민중의 집(Casa del Pueblo)을 명기해 놓았다.

휴가철이라 한산한 스페인 노총 마드리드 본부 내부 모습.

직이, 다른 쪽 날개에는 각 연맹의 마드리드 지역본부들이 층층이 들어서 있었다. 스페인 노총 마드리드 지역 조합원이 약 12만 명이라니 민주노총 서울본부의 조합원보다는 적은 수지만, 산하에 6개의 지구협의회와 같은 조직이 있다는 것은 닮은 점이었다. 각 지역 조직들도 민중의 집이라 불리며 컴퓨터나 영어교육을 조합원이나 비조합원인 노동자들을 대상으로 진행한다고 한다.

2층부터 꼭대기까지는 사무실이 빼곡히 들어서 있는 반면, 지하와 1층은 조합원에게 열린 공간이었다. 입구에는 조합원들에게 할인된 가격으로 여행상품을 제공하는 여행사가 있었고, 또 한쪽에는 법률 지원센터가 있었다. 여기에는 9명의 변호사가 일하고 있는데 이들은 스페인 노총에 직접 고용된 사람은 아니지만 스페인 노총의 지원을 받아 조합원들의 노동관련 소송을 무료로 지원한다. 그밖에 니코틴, 알코올 중독이나 우울증을 앓는 조합원들의 건강을 지원하는 기구도 있었다. 이러한 서비스들이 과거 민중의 집의 역할을 계승한 사업들로 보인다.

지하 1, 2층에 배치된 여러 개의 크고 작은 회의 공간이 있다.

페루아도는 8백여 명이 들어갈 수 있는 대형 회의장을 스페인 노총의 전국 총회와 굵직한 노조 행사들이 개최되는 매우 상징적인 공간이라고 소개했다. 그 외 작은 회의실들은 휴가철이 아니면 단위노조에서 교섭을 하거나 쟁의를 준비할 때 수시로 이용하여 몹시 북적이는 공간이라고 한다. 과거 민중의 집이 노동자들이 서로 만나고 토론하며 파업을 준비하기도 했던 공간이었다는 점이 상기됐다.

한바탕 건물 순회를 마치고 다시 사무실로 돌아와 우리는 페루아도와 나탈리아에게 한국에서 가져온 열쇠고리를 선물했다. 페루아도는 답례로 스페인 노총의 열쇠고리를 주며 "이런 건 두 번씩 여기를 방문하는 사람한테만 주는 것"이라고 농담을 해서 우리를 웃게 만들었다.

기분 좋게 건물을 나서며 가까이서 또 멀리서 다시 마드리드 민중의 집 풍경을 사진기에 담았다. 오늘날 새로운 노동자의 공간으로 탈바꿈한 이 민중의 집은 그 자체로 의의가 있지만, 한국에서 우리가 구상하고 있는 민중의 집과는 다소 거리가 있었다. 노조와 진보정당, 다양한 지역운동 조직들이 함께 만들어가는 지역의 교육 · 문화 · 생활 공동체라기보다는 조합원을 위한 공간에 가까운 곳이다.

또 다른 의문점은 사회노동당의 역할이다. 100여 년 전 민중의 집을 거점으로 성장했던 조직 중에는 분명 사회노동당도 있었는데, 오늘날 집권 여당이 된 사회노동당에게 민중의 집은 과연 어떤 의미로 계승되고 있을까. 이제 스페인 민중의 집에 대한 또 한축의 궁금증을 풀기 위해 사회노동당 당사로 발걸음을 옮겼다.

사회주의 정당과 노동운동, 그리고 새로운 기운

스페인 사회노동당당사 역시 두 번째 방문이라 쉽게 찾을 수 있었다.

집권당 당사 치고는 상당히 소박한 건물이다. 입구 검색대에서 짐을 풀어 놓고 엑스선 검사를 한 뒤 당사에 들어갔다.

처음 방문했을 때 국제부서와 인터뷰 일정을 잡아주겠노라 약속했던 친절한 안토니오Antonio Barba는 이날도 우리를 반갑게 맞아주었고, 약속대로 국제담당 코디네이터인 호세 안토니오 에스페호Jose Antonio Espejo에게 안내해주었다. 호세를 만나기 위해 들어간 곳에는 스페인 집권당답게 중국 공산당이 선물로 준 큰 그림이 걸려 있었다. 한쪽 벽에는 파울로 이글레시아스의 초상화가 걸려 있다. 이제 스페인에서 그의 사진, 그림, 조각상과 마주치는

▲방문 당시 집권당이었던 사회노동당 중앙 당사.
▼파블로 이글레시아스 사진과 1925년 파블로 이글레시아스 장례식 사진.

것에 익숙해졌다. 스페인 사회노동당과 스페인 노총 건설은 물론 마드리드 민중의 집 설립을 주도한 파울로 이글레시아스의 초상은 우리가 방문한 모든 단체와 건물에 빠짐없이 자리 잡고 있었기 때문이다.

잠깐 파울로 이글레시아스에 대해 알아보자.

마드리드의 활자공이던 파울로 이글레시아스는 1874년 인쇄공 협회 의장이 되어 몇 년간 비밀리에 노동자 정당 설립을 준비했고, 1879년 사회노동당을 창당해 1925년까지 당수를 지냈다. 1888년 바르셀로나에서 설립된 스페인 노총의 명칭도 그가 제안한 것이며, 1889년 총회에서 전국위원회 의장으로 선출되기도 했다. 그를 비롯한 스페인 사회주의 운동의 창시자들은 아마도 마르크스주의 이론에 대한 기여가 크지 않기 때문에 우리나라에 많이 알려지지는 않은 것 같다. 그러나 파울로 이글레시아스는 수많은 파업과 정치 활동을 주도하고 그러다 투옥되기도 했으며, 여러 신문과 잡지에 글을 발표하면서 스페인 전역의 노동자들에게 매우 큰 영향을 미친 인물이다. 그가 사망한 1925년에는 15만 명의 인파가 그를 추모하며 관을 운구하는 행렬에 동행했다고 한다.

호세가 우리에게 준 사회노동당 100년사 DVD 앞표지에도 역시 파울로 이글레시아스의 초상화가 그려져 있었다.

국제 담당자인 호세는 어딘가 좀 위압감이 있는 모습이었다.

스페인 노총 마드리드 지부에 갔을 때처럼 편안한 분위기는 아니었다. 어딘가 좀 귀찮은 듯한 표정도 있었다. 우린 반바지차림이 신경 쓰였지만 이럴 때 일수록 느긋하게 행동해야 한다. 빗나간 얘기를 잠시 하자면, 나는 직업상 행사에 혼자 갈 때가 많다. 혼자 모르는 사람 틈에 섞이면 상당히 어색하기 때문에 어떤 표정을 지어야 하는지, 어떻게 행동해야 하는지 고민된다. 이럴 때는 천천히 움직인다. 낯선 행사장에서 식사를 할 때도 최대한 천천히 먹는다. 그래야 사람이 없어 보이지 않는다. 혼자서 밥 먹는데 허겁지겁 먹으면 그 모습이 상당히 우스워 보일 수 있다.

난 호세 앞에서 최대한 천천히 움직였다.

호세와의 짧은 대화에서 사회노동당의 역사를 충분히 들을 수는 없었지만, 그는 스페인 사회노동당이 유럽에서 가장 오래된 정당이자 최초의 사회주의 정당이며, 당원이 44만 명에 이른다고 소개했다. 당 지역 조직들의 주요 활동에 대해 질문하자, 우리로 말하자면 읍면동에 해당하는 8천여 개의 타운에 무수히 많은 조직들이 산재해 있다 보니 본인도 다 파악을 못 하고 있다고 답했다. 보통 지방정부를 수권하고 있는 지역에서는 정부 운영에 주력하고 그렇지 않은 곳에서는 지방정부의 활동을 모니터링하고 정책 감시자의 역할을 한다고 한다. 집권당이다 보니 지역 주민과의 직접적인 접촉보다는 지방정부 거버넌스에 대한 개입이 활동의 주를 이루는 것으로 보였다.

가장 궁금한 것은 민중의 집과 사회노동당의 관계였다.

호세는 민중의 집이 처음 당을 만들 당시에는 정당과 노조의 주요한 지역조직사업의 경로였다고 말했다. 노동자 빈민들에게 각종 공공서비스를 제공하고 문맹 퇴치를 위해 읽고 쓰는 교육부터 직업훈련까지 다양한 교육이 이루어졌다고 한다. 도서관을 운영하기도 하고 의료서비스를 제공했던 민중의 집은 노동자들만의 클럽으로 기능했는데, 당시 지역마다 부자들만의 클럽이 있었기에 여기에 대항해서 노동자들의 모임 장소를 만들고자한 것이라고 한다. 우리로 치자면 라이온스 클럽, 로터리 클럽에 대항하기 위해서 만들어진 '노동자 클럽' 이라고 보면 될 듯싶다.

너무도 궁금했던 건 최근 민중의 집의 현황이다. 호세는 잠시 뜸을 들이더니 말을 이었다.

"더 이상 민중의 집은 존재하지 않는다. 몇몇 오래된 시골 마을에서는 우리 당 사무실을 민중의 집이라고 하는 곳도 있다. 그러나 당과 노조의 사무실이 나뉘고 이들 간에 멤버십이 분리되기 시작하면서 과거와 같은 민중의 집은 없다."

오늘날에는 인터넷 등을 통해 정당이 대중과 소통할 수 있는 방식이 다변화되었기 때문에 민중의 집의 중요성이 약화된 것도 있다는 얘기를 덧붙였다. 그의 답변에서 과거 사회주의 세력의 조직화 전략이었던 민중의 집의 의미를 확인할 수 있었고, 또 이 전략을 함께 구사했던 사회노동당과 스페인 노총이 더 이상 예전 같은 긴밀한 관계를 유지하지 않고 있다는 것이 새로운 민중의 집의 필요성을 약화시키는 요인일 거라 짐작해볼 수 있었다.

"80년대까지 노총 조합원은 곧 사회노동당 당원이고, 우리당 당원은 곧 노총 조합원이었다. 물론 지금도 노총 위원장이 우리 당 당원이긴 하지만 두 조직 간에 이중 멤버십은 분리되어 있다."

과거 노총의 조합원이라면 당연히 사회노동당에도 가입하여 두 조직의 멤버십을 다 가지고 있던 때와 달리, 이제는 그만큼 긴밀한 관계가 아니라는 얘기다. 호세는 특히 경제위기 이후 노조와의 관계가 원만하지 않다고 말했다.

우리가 이전에 만났던 스페인 노총 간부들도 사회노동당과의 관계에 대해 비슷한 얘기를 했었다. 그라나다에서 만난 에밀리오도, 마드리드에서 만난 페루아도도 "오늘날 사회노동당과 노조의 관계는 예전과 다르다. 관계가 없거나 반대하는 입장"이라고 말했었다.

노조가 사회노동당 정부에 맞서 총파업을 준비 중이었으니 더 덧붙일 말이 뭐가 있겠는가. 호세는 "스페인의 노동 규제가 너무 강력해서 이것을 좀 더 유연하게 할 필요가 있다. 노동자들이 지나치게 보호되고 있다"는 입장을 우리에게 피력하기도 했다. 그는 9월 파업이 노조와 정당의 거리를 더욱 멀어지게 하는 계기가 될 거라고 우려했지만, 두 조직 간에 거리는 이미 멀어질 대로 멀어져 있는 것 같았다. 이미 두 조직은 1980년대 초반 사회노동당이 마르크스주의 노선을 폐기하고 중도성향으로 우회하게 했던 펠리페 곤잘레스 내각 시절부터 틀어지기 시작했다고 한다. 급기야 최근 경제위기에 대해 신자유주의 해법을 처방하고 나선 '사회주의' 정당이 어떻게 노조의 지지를 받을 수 있겠는가.

다시 쏠 광장으로

스페인 민중의 집은 이제 과거의 한 장면일 뿐이다. 물론 노동조합이 이른바 '노동자의 집'으로써 민중의 집의 역사를 계승하고 있는 건 분명하지만, 20세기 초 스페인 역사의 격변기에 사회주의 운동의 거점이었던 민중의 집은 더 이상 찾아볼 수 없다.

독재정권의 탄압으로 민중의 집은 물론 사회주의 정당과 노동조합 활동은 긴 단절을 경험할 수밖에 없었다. 그 사이 민중의 집의 공간적 · 문화적 기원도 거의 소실되었을 것이다. 정당과 노조의 사회적 지위가 회복되었던 80년대에는 과거와 같이 노동자들의 생계를 지원해야 할 절박한 필요도 약화되고 정당과 노조가 노동자들과 접촉할 수 있는 방법도 다양해졌을 것이다. 합법화 이후 사회노동당이 빠르게 집권 세력으로 부상하는 과정은 사회주의 노선의 수정, 노동조합과의 관계 약화를 동반한 것이었기에 더더욱 그들에게 과거와 같은 민중의 집은 유의미한 전략이 아니었을 것이다.

'사회주의' 정당은 이제 과거의 일이 되어 버렸다.

우리가 처음 마드리드에 도착했을 때, 지인이 꼭 가보라고 추천했던 술집이 하나 있었다. 카사 라브라Casa Labra라는 이 가게는 1860년에 만들어져 150년 넘게 운영되고 있는 타바스 바Bar로, 맥주와 가벼운 안주를 파는 곳이다.

서울로 치면 명동과 같은 도심 한복판 쏠 광장, 대형 백화점 바로 뒤에 여전히 낡은 자태를 유지하고 있는 곳이었다.

그런데 이 술집은 보통 술집이 아니다. 1879년 파울로 이글레시아스와 그의 동지들이 권력자들의 감시를 피해 사회노동당을 창당한 역사적인 곳이 바로 여기다. 들어가서 맥주 한 잔, 감자와 생선을 으깨어 튀긴 타바스를 먹고 나오는 길, 광장을 향해 행진해오던 일군의 집회 대오를 만났다. 안타깝게도 그들의 집회 장면을 찍은 사진과 동영상, 홍보물들은 코르도바 '도둑의 손' 에 들어갔다. 이들은 실업이 가족을 파괴하고 있다며 한 달에 한 번씩 스페인 주요 도시를 돌며, 일자리를 요구하는 행진을 한다. 집회의 주최 단체가 누구인지, 짧게 나눈 대화로는 파악하기 어려웠다. 노조도 정당도 아니었던 것은 분명하다.

지난 2011년 5월, 그곳 쏠 광장에 스페인 정부의 긴축정책에 분노한 10만여 명의 사람이 모여 며칠간 농성을 이어갔다는 소식을 접하고 2010년 8월 당시에 만난 행진 대열이 떠올랐다. 뉴스에 따르면 대학생과 청년들이 주축이 된 이들은 스스로를 '분노한 사람들' 이라 부르며 모든 정당과 노조를 거부하고 스스로 네트워크 형태의 운동을 조직해 나섰다고 한다.

우리가 유럽에서 돌아온 후인 2010년 9월 29일에 예정대로 진행된 스페인 양대 노총의 총파업은 250만 명 조합원 중 70퍼센트가 참여해 위력적으로 전개됐지만, 주요 요구안이었던 연금개혁안에 대해 정부와 합의가 이뤄지면서 그 이상의 투쟁을 만들어내지 못한 채 그쳤다. 파업이 수그러들고 청년 실업이나 여타 사회적 위기에 대해 노조도 정당들도 어떤 해법을 내놓지 못하자 이러한 직접행동의 흐름이 조직되기 시작했다고 한다. 이들의 외침은 '자본 없는 민주주의'.

빛바랜 사회주의 운동과 경직된 노동조합을 거부하는 움직임이었다.

그리고 2011년 실업률 21.5퍼센트, 청년실업률 45퍼센트의 스페인은 마리아노 라호이 대표가 이끄는 중도우파 국민당을 새로운 집권당으로 택했다. 2011년 11월에 있었던 스페인 총선에서 국민당은 44.6퍼센트 득표율로 350석 중 186석을 확보해 사회노동당을 밀어내고 정권을 탈환했다. 나는 사회노동당이 집권 7년 만에 힘없이 정권을 내주었다는 소식을 접하고 만감이 교차할 수밖에 없었다. 그때 쏠 광장에서 보았던 집회의 참가자들은, 그리고 지난해 뉴스에서 보았던 스스로를 분노한 사람들로 칭했던 이들은 과연 누구의 손을 들어주었을까.

노동운동과 좌파정치가 처한 위기에 대한 해법으로, 그들은 지역과 다시 만나는 접점을 찾을 것인가. 아니 스페인도 스페인이지만, 우리는 과연 어떻게 그 접점을 만들어 갈 것인가. 더욱 다변화 되어 있는 지역 속에서 진보의 재구성은 과연 어떤 방식으로 이뤄질 수 있을까.

스페인 사회주의 마을

마리날레다

스페인 민중의 집을 찾아다니다 들른 사회주의 마을 마리날레다Marinaleda. 인구가 3천 명이 채 안 되는 작은 마을이지만, 2009년 5월 〈뉴욕타임즈〉지에 소개되어 화제가 되었고 한국에서도 같은 해 6월 MBC 〈뉴스 후〉라는 프로그램을 통해 알려진 곳이다. 이 사회주의 공동체가 과연 성공할지 실패할지 아직도 의견이 분분하다. 그리고 마리날레다가 지역공동체와 진보정치가 이상적으로 결합된 모델인지 속단할 수도 없는 노릇이다. 그러나 이곳이 100여 년전 민중의 집을 만든 사람들이 꿈꾸던 세계의 모습인 건 분명한 것 같다.

우리가 부서진 차량과 상처받은 마음을 추스르고 다시 여정을 시작하며 처음 방문했던 곳이 이곳 마리날레다다. 마리날레다는 세비야에서 동쪽으로 108킬로미터 거리에 있다. 한 시간 정도면 충분히 갈 수 있는 거리. 사회주의 국가에 가본 적이 없는 나에게 마리날레다는 그래서 꼭 한번 가보고 싶은 곳이었다.

처음 도착했을 때 마리날레다는 적막했다.

시의회를 찾아갔지만 오후 3시면 퇴근이란다. 우리가 도착한 시간은 3시 30분.

역시 허탕이다.

시청에서 일하는 직원이 시장의 집을 직접 찾아가보라고 했다. 시장의 집을 이렇게 바로 찾아가도 되는지 불안불안했지만 일단 가보기로 했다. 직원은 스페인어를 알아듣지 못하는 우리에게 손짓발짓을 요란하게 해가며 시장의 집 위치를 알려줬다.

하지만 이곳 마리날레다의 집들은 다 비슷하게 생겨서 대략적인 위치만 가지고는 어떤 집이 시장이 사는 곳인지 도무지 알 수 없었다. 꼭 동화 속에 나오는 장면처럼 비현실적인 햇살과 하늘빛, 그리고 복사해서 붙여넣기를 한 듯 똑같은 모습의 집들. 내가 보고 있는 풍경이 초현실주의 화가 달리의 그림처럼 느껴지기도 했다.

이럴 때는 어쩔 수 없다.

몇몇 집에 노크를 하고 "마리날레다 캡틴, 마리날레다 캡틴"을 외쳤다. 영어를 잘하는 아내는 내가 창피한지 이미 저만치 떨어져 있었다. 나 역시 창피했지만 MBC도 취재했으니 나도 한다는 마음뿐이었다.

계속 문을 두드리고 "마리날레다 캡틴"만을 외쳤다. 내 영어 실력이 이 정도로 민망할 줄은 정말 몰랐다.

문이 열리더니 한 중년의 여성이 나타나서 나를 한심하듯 쳐다보다 기다리라고 했다. 조금 뒤 한국 방송에 본 수염 덥수룩한 남성이 나타났다. 마리

마리날레다 마을 모습

날레다의 산체스Juan Manuel Sánchez Gordillo 시장이다.

이제 내가 뒤로 빠져야 할 차례다.

우리는 한국에서 왔다. 레프트 파티(좌파정당) 소속이다. 한번 인터뷰하고 싶다. 괜찮은가.

아내가 한 말은 대충 이랬다. 그리 어려운 말도 아니었다.

산체스 시장이 말했다.

내일 와라. 인터뷰하자. 내 사무실로 오면 된다. 한 시간 인터뷰할 수 있다. 11시쯤이 좋겠다. 어떠냐?

지금 생각하면 감격할 이유도 없는데 인터뷰에 응해준다고 하니까 괜히 울컥했다. 아마도 스페인에 도착한 후 시련이 많았기 때문에 감정이 더 증폭됐던 것 같다.

마리날레다 산체스 시장과 그의 집 앞에서 기념 촬영을 했다.

일단 다음 날 어찌될지 모르니 사진 한 장을 기념으로 촬영하고 헤어지려는 순간 산체스 시장이 "오늘 저녁 10시에 플라멩코 공연이 있는데 두 분을 초대하겠다"고 했다. 분명히 그리 말했다. 하마터면 눈물을 보일 뻔했다.

오후 10시까지는 시간이

많이 남았다.

마리날레다에는 호텔도 없고 캠핑장도 없다.

할 수 없이 인근 마을로 이동해서 하루를 묵어야 했다. 또 차량이 파손될까 봐 걱정이 됐다. 주차 문제가 신경이 쓰여서 거리를 계속 빙빙 돌았다.

창문도 없는 여인숙 급 호텔이지만 30유로(약45,000원)나 했다. 일단 이곳에서 하루를 묵기로 했다. 짐을 풀고 나니 이름 모를 이 조그만 도시에서 우리가 딱히 할 일이 있는 게 아니었다. 이럴 거면 마리날레다로 다시 가서 거리 구경을 하는 게 좋겠다는 판단이 들었다.

수동 기어를 조작하는 게 여전히 힘들었기에 한적한 시내 언덕에서 몇 차례를 멈추고, 다시 전진하는 연습을 했지만 매번 시동이 꺼졌다. 빨리 언덕을 두려워하지 않아야 스페인 곳곳을 다닐 수 있는데 여간 걱정이 아니다. 운전면허가 없는 아내는 "왜 수동 면허를 땄던 사람이 그것도 못하는 거지"라고 말하고 싶은 표정이었으나 꾹 참는 듯 보였다.

다시 마리날레다로 와서 샌드위치를 샀다. 세비야에서 급하게 달려오느라 점심도 먹지 못했다. 5시가 조금 넘은 시간. 점심이라기보다는 저녁에 더 가까웠다.

도시 전체가 조용했다. 어디선가 유령이 나올 것처럼 느껴지기도 했다.

사람도 눈에 보이질 않는다. 거리 곳곳을 수놓고 있는 벽화를 보고 있자니 이곳이 스페인이 아니라 쿠바인 것 같다. 물론 쿠바에 가본 적은 없지만.

간혹 거리를 지나는 사람들이 동양인인 우리를 '너무도' 신기하게 쳐다

보았다.

시청 청사 옆에 있는 '문화의 집' 직원이 승용차 위에 스피커를 달고 "오늘 플라멩코 공연이 있다"고 떠들면서 온 동네를 다녔다. 다른 말은 알아듣지 못했지만 연신 "플라멩코 플라멩코"를 외쳤기 때문에 분명 내 해석이 맞을 것이다.

마리날레다에 오기 전에 읽었던 신문 기사에 의하면 산체스 시장은 무서운 사람이어야 했다.

귀족 토지의 소유를 빼앗아 협동조합을 조성한 인물, 반대파는 추방하는 독재자.

잠시 그 기사 내용을 소개하면,

마리날레다는 거리 곳곳이 벽화로 치장되어 있다.

뉴욕타임스는 금융위기로 최근 주목받는 마리날레다 논란을 소개했다. 이 마을은 사회주의자 마누엘 산체스 시장이 1979년 당선된 뒤 30년째 공동재산, 협동농장, 시영주택 등 다른 스페인 지역에선 찾아볼 수 없는 사회 시스템을 유지해왔다. 주민들은 직장을 잃어도 노동조합이 바로 다른 일터를 연결해준다. 주요 산업은 농업이며 주민 대부분이 시(市)가 운영하는 협동농장에서 일한다. 주택도 시가 직접 지어 나눠준다.

실제로 산체스 시장은 이 지역 귀족 소유의 토지를 빼앗아 협동농장을 조성했다. 자급자족을 주장하지만 실제론 시 재정이 부족해 중앙정부와 안달루시아 지방정부 지원금에 대한 의존도가 높다 고 이 신문은 전했다. 반대파나 불만을 가진 주민들을 추방하는 등 공산주의 독재정권하에서 자행되는 일들도 버젓이 일어나고 있다.[20]

바로 그 마리날레다가 내 눈앞에 있다. 그리고 귀족 소유의 토지를 빼앗아 협동농장을 조성했다는 무시무시한 산체스 시장도. 플라멩코 공연에도 초청받았고, 인터뷰도 약속했으니 지켜보면 될 일이다.

마리날레다 자유의 거리 1번지는 민중의 집이었다. 뭔가 상징적이라는 느낌이 들었다. 마리날레다에서 민중의 집은 어떤 위상일까. 조급할 이유가 없었다. 내일 취재를 해 보기로 하자.

마리날레다는 크지 않은 곳이기 때문에 걸어서 20분이면 마을 전체를 다 볼 수 있다. 비록 규모가 크지 않지만 야간 조명 시설까지 갖춘 훌륭한 축구

경기장도 있었고, 체 게바라의 초상화가 그려진 대형 체육관도 있었다. 나중에 알고 보니 이 체육관은 500명을 수용할 수 있고 농구, 테니스, 핸드볼 등 갖가지 종목의 운동을 즐길 수 있는 시설을 갖추고 있다고 한다.

해가 사라지고 어둠이 은근슬쩍 내려앉자 축구장에도 사람들이 모였다. 스페인에서 축구는 두말할 필요도 없는 최고 인기 종목이고 마리날레다도 예외는 아닌가 보다. 마리날레다 홈페이지에는 시에서 축구를 얼마나 각별히 지원하고 있는지 소개되어 있다. 'UD 마리날레다' 라는 축구단 사진도 있었는데, 우리가 본 사람들이 그 팀의 일원인 듯싶다.

플라멩코 공연을 하는 곳은 마을 주민들이 집회나 축제를 할 때 모이는 노천극장이었다. 스탠드도 있고 공연 무대도 제법 잘 갖춰져 있다. 이곳이 위

마리날레다 체육관. 농구, 테니스, 핸드볼 등 다양한 운동을 즐길 수 있는 대형 체육관이다.

치해 있는 자연공원은 매우 훌륭했다. 산책로도 잘 되어 있고 달리기 트랙과 테니스 코트 같은 운동시설도 있다. 다양한 종류의 나무와 식물도 빼곡히 심어져 있다.

드디어 기다리던 공연시간이 되었다.

분명히 저녁 10시가 됐는데 노인들 몇 명만 앉아 있을 뿐 기대했던 많은 사람은 보이지 않았다. 플라멩코 공연 팀이 와 있는 걸로 봐서 분명히 오늘 이곳에서 공연을 하는 건 맞는 것 같았다. 잠시만 더 기다려 보자.

이곳 사람들은 공연이 제 시간에 시작하지 않는다는 건 당연하다는 듯 10시 30분이 되어서야 나타나기 시작했다. 심지어 산체스 시장은 10시 40분이 되어서야 반바지에 슬리퍼 차림으로 나타났다.

맥주와 샌드위치 등 먹을 게 풍성했다.

주민들은 가족과 함께, 연인과 함께 스탠드에 앉아서 맥주를 마시며 담소를 나눴다.

11시가 넘었지만 누구하나 공연 시작을 보채지 않았다. 나와 아내만 지루해서 몸을 비비 꼬았다. 새벽에 다시 차를 몰고 나가야 한다는 부담감. 차를 가지고 와서 맥주를 마시지 못하는 비애(가장 근원적인 이유)가 겹쳤기 때문이다.

드디어 11시 30분. 산체스 시장이 마치 올림픽 개막 선언을 하는 국가 원수처럼 공연 시작을 알렸다. 아이들과 청년, 30~40대 부부와 노인들 약 300여 명이 공연을 관람했다.

플라멩코 공연이라고 해서 춤을 볼 줄 알았는데, 기타와 노래만으로 이뤄져 있다.

세비야 민박집에서 함께 묵었던 20대 초반의 한국 대학생들이 비싼 돈을 주고 플라멩코 공연을 본다고 해서 부러웠다. 그런 공연을 우리는 공짜로 보게 되었다며 기뻐했지만, 사실 공연이 기대만큼 흥미롭지는 못했다.

그러나 우리와 달리 마리날레다 주민들은 흥겹게 축제를 즐기고 있었다. 마리날레다의 밤이 축제와 함께 춤을 추며 깊어가고 있었다.

다음 날.

방 안에 창문은 물론 환풍기도 없어서 혹시 질식해서 죽으면 어쩌나 걱정을 했지만 우린 살아서 눈을 떴다.

플라맹고 공연에 앞서 맥주를 마시는 주민들. 주민들 간 결속력을 높이며 공동체를 이룬다.

전날 새벽까지 플라멩코 공연을 보느라 새벽 2시가 넘어서 숙소에 도착했기 때문에 약간 피로감이 있었지만, 약속 시간에 늦으면 안 되기 때문에 서둘러 마리날레다로 출발했다. 어떻게 하다 보니 벌써 세 번째 방문이 되었다.

11시 정각에 시청사에 도착해서 시장과의 면담을 요청했다. 10분 정도 기다리니 산체스 시장이 나왔다. 우리에게 "굿 모닝"하며 영어로 인사를 하고 나서 자신의 집무실로 안내했다.

산체스 시장의 집무실은 화려하지도 소박하지도 않다.

앉자마자 산체스 시장이 마리날레다 기념품 열쇠고리와 소개 책자를 줬다. 우리도 준비한 부채와 전통문양 열쇠고리를 선물로 줬다.

산체스 시장은 여전히 소탈한 모습이었고 영어 구사도 훌륭했다.

산체스 시장은 CUT라는 공산당 계열 정당 소속이다. CUT는 전체 당원이 4만 명이고 마리날레다에만 600명의 당원이 살고 있다. 마리날레다의 인구가 2천7백 명이니 인구의 20퍼센트가 넘는 주민들이 당원인 셈. 이 정도면 30년 넘게 선거에서 계속 승리해 집권을 하는 것도 무리가 아니겠지.

산체스 시장은 1979년에 시장으로 선출된 이후 현재까지 활동하고 있는데, 식량 주권과 노동권을 가장 중요시 한다고 말했다.

다음은 산체스 시장의 말.

"마리날레다와 같은 모델이 확산될 수 있다고 생각한다. 안달루시아 지역을 중심으로 CUT에 소속된 시장이 20여 명 정도 있다. 마리날레다의 모델이 더 확산될 수 있다는 말이다. 여기 집값은 한 달에 15유로(22,500원)고 모든 집이 똑같다. 대부분 협동농장에서 일을 하고 있는데 원하면 구경시켜드릴 수도 있다."

산체스 시장이 당선된 후 마리날레다 정부는 가난한 이들과 노동자들에게 주택을 공급하기 위해 주변의 수천 평방피트의 땅을 수용하고 중앙정부와 안달루시아 정부에도 토지를 요구했다고 한다. 땅을 확보한 후 스스로 집을 짓고자 하는 사람들을 모아 필요한 자제들을 제공하고 이를 도울 수 있는 기술자들도 무상으로 지원했다. 이렇게 주택을 지은 이들을 셀프 빌더Self builder라고 부른다.

주택이 완성된 이후에는 셀프 빌더들이 한 달에 얼마씩 시에 낼 것인지를 집단적으로 결정하게 했고, 최종적으로 한 달에 15유로(30,000원)로 확정됐다고 한다. 지금도 셀프 빌더들은 스스로 운영하는 협의회 방식으로 모임을 가지고 있다. 한 달에 한두 번씩 모여서 자신들이 지은 주택에 관한 기준들을 협의하고, 주택이 완성된 이후에도 수시로 모여 불편한 점을 개선한다. 이렇게 지어진 마리날레다의 집은 각각 3개의 침실과 욕실, 작은 정원을 갖추고 있다.

마리날레다에는 경찰이 없고, 그 비용으로 무상의료가 진행되고 있다고 들었는데 과연 그런지 궁금했다.

"마리날레다에는 현재 3명의 의사가 있고, 무상 공공 시스템으로 운영되며 보험 방식이지만 마리날레다 정부가 지원한다."

대략적인 의료시설을 갖추고는 있지만 응급 지원 체계를 갖추는 것이 여전히 과제라고 한다. 또 마리날레다 시는 혼자 사는 노인들을 위한 가정방문 의료 서비스를 무료로 실시하고, 매일 식재료 구입 등을 해주는 노인 돌봄 서비스도 운영하고 있단다.

스페인 다른 도시에서 이주하는 사람도 있냐고 물으니 스페인 다른 도시는 물론, 다른 유럽 국가나 아프리카에서 이주할 사람도 있다고 한다.

그러면서 "두 분도 원하면 얼마든지 마리날레다로 이주할 수 있다"고 말한다.

이주는 좀 그렇고 견학은 한번 오고 싶다.

오후 3시면 하루 일이 끝나고, 오후 8시부터는 기분 좋은 날씨를 온몸으로

마리날레다 어린이 집 모습. 보육료는 한 달에 2만 2천 원이다.

느끼며 술 한 잔씩 주고받을 수 있는 이곳을 민중의 집 회원이나 진보정당 당원들이 한번쯤 경험해 보는 것도 나쁘지는 않을 테니까.

스페인 집권당인 사회노동당에 대해서는 어떤 생각을 가지고 있는지 물어보자 산체스 시장은 정색을 하며 짧고 분명하게 답했다.

"우리와 사회노동당과의 관계는 좋지 않다. 그들은 자본주의 정당이다."

어제 마리날레다에서 민중의 집 간판을 봤다. 이제 물어볼 차례다.

산체스 시장은 "마을 1번가에 민중의 집이 있고, 여기에서 매월 2회 전체 주민 총회가 열린다"며 "민중의 집에서 한 시간 정도 마을 현안에 대한 논의를 하고 있으며 주민들과의 대화는 대부분 민중의 집을 통해 이뤄지고 있다"고 말했다.

산체스 시장과 인터뷰를 마치고 민중의 집을 방문했다.

점심시간에 맞춰 많은 사람이 민중의 집에서 카드놀이를 하고 있었다. 1층 바에서는 젊은 사람들이 낮술을 즐기고 있다. 꼬레아에서 왔다고 하니 기념 촬영을 하자고 한다.

마리날레다 민중의 집은 과거 민중의 집의 초창기 모습을 고스란히 간직하고 있는 것 같았다. 주민들이 모이고, 회의를 하고, 다양한 프로그램이 진행되는 공간이었다.

모든 것이 인상 깊은 마리날레다였다.

집값도 스스로 결정해서 한 달 15유로(22,000원), 어린이집 비용도 학부모 회의에서 결정해서 한 달에 12유로(22,000원), 수영장 이용하는데 1.8유로, 무상의료 시스템.

이는 "모든 공공자원 또는 복지는 무료이거나 가난한 사람들 중에서도 가장 가난한 사람들이 지불할 수 있는 수준의 가격이어야 한다"는 마리날레다의 정치 철학에 기반한 것이다.

이곳 사람들이 얼마나 행복하게 일하고 즐기며 살아가고 있는지, 짧은 방문으로 다 확인해 볼 수는 없었다.

그 옛날 민중의 집을 거쳐간 사람들은 사회주의적 삶의 양식을 직접 만들고 그 안에서 일상생활을 영위하며, 언젠가 온 나라가 사회주의 공동체로 바뀔 수 있다는 믿음을 키워왔을 것이다. 그들이 꿈꾸었던 세상의 풍경이 지금의 마리날레다와 많이 닮아 있을 것이란 건 분명한 것 같다.

에필로그를 대신하여

마포 민중의 집

마포 민중의 집

나에겐 아직도 나를 설레게 하는 꿈이 있다. 이제 유럽을 돌고 돌아 다시 마포 민중의 집에 와 있다. 유럽에서 보낸 45일. 꿈은 더 야무지게 자라나고 있으며, 가슴은 더 뛰고, 다짐은 더 깊어진다. 우리나라 곳곳에도 민중의 집이 설립되는 꿈. 한 곳이 1백 곳이 되고, 1천 곳이 되는 꿈. 사실 이 꿈은 지금 조금씩 그 꿈을 공유한 사람들의 노력에 힘입어 실현되고 있다. 서울 마포와 중랑구, 구로에서 이미 민중의 집이 싹을 틔우고 있으며, '농민의 집'을 준비하는 손들도 있다.

전국 각지에서 다양한 주민 단체와 협동조합, 노동조합, 진보정당이 한자리에 모여서, 지역 특색을 살리면서도 민중의 집 정신을 공유하는 공간을 만들어내는 일은 생각보다 어렵지 않을 수 있다. 민중의 집이 곳곳에 세워지고 이들이 서로 네트워크로 함께한다면 세상은 분명히 바뀔 것이라고 확신한다.

돌이켜보면 진보는 부침을 거듭해왔다. 그 이유는 한두 가지가 아니겠지만, 중요하게는 기초체력의 부족 때문이다. 현장에서 진보와 대중이 소통하고, 서로에게 힘이 되고 자극을 줄 수 있는 사업과 공간을 '창출' 하는 것, 이게 기초체력을 키우는 길이다. 자본이 주인인이 체제에서 인간이 주인이 되는 그런 공간을 만들어 나가는 일은 시급하고 중대한 과제다.

이제 에필로그를 대신해서 마포 민중의 집[21]에 대해서 얘기할 차례다.

2008년 11월1일 세워진 마포 민중의 집은 스웨덴 민중의 집처럼 지역 내 수많은 단체가 결합하고 있지는 못하다. 하지만 그렇다고 아주 초라한 행색은 아니다.

450여 명의 회원과 마포 지역 내 여섯 곳의 노동조합, 여섯 곳의 상인회, 문화연대, 진보신당 마포당원협의회 등 16개의 지역 단체가 회원 단체로 등록되어 있다.

2008년 창립 당시 마포 민중의 집 전경

지역 내 상인회와 노동조합이 함께 단체로 결합하고 있는 경우는 흔치 않은 일이다. 그 효과는 서서히 나타나고 있다.

2011년 홍대 청소노동자들이 파업을 할 때, 지역 상인회는 80여 만 원에 해당하는 밥과 반찬을 농성장에 지원했고, 그 해 연말에 열렸던 노동조합의 후원주점에도 상인회 회원들이 참석하는 것은 물론 주류를 공급해주기도 했다.

같은 지역에서 활동하면서 한 번도 마주치지 않았던 노동자와 상인들이 민중의 집이라는 연결 고리를 통해 처음으로 만날 수 있게 된 셈이다.

비자본주의 삶의 방식

마포 민중의 집을 건설하기 위해 '문화연대'의 구성원들과 1년 간 논의를 했다. 그때 내린 결론 중에 하나가 바로 이념이 있는 지역공동체 건설이었다.

이념. "지역에서 살가운 이웃을 만드는 일에 무슨 이념이냐?"라고 말할 수도 있다. 그래 너무 거창한 말일 수도 있다. 더구나 우리가 설정한 민중의 집의 이념은 '비자본주의적 삶의 방식'이다.

우리는 어쩔 수 없이 자본주의 시대에 살고 있고, 그렇기에 노동을 팔아서 급여를 받아야 한다. 그런데 그 이후의 시간만큼은 자본주의와 빗겨나서 살아볼 수는 없을까. 우리의 고민은 그것이었다. 자본주의는 말 그대로 자본 또는 돈이 주인 대접을 받는 사회다. 우린 그 체제가 가져다주는 효율이라는 긍정성을 압도하는 여러 가지 부정적 결과를 겪고 있다. 돈이 아닌 사람이 주인 대접을 받는 사회, 동네, 집. 민중의 집의 이념으로는 더 없이 딱 들어맞는 것 같다.

초창기 이탈리아 민중의 집은 이탈리아 저항운동의 네트워크였던 동시에 아래로부터 좌파의 문화와 생활양식을 창출했다. 소비와 생산, 일상생활과 사회생활, 정치 활동을 보다 효과적이고 평등한 방식으로 결합시키면서 이 모든 것을 바깥 세계와는 다른 원리로 구성했다. 스페인 민중의 집에서도 언급했듯이, 민중의 집에 모인 사람들은 자본주의 사회가 만들어낸 사회화

마포 민중의 집 오픈 하우스 행사.

방식과는 다른 방식으로 사회적 주체가 됐고, 외부와는 다른 대안적인 삶의 양식을 키워 나갔다. 이것은 민중의 집 구성원들이 합의하는 '이념' 이 밑바탕을 이루고 있기에 가능한 일이었다.

경제적으로 어려운 사람들이 함께 자신이 가진 자원을 나누고, 만남을 이루는 곳. 자본주의적이지 않은 관계가 얼마나 사람과 사람, 사람과 자연과의 관계를 풍요롭게 만드는지.

어떻게 생각하면 거창한 수사일 수 있는 비자본주의적인 삶의 방식이란 이념은 민중의 집에서 단순한 방식으로 구현된다. 서로가 가진 것을 돈을 통하지 않고 나누는 게 바로 그것이다.

처음 민중의 집이 문을 열고 난 뒤, 마포에 있는 가든호텔 노동조합의 활약은 눈부셨다. 한국노총 소속인 가든호텔 노동조합의 대부분의 구성원들은 요리사였다. 조합원 요리사들은 지역 주민들을 위해 직접 요리교실을 열었다. 반응은 폭발적이었다. 이들은 강의료를 받지 않고 자신의 재능을 내주었다. 우리의 노동이 늘 돈에 의해서 교환되는 세상에서 자신의 노동을 비자본주의적으로 '기부' 한 것이다.

세탁소 가게 아저씨가 다리미질 강좌를 연다면 그것 또한 비자본주의적 삶의 방식의 일환이다. 평생을 살아오면서 강의라는 것을 해 본 적이 없었던 주민이 자신의 재능을 '비자본주의 방식' 으로 내어준다. 돈에 의해서 관계를 형성하지 않고 자신이 내어줄 수 있는 '무엇' 을 통해서 관계를 형성한다.

중국어를 잘하는 회원은 중국어 재능을 내어준다. 일본어를 잘하는 이주 여성은 일본어 강좌를 열어줬다. 중국어를 '무료'로 배운 회원은 다른 회원들을 위해 '무료'로 무엇인가를 내어준다. 일종의 재능품앗이다.

전략 그리고 미래

공간창출 전략과 공간 나눔

이탈리아 재건공산당에 갔을 때, 그들은 "사회 활동들을 조직하려면 공간이 필요하다"며 "사무실을 얻기 전에 어떻게 주민들이 모일 수 있는 공간을 만들지 고민하고 있다"고 했다.

유럽 민중의 집을 탐방하고 난 이후 '공간전략'이란 다소 생소한 개념이 머릿속을 지배했다. 그들은 지역에서 어떤 사업을 펼치기 위해서 일단 어떤 공간이 필요한지에 대해서 연구를 한다. 먹고 마실 수 있는 곳을 마련하는 것은 기본이고, 일상적으로 이용하는 집이나 사무실보다 더 쾌적하고 우아한 공간을 창출해 내려고 애를 쓰고 있었다.

그래야 오고 싶어진다는 것이다. 스웨덴 민중의 집에서도 "집보다 더 쾌적하지 않으면 누가 오겠느냐"고 반문했던 것이 이와 같은 맥락이다. 심지어는 본문에도 언급했듯이 "민중의 집은 화장실도 깨끗해야 한다"는 말을 듣기도 했다.

솔직히 국내 지역 단체들의 공간은 그리 쾌적하지 않은 편이다. 사회적 합의에 따라 노동조합이 정부나 지자체를 통해서 자신들만의 공간을 확보하는 것까지는 문제가 되지 않는다. 하지만 그 공간을 어떻게 전략적으로 활용할지에 대해서는 논의가 활발하지 못하다.

특정 공간들은 인간이 정체성을 형성하고 연대를 구축하는 과정과 긴밀히 연관된다. 유럽 민중의 집은 노동자들이 자신이 그 공간을 소유하고 있다는 인식, 즉 일종의 특권 의식을 갖게 했다. 과거 노동자들은 공공기관 사무실에서 진정인으로, 큰 궁전에서는 하인으로 위치가 지워졌다. 반면 민중의 집은 반대의 효과를 가지고 있었다. 교회와 비유하자면, 노동자들은 하늘에서의 구원이 아닌, 땅에서의 구원을 위해 민중의 집이 조직됐던 것이다.

마포 민중의 집이 가지는 공간 전략은 아직 유아기 수준에 불과하다. 다만, 현재까지 공간을 통해 수많은 단체와 개인들의 모임이 이곳에서 이뤄졌고, 그것이 민중의 집을 알리고 지지를 획득하는데 유의미했던 결과를 낳았다고는 분명히 말할 수 있다.

지난 2010년 한 해 동안 67개 단체가 마포 민중의 집 공간을 사용한 것은 모두 233차례.

마포두레생협 송년회, 지역내 출판사들의 각종 모임, 학부모들의 자체적인 세미나, 진보정당의 당원모임 등이 민중의 집을 통해서 지속적으로 이뤄졌다. 마포 민중의 집은 먹고 마실 수 있는 시설을 겸비하고 있기 때문에 더욱더 유용하게 이용된다. 지역 내에 옹기종기 모여 있는 단체들은 대형 주방과 식탁, 모임 장소 등을 갖추지 못한 곳이 대부분이다. 이런 단체들이 공동으로 민중의 집을 이용하고 함께 공간을 나눠 쓰는 것은 마포 민중의 집이 가지는 주요한 전략 중에 하나다.

우리가 흔히 얘기하는 풀뿌리 민주주의를 위해서는 새로운 만남의 장소를 필요로 한다. 과거 부르주아지와 같은 엘리트들의 형성은 이후 배타적인 클럽이나 살롱의 형태가 된 카페와 연결됐다. 현대 사회에서 풀뿌리 민주주의 혹은 대중 민주주의는 다양한 의견이 교차될 수 있는 토론을 필요로 하고 있으며, 당연하게도 그 토론의 장소가 필수적으로 요구된다. 결국 아래로부터의 민주주의를 촉발시키며 사회가 진보를 향해 왼쪽 발을 내딛게 하기 위해서는 함께 만날 수 있는 공간이 필요하다.

때문에 민중의 집이 추구하는 공간 전략이 궁극적으로 아래에서부터의 풀뿌리 민주주의를 강화하는데 기여할 수 있기를 기대하고 있다.

지역사회 네트워크 전략

아마도 현재 민중의 집이 가장 활발히 벌이는 사업이 바로 지역 내 단체와 단체의 연결고리로써의 역할이라고 할 수 있다.

한국 사회에서 지역의 문제점은 진보적인 지역 단체를 찾아보기 힘들어서가 아니다. 지역 단체는 적지 않은 수가 있고, 각기 활동 또한 나름대로 활발하다. 하지만 단체와 단체를 연결시켜주고 소통시켜주는 일을 전문(?)으로 하는 단체는 찾아보기 힘들다. 그러다 보니 가뜩이나 열악한 환경에 놓인 지역 단체는 수년이 흘러도 여전히 어렵다.

그동안 민중의 집이 중심이 되어서 세 차례에 걸쳐 마포 지역 시민사회단체 신년회를 개최했다. 참여 인원이 매년 늘어났고 올해는 마포 지역에서 활동하는 40여 개 단체에서 100여 명이 넘는 전업 활동가들이 참여할 정도로 자리를 잡아가고 있다. 이젠 서서히 단체와 단체가 소통하는 구조를 만들어가고 있다.

지금까지 지역에서 활동하는 시민사회단체는 각개약진이었다. 각자 과

마포 지역 단체 신년회.

도하게 많은 사업을 진행하느라, 서로를 돌아볼 여유가 없었다. 한 사람의 열 걸음보다는 열사람의 한걸음이 꿈꾼다고 하면서도 정작 지역에서 활동하는 단체들은 서로의 사업을 집행하느라 주위를 둘러볼 여유를 갖지 못하고 있었다.

지역에서 진보를 위해서 고군분투하는 단체와 단체를 소통시켜주고, 서로를 고양시켜줄 수 있는 일을 하는 단체. 그게 바로 민중의 집이 되어야 한다고 믿었다.

지역 내 생활협동조합 운동, 노동운동, 진보정치 운동, 생태환경 운동, 장애인운동, 여성운동, 성정치 운동이 동반 성장할 수 있는 것은 물론 상호간에 긴밀한 네트워크를 통해 한 단계 높은 지역 활동의 비전을 마련하는 것이 바로 민중의 집의 목표다. 물론 이 또한 쉬운 일이 아니다. 마포 민중의 집도 인력이 부족하기 때문에 초기 민중의 집의 목표를 모두 다 이뤄낼 수는 없다. 다만 이런 문제의식 속에서 사업 방향을 정하고 중장기적인 목표를 수립할 수 있어야 민중의 집의 존재의의가 있다고 믿는다.

스웨덴 민중의 집의 경우 지역 민중의 집은 독자적으로 존재하는 것이 아니라 민중의 집 협회 또는 운영위원회를 구성해서 의결권을 주고 사업을 진행시키고 있었다. 스웨덴의 작은 도시 락스베드 민중의 집은 25개의 지역단체가 함께 협회를 구성하고 있었고, 린케비 민중의 집의 경우에는 무려 170개의 지역 단체들이 연결되어 있었다. 이 점은 앞으로도 마포 민중의 집

뿐 아니라, 구로, 중랑 민중의 집에게도 시사점을 준다.

아래에서부터 시작하는 진보의 재구성

개인적으로 마포 민중의 집을 지역 단체 간에 연결고리, 지역 단체들의 동반성장을 통해 아래에서부터의 진보의 재구성을 일으킬 수 있는 공간으로 만들고 싶은 꿈이 있다. 민중의 집은 서로에 대한 이해를 높일 수 있는 열린 공간이 되어야 하고, 이 사회의 소수자 집단이 지지를 받고 일을 할 수 있는 장소가 되어야 한다. 유럽 민중의 집은 좌파정치 세력들이 때로는 경쟁하고, 때로는 연대하는 공간이었다. 뿐만 아니라 생활협동조합과 문화 단체들이 버무려지는 공간이었다. 지역 내 진보적인 성향을 가진 다양한 단체는 민중의 집을 통해 모였고, 민중의 집이란 우산 아래서 서로의 차이를 솔직히 드러내기도 했고 극복하기도 했다.

초창기 마포 민중의 집 건설에 커다란 역할을 했고 현재도 민중의 집 공동대표를 맡고 있는 한국예술종합학교 심광현 교수의 글[22]을 참고해 보자.

> 신자유주의적 폐쇄회로를 대체할 대안적 회로는 운동이 당위적, 도덕적, 추상적인 요구의 수준에서 벗어나 대중의 일상생활 속으로 구체적으로 상승하고 스며들어야만 만들어질 수 있다. 그동안 우리사회에서는 '아래로부터 진보의 재구성' 이 이루어져야 한다는 반성의 목소리가 도처에

서 제기되어 왔었지만 극히 미미한 사례를 제외하고는 아직까지 '아래로부터' 대중의 능동적 참여에 의한 진보운동의 재구성이 적극적으로 실천되지 못하고 있다. (노동조합) 조합원과 (시민 단체)회원, (진보정당)당원 등 기존 사회운동의 구성원들이 '민중의 집'을 통해 지역 대중들을 만나고 또 스스로에게 능동적인 역할을 부여함으로써 기존 사회운동 자체가 다시 활력을 얻게 되는 '프로세스'이기도 하다. 민중의 집 건립운동은 사회운동 전반을 혁신하고 개조하는 공동의 프로젝트다.

민중의 집 초기 활동 목표

100년 전 갈등관계에 있었던 스웨덴 사민당과 노총이 중앙에서는 서로의 독자성을 인정하고, 지역에서는 당원과 조합원들의 연계를 더 강화하는 안을 통과시키며 민중의 집을 건설했던 것은 우리에게 여러 가지 시사점을 준다. 현재 한국의 정치지형이 복잡한 상황이기 때문에 같은 지향을 지니고 있는 사람들은 '정치' 라는 분야에서만 놓고 본다면 동질감을 가지기가 어렵다. 적어도 지역에서는 아래로부터의 진보의 재구성이 필요한 시점이고, 거기에 민중의 집이 일정한 역할을 담당할 수 있다고 한다면 지나친 자신감일까.

이런 사업, 저런 일

화요밥상 : 폭발적 반응

화요밥상은 마포 민중의 집의 대표 프로그램 중 하나.

초창기에는 가든호텔 노동조합에서 조합원인 요리사를 파견(?)해서 진행했다. 아이들 과자 만드는 방법부터 시작해서 여름에는 면 요리 특강(냉면, 메밀국수 등), 정통 스파게티 등을 매주 마다 진행하기도 했다.

반응은.

물론 폭발적이었다. 동네 주민부터 단체에 소속된 회원들까지. 아이들 대동하고 오는 부모들부터 퇴근한 후 혼자 밥 먹기 싫어서 무작정 발걸음을 옮기는 직장인들까지.

그렇다고 전문적인 요리사만 화요밥상을 진행했던 것은 아니다. 민중의 집 회원들은 자신의 노하우가 담긴 요리를 마음껏 선보였다. 삼색 수제비, 야채 쌈밥 정식, 마파두부덮밥 등.

어느 때는 일종의 꿈을 펼치는 공간이 되기도 했다. 텔레비전 요리 프로그램 진행자처럼 레시피를 적어서 회원들에게 강의식으로 진행하기도 했다.

유럽에서 보았던 모든 민중의 집은 먹고 마실 수 있는 공간을 겸비하고 있었다. 유럽 민중의 집은 정치와 밥, 그리고 문화와 놀이가 복합된 공간이었다.

이탈리아 밀라노에 있는 민중의 집을 방문했을 때 그들이 했던 말이 떠오른다.

경제 위기 상황에서 민중의 집에서 싼 가격에 음식을 먹을 수 있고, 밥을 먹으면서 사람들과 얘기할 수 있는 공간이 필요하다고 했다.

화요밥상, 민중의 집 회원들은 자신의 노하우가 담긴 요리를 이곳에서 마음껏 선보였다.

민중의 집 화요밥상은 상징적이었다. 노동조합의 조합원이 지역사회에 기여하고 있으며, 어떤 단체에도 소속되지 않았던 회원이 자신이 가진 요리 재능을 비자본주의 방식, 즉 무료로 제공한다. 민중의 집과 네트워크 되어 있는 단체의 회원은 싼값이지만 풍성한 식사를 여러 사람들과 함께 즐길 수 있다. 혼자 밥을 먹어야 하는 사람들, 일주일에 한번이라도 밥 짓는 노동에서 해방되고 싶은 사람들에게는 '느낌이 있는' 저녁식사를 제공한다. 이탈리아 민중의 집에 방문했을 때, 그들에게 민중의 집 회원이 된다는 것은 기부이든 소비이든 특별한 재능이든, 아님 그저 재미있는 이야기 꺼리든 무엇을 나눈다는 의미였던 것을 알게 해준 것처럼.

숨 쉬는 도서관 : 깊은 이해, 넓은 연대

최근 민중의 집의 주력사업이라고 할 수 있다.

숨 쉬는 도서관이라. 어딘가 말이 좀 이상해 보인다. 언젠가 시민단체에 가서 민중의 집을 설명할 때 숨 쉬는 도서관 사업을 설명하기 위해 이렇게 물어봤다.

"책 읽기 좋아하세요? 물론 좋아하시겠죠. 그런데 만약 디자이너가 되고 싶은 사람이 있으면 관련 책을 사서 읽는 것이 더 도움이 될까요. 아니면 현직 디자이너와 두 시간 정도 얘기를 나누는 게 더 도움이 될까요."

당연히 모두 후자라고 했다.

"기자가 되고 싶은 사람이 기사 쓰기에 관한 책을 읽는 것보다 현직 기자에게 두 시간 동안 얼굴 바라보며 얘기 듣는 게 더 좋겠죠. 당연합니다. 숨 쉬는 도서관은 바로 그런 것이죠. 사람이 책이 되어 필요한 사람 앞에 앉아서 대화를 나누는 것입니다."

주로 청소년들을 대상으로 진행되고 있는 숨 쉬는 도서관 프로젝트에 대해 난 이상적인 꿈을 꾼다. 세탁소 집을 경영하는 사람이, 시장에서 떡볶이를 파는 상인이, 채소 가게 사장이 숨 쉬는 도서관에 사람 책으로 활동하는 모습을. 사회적으로 전문가의 영역에 있는 사람뿐 아니라, 우리 주변에서 실은 꼭 우리에게 필요한 일을 하고 있는 사람들이 사람 책으로 등재되어 '대출' 되는 상상을.

꽃가게를 운영하는 사람에게 꽃을 가꾸는 법을 배우고 싶고, 음식점에서 일하는 아주머니에게 된장찌개에 대한 노하우를 전수받고 싶다. 더불어 그들의 애환을. 책으로는 읽을 수 없는, 사람들이 진하게 살아가고 있는 모습

숨 쉬는 도서관, 주로 청소년을 대상으로 진행되며 이곳에서는 사람이 책이 되어 정보를 나눈다.

을 듣고 싶고 보고 싶다.

숨 쉬는 도서관의 궁극적인 지향점이 바로 이런 것이 아닐까. 우리 주변에 대한 폭넓고 깊이 있는 이해. 그리고 연대.

토끼똥 공부방 : 행복한 마을

2009년 3월부터 민중의 집 공간에서 진행되고 있는 토끼똥 공부방은 민중의 집, 민족의학연구원, 전직 야학 교사들의 모임인 다연이 함께 운영하고 있다.

"작은 사람들이 행복한 마을 공부방 토끼똥"이라는 슬로건은 마을의 인적 자원들이 네트워크를 구성해 아이들을 행복하게 만들게 해주겠다는 포부가 담겨있다.

토끼똥 공부방 덕에 마포 민중의 집은 낮에는 아이들로 북적거린다. 지역 내 저소득층 자녀, 활동가들의 자녀들이 주로 이곳을 이용한다. 요즘은 공

토끼똥 공부방의 슬로건은 "작은 사람들이 행복한 마을 공부방 토끼통"이다.

부방이라고 하면 숙제 정도를 봐주는 걸로 인식되어 있는데, 토끼똥 공부방은 대안학교의 프로그램을 연구하고, 마을에서 자원 활동 교사들을 모집해서 프로그램을 만들어내고 있다. 특히 토끼똥 공부방은 아이들의 놀이수업에 많은 비중을 두고 있고, 문화예술 프로그램에 정성을 기울이고 있다.

유럽의 민중의 집 중 특히 스웨덴 민중의 집에서 아동, 청소년 프로그램이 상당히 주요사업으로 진행되는 것을 보았다. 그곳에서 토끼똥 공부방이 참고할 만한 것들이 적지 않았다.

스웨덴 함마쿨렌 민중의 집은 이주민 자녀부터 시작해서 다양한 배경을 가진 아동과 청소년들을 위한 프로그램이 있었다. 아이들을 위한 스튜디오에서는 영화를 만들고, 아동의 권리와 나, 전쟁반대, '왕따' 문제 등 사회적인 주제도 다루고 있었고, UN 아동권리협약의 주요 원칙을 알리는 프로젝트를 진행하기도 했다. 스웨덴 린케비 민중의 집은 청소년들이 타블로이드판으로 지역 사안에 대한 신문을 발행하기도 했다. 소피엘룬드 민중의 집에서는 청소년의 시각으로 도시를 어떻게 바꾸고 싶은지 토론하고 그 결과를 정리해서 공공장소에 게시해서 지방정부와 주민들에게 자극을 주기도 했다.

시민강좌 : 요리에서 제2외국어까지

마포 민중의 집은 유럽 민중의 집 수준의 다양한 강좌 프로그램이 있는 건 아니다. 여전히 공간적인 한계가 있고, 프로그램을 개발하는 것이 녹녹치는 않기 때문이다. 이탈리아에서는 문화 단체 아르치에 소속된 수많은 단체와 모임이 스웨덴에서는 노동자교육협회가 다채로운 프로그램을 각 지역 민중의 집에 다 연계했던 것과 비교된다.

하지만 마포 민중의 집도 시민강좌를 비롯해 다양한 생활강좌를 기획해서 진행하고 있다.

먼저 시민강좌.

시민강좌는 무료로 진행된다. 의료민영화, 언론정책, 교육시장화 등의 시사적인 문제를 다룬 강의도 있었고, 신자유주의 세계화의 역사 등 인문학 강좌도 진행했으며, 지구와 지역의 생태환경 문제, 생활의학 강좌 등 실생활과 정치를 접목시킬 수 있는 강좌를 개최해서 큰 호응을 얻기도 했다.

민중의 집 시민강좌는 무료로 진행되며 동네에서 편안하게 해당 분야의 전문가에게 진보적인 식견을 손쉽게 청취할 수 있다는 것이 장점이다.

시사적인 문제에 대해 전문가의 강의를 듣기 위해서는 일정한 마음가짐을 필요로 한다. 강좌를 듣기 위해서는 옷도 차려 입어야 하고, 비용도 지불해야 한다. 민중의 집 시민강좌의 가장 큰 장점은 동네에서 편안하게 해당 분야의 전문가에게 진보적인 식견을 손쉽게 청취할 수 있다는 것이다.

강사는 거의 대부분 재능 기부를 해주고 있지만, 시민 단체 활동가의 경우 소정의 강사료를 책정하기도 한다. 시민 단체에서 강의를 하기 위해 오는 강사는 아무래도 열악한 재정환경 속에서 일하는지라, 거꾸로 민중의 집에서 재정 품앗이를 할 필요도 있기 때문이다.

가벼운 마음으로 참여할 수 있는 생활강좌도 있다. 중국어, 일본어, 스페인어 강좌가 회원들의 재능 품앗이로 진행되었고, 자전거 교실, 요리교실, 컴퓨터 교실, UCC 제작 워크숍, 기타 교실도 진행했었다. 생활강좌의 경우 예외 없이 무료로 진행되고 있고 강사도 절대다수가 민중의 집 회원이다.

이러한 생활강좌는 또한 민중의 집과 연계를 맺고 있는 지역 단체에서 개설해 진행하는 경우도 많다. 앞서 열거한 요리교실은 가든호텔 노동조합에서, 자전거 교실은 지역 문화 단체 '문화로 놀이짱'에서 UCC교실은 '반이다'라는 영상집단에서, 대안생리대 워크숍은 '피자매연대'에서 지역 주민들과 회원들을 대상으로 진행했다.

결국 지역 단체들에서 주민 프로그램을 개설해서 단체의 활동을 알리면서 지역 내에서 동반성장할 수 있는 작지만 소중한 계기가 될 수 있다.

의료, 법률 서비스

현재 마포 민중의 집에서 할 수 있는 의료서비스는 내놓고 얘기하기에는 부끄러운 수준이다. 긴밀한 관계를 맺고 있는 병원이 R치과 하나뿐이다. 민중의 집 회원이 운영하는 한의원은 여럿 있지만 적극적으로 홍보를 하거나 어떤 협약을 맺지는 않았다. 의료 부분은 마포에서 의료생협이 추진 중에 있기 때문에 이후에는 좀 더 업그레이드 된 형태의 네트워크가 구성될 거라 기대하고 있다. 현재 마포의료생협은 법인 총회를 마치고 병원 설립에 박차를 가하고 있다.

민중의 집과 연계를 맺고 있는 R치과는 민중의 집에서 추천하는 저소득층에게 무료로 진료를 해준다. 임플란트를 비롯해 교정까지, 수백만 원이 들어가는 치료비를 전액 무료로 해주기 때문에 한동안은 문의전화가 빗발쳐서 민중의 집 업무가 마비가 될 정도였다.

R치과 홍수연 원장은 토요일에 한해서 저소득층 무료진료를 하고 있다. 치료비는 홍수연 원장과 뜻을 같이하는 전국의 치과의사들이 부담하고 있고, 진료 역시 이들이 하고 있다. 무료진료와는 별도로 민중의 집 회원에 한해서 정규직 10퍼센트, 비정규직 15퍼센트의 할인혜택을 주고 있다. 사실 할인 폭이 중요한 것이 아니라 믿고 갈 수 있는 병원이 있다는 것이 중요했다. 특히 노동조합 조합원들의 진료문의가 많이 오고 있다.

법률 서비스는 민중의 집 회원 중 변호사 몇 명이 진행하고 있다. 아직까지 드러내놓고 할 만큼 여유가 있지 않아서 회원들 중에서 법률 조언이 필요하다고 연락이 오면 연결을 해주는 정도에 그치고 있다. 2011년 12월에는 사법연수원과 협의해서 사법 연수생 10여 명이 민중의 집에서 법률 봉사를 했으며, 특히 민중의 집 단체 회원으로 등록된 시장상인들의 호응을 얻기도 했다. 인적 네트워크가 좀 더 활성화 된다면 이 또한 회원뿐 아니라 지역 단체 회원, 노동조합 조합원, 지역 주민들에게 확대해서 진행할 예정이다.

민중의 집은 앞으로

이제 마무리를 지어야 할 시간이다.

유럽 민중의 집 탐방을 통해 애초 민중의 집을 만들 당시의 문제의식이 조금 더 숙성된 걸 느낀다.

지역에서만 진보정당 정치인으로 10년.

지역의 진보 정치인으로서 민중의 집은 무엇일까.

진보정치가 동네에서 무엇을 하기 시작한 건은 불과 10년에 불과하다. 그러나 여기서 사람을 만나는 전략이 없다면 우리를 정당이라고 할 수 없다.

노동조합-정당 모델에서 우리가 놓친 것이 바로 스웨덴 민중의 집의 사례였다. 중앙 정치에서는 서로 다르게 가더라도, 지역에서는 질편한 결합이 이뤄질 수 있는 결단. 그것이 결국 스웨덴 복지국가를 만든 아래로부터의 힘이었다. 지금은 힘겨운 시기를 보내고 있지만, 어쨌든 과거 사민당의 성장과 노동운동의 성장에 민중의 집이 기여한 것만큼은 분명하다.

이탈리아의 작은 도시에서 민중의 집을 만들고 있었던 20대 대학생의 말이 여전히 귓전에 울린다.

> 우리의 목표는 일차적으로 지역에서 어떤 일이 일어나고 있는지를 주민들에게 알리는 것이다. 우리는 사람들이 도시에서 무슨 일이 일어나는지 알고 지역 정치에 참여하길 원한다. 우리의 주요 목적은 지역운동 단체들의 네트워크를 만들고, 그 속에서 각각의 조직들이 살아남게 하는 것이다. 정당이 추진하는 정치 프로젝트를 신뢰하지만 정당 정치만으로는 부족하다고 생각한다. 정당 정치와 지역운동 둘 다 필요하다. 정당만의 힘으로 지역을 바꾸는 것이 불가능하고 거꾸로 정당 없이 지역운동만 가지고 지역을 바꾸는 것도 불가능하다. 여기서 우리는 정당이 아닌 다른 정치 활동, 즉 지역 주민들이 직접 나서서 스스로를 조직하는 활동을 모색하려는 것이다.

공동체운동과 민중의 집

우리에게 공동체는 정말 가족뿐이었다. 혈연, 학연, 지연이 괜한 얘기가 아니다. 산업화 이후 도시로 상경한 노동자와 그 가족은 스웨덴에서 민중의 집을 만들어 서로 기대며 공동체를 만들었지만 우리에게는 가족밖에 없었다. 유럽에서는 근대에서 사회성이 탄생한 공간이 바로 민중의 집이었다. 그러나 한국에는 이런 게 있었는가. 가족 외에 공동체를 처음부터 만들어 가야 한다는 게 우리의 과제는 아닐까.

이건 거창한 운동의 과제가 아니다. 신자유주의 폐허 속에서 나와 우리가 살아낼 수 있는 유일한 방법이 새로운 공동체를 형성한다는 것을 절박하게 인식해야 한다. 그리고 그 시작은 놀이와 밥이어야 한다. 크고 작은 공동체들이 만들어지고 이것이 지역에서 서서히 성장하는 전략이 바로 그것이다. 8명이 만든 스웨덴의 작은 도시인 루센고든에서 8명이 만든 여성회가 5년 만에 400명의 회원으로 성장할 수 있었던 이유는 무엇일까. 지역 네트워크의 힘, 지역 단체들 간의 상부상조, 품앗이. 이를 통해 새로운 단체들이 만들어지고 성장하고, 후발주자에게 도움을 주고. 이 메커니즘이 우리의 동네에는 없었다.

노동운동과 민중의 집

노동자, 노동조합 조합원은 일터를 벗어나면 시민이 되고, 동네에서는 주민이자 이웃이다. 노동조합 조합원이라고 저절로 계급의식이나 정치의식이 생기는 건 아니다.

몇몇 역사학자들은 작업장을 기반으로 한 노동자 정체성이 이웃 간에 연대로 재강화할 때만 노동자로서의 의식이 발전했다는 점을 지적했다.[23] 직장 내에서 동일한 노동자로 살아간다고 해도 각자의 삶의 터전에서 작업장과 결이 다른 이웃 간 삶을 함께 공유하고 나누는 연대는 각 집단들이 자신의 공유된 경험을 나타내고 해석하고 의미를 부여하는 방법의 산물이다.

노동자들은 동일한 직업, 동일한 직장에서 함께 일하고 있다는 것만으로 계급적 정체성을 가지며 정치 활동에 참여하게 된다고 가정할 수 없다. 이는 오늘날 노조운동의 현실을 보면 너무 당연해 보인다. 중요한 것은 노동자들이 지역을 기반으로 서로 '이웃'이 되어 먹고 마시고 놀고 즐기는 지극히 평범한 일상생활을 함께하며 그것에 정치 · 사회 · 경제적 의미를 부여하는 공통의 경험이 뒷받침되어야 한다는 것이다. 예를 들어 먹을거리가 우리의 식탁에 오르기까지 얽혀 있는 자본주의 생산 · 유통 시스템을 알게 되고 그와 다른 대안적인 시스템을 공동체적 방식으로 만들어낼 수 있는 것처럼. 이러한 활동이 노동자들의 긴밀한 연대의 기반이 되고 나아가 교조적인 원칙으로서가 아닌 경제적 전환과 노동자의 정치 참여를 위한 대중운동으로서 사회주의를 상상할 수 있게 할 것이라는 당시 이탈리아 사회주의자들의 생각을 오늘날 깊이 새겨볼 필요가 있다.

노동자는 부모이고 한 가족의 구성원이고, 지역사회에서 일상을 살아가는 주민이다. 교육을 하던 투쟁을 하던 이러한 노동자의 다중적 정체성을 고려해 본 적이 있는가. 지역 활동을 통해 주변부 노동자들을 만나야 한다.

소수자운동과 민중의 집

민중의 집은 무엇보다 마주침, 회합에서 시작한다. 내가 다녔던 유럽 민중의 집은 다른 세대, 문화, 인종의 마주침의 공간이었다. 서로에 대한, 공동체에 대한 이해를 높일 수 있는 공간이었다. 소수자들이 괴물이 아니란 건 이웃으로 만날 때 알 수 있다. 혐오를 없애는 것이 필요하다. 인종차별주의적 혐오가 표출되기 시작한 우려스러운 상황에서 이주민 문제, 소수자 집단이 지지를 받고 함께 일할 수 있는 공간이 필요하다. 우리는 소수자와 '함께' 살아가는 공존의 방식을 모색해야 진보를 꿈꿀 수 있다. 지금까지는 소위 깨인 사람이라고 하더라도 소수자=시혜의 관점으로 접근했다. 스웨덴 민중의 집에서 이주민들의 자녀에게 스웨덴어를 가르치는 것이 아니라 자녀의 부모 나라 언어를 가르치고 있었다. 전혀 다른 관점의 사업이어서 그 얘기를 들으며 적지 않게 놀랐다. 진부한 말이지만 그들이 주체가 되어야 한다. 대상화하는 것이 아니라 주체로 성장할 수 있어야 한다. 그러기 위해서라도 서로 만나서 이야기 나눌 수 있는 기회가 필요하다.

우리가 일상적으로 만나는 이주노동자는 과연 얼마나 될까. 식당에서 종업원과 손님으로만 그들과 대화를 나눌 수 있는 공간은 어디에 있었나. 평범한 이웃들이 이주노동자들과 함께 대화를 나누고 소통을 할 수 있는 공간은 찾아보기 힘들다. 알지 못하면 두려움을 갖고 그 두려움이 좀 더 과격하게 표출이 되면 혐오가 된다. 사람들은 이주민에 대해 잘 알지 못해 두려움을 가지고 있다. 서로 이야기를 하게 되면 상대방에 대해 가진 두려움이 사라지게 마련이다

한바탕 꿈을 꾼 것 같지만 한바탕 시간여행을 하고 돌아온 느낌도 든다.

지난 2년 동안 유럽 민중의 집을 탐색하는 시간 동안, 난 100년 전으로 거슬러 올라가 거무튀튀한 얼굴로 민중의 집을 직접 짓기 위해서 삽을 든 노동자를 만났고, 어느 한적한 이탈리아 시골 마을에 있는 민중의 집 앞 뜰에서 땀에 배인 옷을 입은 채 차가운 맥주를 들이키며 하얀 이를 드러내고 웃는 노동자를 만났다. 뿐만 아니라 그의 늦둥이 아이가 또래의 친구들과 민중의 집 강당에서 노래를 부르는 모습도 모았다.

난 몽유병 환자처럼 그들 사이를 부유하며 지나갔다.

그렇게 과거를 찾아다니던 어느 날.

스페인에서 스페인 사회노동당과 스페인 노총 그리고 민중의 집의 창시자인 파울로 이글레시아스를 마주치게 됐다.

군중들이 모여 있는 한 복판에서 파울로 이글레시아스가 서 있다. 난 오늘이 무슨 날인지 묻지 않아도 된다. 일부러 이 날을 찾아서 과거로 온 것이니까.

책을 쓰는 지난 2년 동안 가장 가보고 싶었던 과거.

오늘은 스페인 최초의 민중의 집이 문을 여는 날이다.

파울로 이글레시아스가 상기된 표정으로 아주 작은 연단에 올라 떨리는 목소리로 말문을 연다.

"여러분, 오늘이 내 생애 최고의 행복한 날입니다."

후주

(1) 정갑영 · 임학순. 1996. 《문화의 집 모델 및 운영방안에 관한 외국사례 조사연구》. 한국문화관광연구원. p.18, 115

(2) Jean-Louis Guereña. 2006. "European Influences in Spanish Popular Education: The Case of the Socialist Casa Del Pueblo of Madrid and the Belgian Model (1897-1929)." History of Education 35(1) pp.27-28

(3) Jean-Louis Guereña. 2006. "European Influences in Spanish Popular Education: The Case of the Socialist Casa Del Pueblo of Madrid and the Belgian Model (1897-1929)." History of Education 35(1) (논문)

Luis Arias González & Francisco de Luis Martín. 2010. "Las Casas del Pueblo y sus implicaciones geográficas." Biblio 3w: Revista Bibliográfica de Geografía y Ciencias Sociales vol.15. (논문)

Ma Carmen Martínez Hernández & Laura Sánchez Alcaide. 2011. Las Casas del Pueblo de UGT Andalucía (1900~1939) - Una Aproximación a su Historia. Fundación para el Desarrollo de los Pueblos de Andalucía. (단행본)

Margaret Kohn. 2003. Radical Space: Building the House of the People. Cornell University Press. (단행본)

(4) Jean-Louis Guereña. 2006. "European Influences in Spanish Popular Education: The Case of the Socialist Casa Del Pueblo of Madrid and the Belgian Model (1897-1929)." History of Education 35(1). p.30

(5) Jean-Lauis Guereña,(논문) pp.31-32

(6) 김종법. 2003. "이탈리아 노동운동사 1." 월간 〈노동사회〉 제72호.

(7) 마가렛 콘. 앞의 책

(8) 마가렛 콘. 앞의 책

(9) 마가렛 콘. 앞의 책

(10) 정갑영 · 임학순. 1996. 〈문화의 집 모델 및 운영방안에 관한 외국사례 조사연구〉. 한국문화관광연구원.

(11) 안재홍. 1995. "개혁주의에 대한 스웨덴 사민주의자들의 논쟁에 표상된 민중의 관심, 1886-1911." 〈산업노동연구〉 제1권 제1호.

(12) 각 분야별 프로그램들 소개

- 책, 영화, 예술, 청년문화 등 각 분야별 주제에 대한 회원들 간에 의사소통과 교류, 활동의 아이디어 제공을 위한 프로그램이 연중 다양하게 열린다. 각각 '책의 날', '청년문화의 날', '예술의 날', '영화의 날' 등 고유한 기획을 가지고 컨퍼런스, 문화행사, 리셉션 등을 배치한다.

- 예컨대 청년문화의 날(Ungkulturdagarna, UKD) 행사는 특별히 청년 조직가들 간에 유대를 강화하고 역량을 높이기 위한 목적으로 1996년부터 총 14번 개최했다. 주로 국립극장에서 열린 이 행사에는 7천여 명의 청년들이 참여하여 영화도 보고 정치 토론도 하고, 춤도 추고 다양한 프로그램을 진행했다. 많은 참가자들은 이 프로그램을 통해 친구도 사귀고 새로 일자리를 얻기도 했다.

(13) 조직가 학교는 회원 조직 활동가들을 위한 맞춤형 학교로, 2008년부터 운영하여 총 200여 명의 활동가들을 배출했다. 특별히 회원 조직 활동가 및 노동자교육협회ABF 회원들에게 보조금을 지원하는 프로그램이다. 한 해 동안 모두 5번의 회의를 통해 운영되며, 사회적 기업의 운영, 문화 기획, 지역 단체들과의 파트너십 형성, 젠더 관점과 다양성, 청년 문화 등의 주제로 교육을 실시한다. 강연뿐 아니라 현장 답사, 워크숍, 실습 프로그램 등도 진행, 지역 ABF 지부를 원거리 교육의 플랫폼으로 활용한다. 2011년 조직가 학교는 10월 5일부터 4박 5일 교육 프로그램을 시작으로 2012년 9월까지 총 5차례에 걸친 회의와 답사 등으로 진행될 예정이다. 식사 및 숙박비를 포함하여 25,000크로나(우리 돈 약 400만 원) 상당의 비용을 5,000크로나에 제공한다.

(14) 일명 "레이저 맨(Lasermannen)" 사건이라 불리는 이 사건은 욘(John Ausonius)이라는 남자가 소총과 레이저 총, 나중에는 리볼버로 무장한 채 1991년 8월에서 1992년 1월 사이 스톡홀름과 웁살라 곳곳에서 11명을 저격, 1명이 사망하고 여러 명이 다친 사건을 말한다. 당시 피해자들의 유일한 공통점이 머리색과 피부색이 어두웠다는 것 외에 수사가 진척되지 않았고, 그로 인해 스웨덴 사회에서 인종혐오범죄에 대한 논쟁이 크게 일었다고 한다. 범인은 마지막 저격이 있은 후 6개월 만에 은행 강도를 시도하던 중 체포되었다고. (참고로 스웨덴 위키피디아 http://sv.wikipedia.org 에서 We shall overcome을 검색하면 이 범죄와 이민청 장관에 대한 에피소드가 소개되어 있을 정도로 유명한 사건.)

(15) 사민당은 2006년 총선 34.99퍼센트, 2002년 총선 39.85퍼센트, 1998년 총선 36.4퍼센트, 1994년 총선 45.25퍼센트, 1991년 37.71퍼센트, 1988년 43.21퍼센트, 1985년 44.68퍼센트, 1982년 45.6퍼센트, 1979년 43.24퍼센트, 1976년 42.75퍼센트를 기록했다.

(16) http ://politics.kr/66 참조.

(17) Luis Arias González & Francisco de Luis Martín. 2010. "Las Casas del Pueblo y sus implicaciones geográficas." Biblio 3w: Revista Bibliográfica de Geografía y Ciencias Sociales vol. 15.

Jean-Louis Guereña. 2006. "European Influences in Spanish Popular Education: The Case of the Socialist Casa Del Pueblo of Madrid and the Belgian Model (1897-1929)." History of Education 35(1).

Ma Carmen Martínez Hernández & Laura Sánchez Alcaide. 2011. Las Casas del Pueblo de UGT Andalucía (1900~1939) - Una Aproximación a su Historia. Fundación para el Desarrollo de los Pueblos de Andalucía.

(18) 마드리드 민중의 집이 본격적으로 민중의 집으로서 외관과 기능이 갖춘 것이 이 때라, 여러 자료에서도 마드리드 민중의 집 탄생 시점을 1908년으로 소개하고 있고, 스페인 노총도 마드리드 민중의 집 탄생 100주년 행사를 2008년에 개최했다.

(19) Ma Carmen Martínez Hernández & Laura Sánchez Alcaide. 2011. Las Casas del Pueblo de UGT Andalucía (1900~1939) - Una Aproximación a su Historia. Fundación para el Desarrollo de los Pueblos de Andalucía.

(20) 동아일보 2009. 5. 27. 기사 〈'지상 낙원' 일까 '독재 지옥' 일까〉

(21) 현재 국내에는 마포 민중의 집 이외에 구로 민중의 집, 중랑 민중의 집이 있다.

(22) 심광현. 2008. "촛불시위로 열린 '제3의 공간' 의 키잡이, '민중의 집 운동'"〈문화과학〉 2008년 가을호 (통권55호).

(23) Margaret Kohn. 2003. Radical Space: Building the House of the People. Cornell University Press. (단행본)

사진출처

018쪽 : 벨기에 호르타 박물관(Horta Museum)에서 운영하는 페이스북 페이지 (http://www.facebook.com/pages/Victor-Horta/31035109244).

039쪽 : Luigi Martini. 2007. 《Arci: Una nuova frontiera》. Ediesse. 루이지 마르티니. 2007. 《아르치: 새로운 개척자》. 에디에세 출판사.

040쪽 : 콘코르쪼 시 역사 아카이브(Archivio Storico della Città di Concorezzo) 웹사이트 http://www.archiviodiconcorezzo.it

102쪽 : SMS Rifredi 웹사이트 http://www.smsrifredi.it

157쪽 : Margaret Ståhl. 2005. 〈Möten och människor i Folkets hus och Folkets park〉. Bokförlaget Atlas.

196쪽 : 락스베드 민중의 집 홈페이지 http://www.nyaragsvedsfolketshus.se

280쪽 : Nuria Franco Fernández, Francisco de Luis Martin & Luis Arias González. 1998. 〈Catálogo de la Biblioteca de la Casa del Pueblo de Madrid (1908-1939)〉. Fundacion F. Largo Caballero-Comunidad de Madrid Consejeria de Educacion y Cultura.

296쪽 : Ma Carmen Martínez Hernández & Laura Sánchez Alcaide. 2011. 〈Las Casas del Pueblo de UGT Andalucía (1900~1939) - Una Aproximación a su Historia〉. Fundación para el Desarrollo de los Pueblos de Andalucía.

311쪽 : Nuria Franco Fernández, Francisco de Luis Martin & Luis Arias González. 1998. 〈Catálogo de la Biblioteca de la Casa del Pueblo de Madrid (1908~1939)〉. Fundacion F. Largo Caballero-Comunidad de Madrid Consejeria de Educacion y Cultura.

313쪽 : Nuria Franco Fernández, Francisco de Luis Martin & Luis Arias González. 1998. 〈Catálogo de la Biblioteca de la Casa del Pueblo de Madrid (1908~1939)〉. Fundacion F. Largo Caballero-Comunidad de Madrid Consejeria de Educacion y Cultura.

314쪽 : Nuria Franco Fernández, Francisco de Luis Martin & Luis Arias González. 1998. 〈Catálogo de la Biblioteca de la Casa del Pueblo de Madrid (1908-1939)〉. Fundacion F. Largo Caballero-Comunidad de Madrid Consejeria de Educacion y Cultura.

321쪽 : Fundación Pablo Iglesias. 2004. 〈125 Años del Partido Socialista Obrero Español〉.

술과 이웃, 토론과 배움이 있는,
세상에서 가장 큰 집

민중의 집

초판 1쇄 펴낸날 2012년 8월 8일

지은이 정경섭
펴낸이 이광호
펴낸곳 (주)레디앙미디어
편집 김숙진
마케팅 이상덕
디자인 이모나

등록 2006년 11월 7일 제318 - 2006 - 00128호
주소 서울시 영등포구 여의도동 13 - 5 오성빌딩 1108호
전화 02 - 780 - 1521 **팩스** 02 - 780 - 1522
홈페이지 www.redian.org
전자우편 book@redian.org

ISBN 978-89-94340-13-5 03300

* 책값은 뒤표지에 있습니다.